# Magritte

par

## Michel Draguet
*de l'Académie royale de Belgique*

Gallimard

Docteur en philosophie et lettres et agrégé de l'enseignement supérieur en philosophie et lettres, Michel Draguet est directeur général des Musées royaux des beaux-arts de Belgique. En 2009, il crée le Musée Magritte à Bruxelles et en 2013, le Musée Fin-de-Siècle consacré à la période qui va de 1863 à 1914. Spécialiste de l'histoire de la peinture des XIX$^e$ et XX$^e$ siècles, il est commissaire de nombreuses expositions relatives au symbolisme, à l'art belge du XX$^e$ siècle ainsi qu'à Magritte et l'auteur, entre autres, de *Khnopff ou l'ambigu poétique* (Paris, Flammarion, 1995 — prix Arthur Merghelynck 1996 de l'Académie royale de Belgique) ; *Chronologie de l'art du XX$^e$ siècle* (Paris, Flammarion, 1997 ; nouvelle édition en 2003) ; *Ensor ou la fantasmagorie* (Paris, Gallimard, 1999) ; *Le Symbolisme en Belgique* (Fonds Mercator, 2005) ; *Magritte tout en papier (collages, dessins, gouaches)* (Hazan, 2006) ; *Alechinsky de A à Y* (Gallimard, 2007) ou encore *Gao Xingjan. Le goût de l'encre* (Hazan, 2015).

*Je dédie cette biographie où Magritte et Georgette ne font qu'un à Bulle pour tout ce qui nous mêle et nous mélange en un même tracé.*

# Mise en place

René-François-Ghislain Magritte est né le 21 novembre 1898 à Lessines, au 10 rue de la Station\*[1]. Il est mort le 15 août 1967 en début d'après-midi à son domicile ; dans le désert médiatique d'un été ensoleillé que sa disparition ne rompra que de façon marginale. Deux dates qui déterminent une étendue : une vie dont le biographe aurait à remplir les cases. Le conditionnel est ici requis tant il est vrai que le peintre dont l'œuvre trône désormais aux endroits clés des parcours historiques que livrent les plus grands musées au monde s'est évertué à en effacer les traces comme si ne devait subsister que l'insignifiance d'un passage limité par ces deux dates reprises sur la pierre tombale du peintre au cimetière de Schaerbeek : 1898-1967. Dates aussi insignifiantes que l'année 1923[70] gravée sur la stèle baignée de lumière du *Sourire* peint en 1943.

« Insignifiance » n'est en fait pas le bon terme. Magritte n'a jamais douté ni sous-estimé son œuvre. Sous le masque du bourgeois universel et anonyme

* Les notes bibliographiques sont en fin de volume p. 389.

se fait jour une irrépressible volonté de résister par tous les moyens à une interprétation qui épuiserait le sens qui n'est jamais déposé dans l'image — avec ce que ce geste présuppose de préméditation — mais qui surgit de l'évidence qui, présidant celle-ci, détermine celui-là. Irréductibilité assumée à l'interprétation doublée d'un refus de tous les psychologismes qui, aux yeux de Magritte, sont toujours réducteurs et abusivement simplificateurs. Complexe et masqué, tel est l'homme que le biographe accompagne tout en sentant en permanence sa désapprobation peser sur un travail d'écriture qui fait du traducteur d'une vie un imposteur. Non que celui-ci s'évertuerait à mentir, mais parce que ce qu'il met en lumière, inéluctablement, viendra colorer la perception d'une image tout entière tributaire de la liberté de son surgissement. En ce qui concerne sa biographie, Magritte fait sienne la formule baudelairienne : il « hait le mouvement qui déplace les lignes ».

Cette volonté d'effacement de soi requiert la neutralité d'un paraître que Magritte n'aura de cesse de resserrer sur la forme aussi insipide qu'universelle du commis britannique que Edgar Allan Poe mit en scène dans son *Homme des foules* et que Magritte dut lire dans son édition de 1884 par Quantin dans une traduction de Charles Baudelaire. Magritte, qui raffolait de Poe au point de se rendre en pèlerinage dans sa maison lors de son unique voyage à New York en 1965, se revendiquera de cette « race des commis » qui érigeait en standard vestimentaire ce qui, peu de temps auparavant, avait été l'expression même d'un chic désormais obsolète. Cette esthétique que le peintre s'appliquera sans sourciller se fonde sur un goût prononcé pour ce léger décalage qui, sans induire nécessairement une faute de goût, trahit une forme de provincialisme que Magritte consacrera en art d'attitude. Refus calculé de s'installer à Paris pour préférer Le Perreux-sur-Marne et désinvolture qui conduit le peintre, tout à son art, à poser devant l'objectif en arborant une paire de charentaises qui laisse sans lendemain le substrat romantique qui animait encore un certain surréalisme. Adepte consommé du décalage permanent, Magritte s'est transformé lui-même en antihéros de la modernité contre laquelle il défendra une irréductible « belgitude » qui conduit à opposer au « oui certainement » du cartésianisme triomphant un « ah non peut-être ? » dans lequel l'irrégularité syntaxique parvient à faire du doute assumé la condition d'une affirmation qui ne doit rien à la raison raisonnante chère à l'esprit français.

La stricte application de la norme dans son universalité est ainsi érigée chez Magritte en principe qui permet ce travail de décalage qui brouille l'évidence. Cette apparente soumission à la norme, que les photographies du peintre à la mise toujours des plus banales déploieront à l'infini et que, le succès venant, la presse diffusera largement, n'est pas sans portée. Elle n'est pas qu'affaire de garde-robe, mais détermine les codes sociaux aussi bien que la relation aux autres. Au fil du temps, Magritte s'est enfermé dans un personnage qui comprend sa part de dépersonnalisation. A-t-il mesuré l'effet vampirique inhérent à ce jeu de rôle ? La lecture des lettres rédigées au fil des ans en témoigne au-delà de leur contenu propre. À l'écriture exubérante et approximative des débuts succédera une graphie serrée et méthodique de laquelle les graphologues interrogés disent ne rien pouvoir en tirer. Comme si écrire ne libérait pas la main mais constituait l'autre face d'un masque savamment composé.

Avant d'enfiler lui-même la livrée transparente du commis britannique, Magritte en affublera, dès 1926, certains sujets de son œuvre. Dans des collages, puis dans des peintures comme *Les Rêveries d'un promeneur solitaire* dont le sujet offre peut-être une première incursion picturale dans ce passé que Magritte rangera perpétuellement dans le magasin de ses détestations. Nous y reviendrons.

Universel dans son conformisme même, ramené à sa solitude, « l'homme des foules » apparaît comme la négation du dandy que Magritte représente dans des toiles comme *L'Homme en blanc* de 1925 et qu'il fut dans sa prime jeunesse. Refus de la mode comme art du paraître autant que comme façon de penser. Négation de ce qui se donne comme perpétuel changement. À ce qui ne se livrerait que dans la nécessité d'une rupture ouvrant sans cesse au nouveau — conception qui définirait la modernité, selon Magritte —, l'artiste opposera une pensée qui opère et progresse par une répétition de l'identique qui ne s'épuise jamais dans le même : à la fois assomption de l'habitude et jubilation du camouflage. Magritte est un maître du paraître. Un Œdipe qui, pour berner le Sphinx, aurait échafaudé une incroyable fiction : celle d'un peintre sans vie et sans passion, se partageant entre sa femme Georgette, les échecs et quelques menues distractions et qui, derrière la façade de son conformisme bourgeois, aurait alimenté un imaginaire poétique méthodiquement mis en scène dans des tableaux propres et des gouaches précises. Si l'historien de l'art, concentré sur les œuvres plus que sur l'homme, peut avancer dans ces forêts obscures où tout ne serait qu'artifice et construction, quelle conviction le biographe en tirera-t-il ? Faut-il chercher dans le passage de René à Magritte une logique qui situerait dans la vie même du peintre le sens de l'œuvre ou bien celle-ci s'est-elle méthodiquement construite indépendamment de l'existence banale d'un homme ordinaire ? La biographie devra-t-elle tracer le portrait d'un « homme sans qualités » capable seulement de produire ses images poétiques ? Un homme simple confronté à une normalité qui ne pouvait satisfaire le milieu au sein duquel il était obligé d'évoluer.

Pour le psychanalyste, le refus même du principe d'explication — couplé au rejet catégorique de toute projection psychologique — constitue l'indice d'un *quelque chose* à cacher qui justifierait l'entreprise biographique. D'autant que le masque conformiste se fissurera régulièrement, laissant poindre au hasard d'une lettre, d'un geste ou d'une série d'œuvres, ce sens irréductible de la révolte qui, parce que rare, s'exprimera avec une rage et une violence désespérées. Saisissement qui submerge la *Lectrice soumise* dans un rapport où l'effarement va de pair avec un certain dégoût, où la surprise semble décuplée par le caractère inattendu d'un propos en rupture avec le paraître lisse de l'homme des foules.

Sa vie durant, Magritte rejettera son passé, professant une répugnance pour ce que le fait biographique, mal orienté, induirait de déterminisme. Pour être sans maître, le peintre se veut sans passé. C'est ainsi qu'il voudra apparaître aux yeux des premiers complices qui, à l'instar de Louis Scutenaire, voudront lier le sens de l'œuvre à la perspective biographique. « Si j'avais écouté [Magritte] », signale ce dernier, qui composera en 1942 une des premières biographies du peintre, « j'aurais écrit au chapitre Passé : Rien ![2] » Comme nombre de témoignages qui seront rapportés, celui-ci nécessite d'emblée une remarque liminaire. Poète et comparse du peintre, Scutenaire s'impose comme un allié substantiel dans le travail de construction du personnage Magritte. Le texte qu'il lui consacre en 1942 connaîtra des reprises et des transformations jusqu'à la parution en 1947 d'un ouvrage qui s'inscrit dans le moment de révolte que forme ce que la critique qualifie désormais de période « vache ». Les anecdotes et les références de Scut, comme l'appelait Magritte, ne sont ni gratuites ni fortuites. Elles sont autant d'éléments apportés à la composition d'un personnage qu'un autre des acteurs du surréalisme belge, Paul Nougé, élude pour ne retenir que l'œuvre dans sa cohérence propre, dégagée du décompte d'une vie. Ici, la pensée consacrée en système ; là, l'anecdote significative liant l'œuvre à un tempérament. Avec la part de vérité que révèle le refus du passé ou la détestation des lieux qui accompagnèrent l'enfance du peintre.

Au même titre que celui du catalogue raisonné, l'exercice de la biographie n'aurait pas convaincu les « complices » de Magritte. Ceux-ci se seraient sans doute retranchés derrière leur double hostilité au passé et au déterminisme que le peintre professa sa vie durant. La présente biographie, la première à ce jour, ne constitue pourtant pas une fin en soi, mais une étape dans la connaissance et la compréhension de l'œuvre, de la pensée et de la vie de Magritte. Elle n'est nullement à la recherche d'une solution à ce que Magritte aurait appelé le « problème de la vie ». Pas plus qu'à celui de l'œuvre ou de la pensée. Elle témoigne d'une trajectoire humaine en s'articulant sur la vie et sur la pensée de l'un des artistes les plus emblématiques du xxe siècle. Emblématique d'un positionnement critique qui se défiera très tôt — le premier ? — de l'idée de modernité et de progrès liée à l'avancée des avant-gardes. Emblématique de l'urgence qui est la nôtre de recoloniser le réel pour le rendre vivable.

Cette biographie s'est construite à partir d'une chronologie publiée en 2009 à l'occasion de la création du Musée Magritte à Bruxelles[3]. Le présent texte s'appuie sur ce travail et en reprend certains passages.

# Premiers pas

S'il rejette volontiers la figure paternelle dont il fera mine d'avoir oublié jusqu'au prénom, s'il tente régulièrement de minimiser l'incidence sur son œuvre du suicide de sa mère, Magritte éprouvera toutefois un plaisir non dissimulé à déployer la généalogie de ces Magritte venus de France vers 1710 pour s'installer dans le Hainaut sous domination autrichienne. Si René Magritte descend en ligne directe d'un certain Jean-Louis Margueritte dit « de Roquette », d'après le nom de la ferme que les trois frères occupaient au XVIIIᵉ siècle à Pont-à-Celles, c'est au héros de la guerre de 1870, fauché lors de la charge de la cavalerie française à Sedan et qui succombera en Belgique, le général Jean-Auguste Margueritte ainsi qu'à ses fils, Paul et Victor, connus comme romanciers et auteurs de pantomimes que Magritte fera le plus volontiers référence. Et en particulier au second qui, après avoir composé des *Charades* pour la scène, publiera en 1922 une nouvelle intitulée *La Garçonne* qui causa un tel scandale que l'auteur se vit retirer sa Légion d'honneur. Les origines de Magritte se

révèlent toutefois moins littéraires. Sa famille —
dont le nom se contracte de Margueritte en Magritte
— se compose d'agriculteurs dont l'un, Nicolas
Joseph Ghislain, le futur grand-père du peintre, né
en 1835, quittera la ferme pour devenir « tailleur
d'habits ». Il aura trois enfants : deux filles, Maria
et Flora, nées en 1869 et 1872, et un fils, Léopold,
né en 1870. Celui que l'histoire n'a pas encore
retenu comme étant le père de René est inscrit
comme « voyageur de commerce ». Il sillonne le
Hainaut, entraînant à sa suite ses deux sœurs. La
stabilité n'est pas une vertu familiale. On retrouve
la petite bande durant huit mois à La Louvière en
1894. Peu après, frère et sœurs s'installent à Gem-
bloux où Maria tiendra un café. Léopold est alors
enregistré à la commune comme « tailleur ». En
1896, la famille complète gagne Gilly, près de
Charleroi. Nicolas et son fils y sont repris comme
« marchands tailleurs ». C'est là que le père décède
le 18 février 1898. Une dizaine de jours plus tard,
Léopold, désormais inscrit comme « voyageur de
commerce », épouse une jeune modiste, Adeline
Isabelle Régina Bertinchamps. Celle-ci appartient
à une famille de bouchers à la réputation solidement établie à Gilly. Né en 1827, son grand-père,
Placide Nisolle, après avoir été colporteur et « marchand d'horloges » a créé une affaire prospère qui
occupe l'ensemble de la tribu Nisolle. À la boucherie, lui et ses frères ont adjoint, en 1888, un commerce de chevaux qui fera leur fortune. Magritte
pensera-t-il à ce passé familial lorsqu'en 1965 il
posera le problème du cheval ? Pensera-t-il alors
à certaines des réussites de son parrain comme

l'importation de poneys russes ? Sérieux et travailleurs, les Nisolle dominent le monde de la boucherie à Charleroi, nourrissent les pauvres de Gilly, soutiennent la communauté abbatiale de Soleilmont. La famille appartient à la bonne bourgeoisie catholique et tient son rang. C'est dans ce contexte qu'Émilie Héloïse, fille adoptive de Placide Nisolle, a épousé Victor Bertinchamps, un ouvrier devenu boucher, dont elle aura une fille en 1871, Adeline Isabelle Régina, puis un fils, Alfred, qui deviendra à son tour boucher. Le décès de son mari en 1894 ramènera Émilie Héloïse dans le giron des Nisolle qui veilleront à l'éducation des enfants. D'emblée, le parti choisi par Régina entraînera la désapprobation familiale.

## LOIN DU CLAN

Cela explique sans doute que, sitôt marié, Léopold déménage sa famille et sa jeune épouse à Soignies où il reprend un magasin de vêtements dénommé Au bas national. Ses sœurs et sa mère tiendront la boutique alors que le jeune couple gagne Bruxelles. Léopold et Régina Magritte s'installent à Saint-Gilles, dans une banlieue en pleine expansion qui a bénéficié d'une urbanisation rapide grâce à la déclinaison sérialisée du style Art nouveau. Le jeune couple n'y restera que sept mois. En octobre 1898, il quitte la capitale pour gagner Lessines où leur premier enfant, René, verra le jour le

21 novembre 1898. Une photographie prise peu après leur arrivée montre le couple en pied dans le jardin de la maison. Léopold affiche un port altier. Sa femme a la dignité d'une bourgeoise fière de son rang. Le couple s'enferme dans le paraître.

René Ghislain Magritte sera baptisé le 8 décembre en l'église Saint-Pierre. Sa tante, Maria, sera désignée comme marraine et son arrière-grand-père maternel comme parrain. « Marchand-tailleur », Léopold ne brille pas sur le plan professionnel. Sa tentative d'implantation à Bruxelles s'est soldée par un échec et la représentation commerciale à laquelle il se consacre à travers le Hainaut ne rencontre pas un franc succès. L'homme végète et semble tributaire du soutien financier de sa belle-famille.

Une photographie datant de l'été 1899 montre la mère assise dans un ample siège en rotin. Elle tient sur les genoux son fils René. Les vêtements sont soignés et la pose a la dignité qui sied à la mise en scène d'une famille bourgeoise. Le regard lourd et fermé de la mère répond aux yeux vifs et enjoué de l'enfant. Ses jours ne tarderont pas à s'assombrir.

Le 10 mai 1900, la famille quitte Lessines pour retourner à Gilly où naîtront les deux frères cadets de René : Raymond, le 29 juin 1900, et Paul, le 24 octobre 1902. La mère de Régina vit désormais avec les Magritte. Elle finance, semble-t-il, les activités professionnelles de son gendre. Dans la vaste maison bourgeoise du 46 de la chaussée de Fleurus, l'ambiance semble souvent plombée. Sans doute lié à ses échecs professionnels, le retour dans le giron de sa belle-famille n'a pas été pour améliorer le tempérament ombrageux d'un Léopold dont le statut social ne reflète ni les aspirations ni les prétentions. Instable et non dénué de fatuité, Léopold supporte difficilement l'autorité du patriarche de la famille. Il est vrai que Placide, le parrain du jeune René, se révèle un personnage haut en couleur dont la fin sera à la mesure de la légende : il mourra dans la forêt de Soignes le 1er avril 1907. D'aucuns parleront alors d'un règlement de comptes lié à un possible trafic de bestiaux[1].

Dans cette tribu soudée par des valeurs, par un métier et par des intérêts communs, Léopold fait figure d'étranger. Sa belle-mère vit avec eux et assiste aux vaines tentatives de ce velléitaire dans lequel elle n'a qu'une confiance mesurée. Les tensions sont nombreuses, la cohabitation précaire.

Les difficultés professionnelles de Léopold et sa dépendance à l'égard des Nisolle l'ont conduit à se replier sur lui-même. Ce qu'il n'est pas parvenu à gagner par son travail, il va l'afficher dans une manière d'être qui apparaîtra à tous comme la marque d'un tempérament hautain et méprisant. Par provocation, il adopte une attitude aux antipodes des valeurs sociales défendues par le clan Nisolle. Léopold affirmera son anticléricalisme et fera de sa « qualité » de bourgeois l'argument d'une rupture avec le milieu local. Il ira ainsi jusqu'à interdire l'usage du wallon sous son toit.

Où situer le jeune René dans ce paysage familial électrique ? L'absence de références à sa jeunesse témoigne, par ses non-dits mêmes, d'une difficulté à se situer par rapport à un passé dont on pressent qu'il fut douloureux. Les textes où pointent des éléments autobiographiques témoignent d'une construction méthodique où le souvenir se fait écran. Telles les anecdotes de la « caisse fermée » et du « ballon dégonflé », livrées lors d'une interview donnée au journaliste et secrétaire de rédaction du *Vlaamse Gids*[2] Jan Walravens en 1962 et reprise lors d'une rencontre radiophonique avec le critique Jean Neyens en 1965[3]. Au contact des critiques d'art qui viennent l'interroger sur le sens de son œuvre souvent perçue comme hermétique, Magritte use de deux souvenirs d'enfance qu'il met en situation comme deux clés de lecture permettant de donner une résonance biographique à ce « mystère » que le peintre placera au cœur de « l'art de peindre ». Posée à côté du berceau, la caisse s'impose comme premier objet vu. Lorsque Magritte développe le motif à l'intention de Jean Neyens, peut-être pense-t-il aux toiles qu'il exécuta vers 1926 — *La Traversée difficile*, *Le Parc du vautour* ou *Le Sommet du regard* —, qui multiplient les dispositifs de l'objet mis dans une caisse, elle-même posée dans la boîte perspective de la pièce. À travers cette référence à la caisse — et sans éluder les acceptions freudiennes dont l'objet semble investi — se noue une série d'analogies qui font de toute pièce une caisse à l'instar de la boîte perspective dont le peintre usera régulièrement. Comme le laissent penser ces œuvres, la caisse induit un double mouvement : celui d'un vide intérieur que vient masquer la surface du tableau par essence transparente. Ce vide détermine la valeur du second objet puisé dans la prime enfance que Magritte détailla dans l'interview accordée en 1962 à Jan Walravens. À nouveau la proximité du berceau souligne le caractère originel et par là déterminant de l'anecdote : « [...] j'ai éprouvé un sentiment vivace d'étonnement en regardant de mon berceau quelques hommes qui enlevaient un ballon dégonflé tombé sur le toit de la maison de mes parents[4]. » À nouveau, le fait trouve un écho dans la production du peintre. D'une part, à travers le motif du ballon qui apparaît épisodiquement dans l'œuvre et, d'autre part, à travers ces formes molles qui dès 1927 hantent son imaginaire de leur existence labile. Dans les années quarante Magritte répétera l'anecdote à l'intention de Scutenaire, insistant sur cette « longue chose molle que des messieurs coiffés de casquettes à oreillettes et vêtus de cuir ont dû traîner dans les escaliers avec des mines entendues[5] ». L'allusion prend une valeur nouvelle alors que Magritte adopte un ton anarchiste et que les deux compères se prennent pour des Pieds Nickelés modernes. Le peintre se plaît alors à étirer les membres en de lentes amplifications molles auxquelles la référence, pour ainsi dire obsessionnelle, au nez donne une connotation sexuelle évidente. Le souvenir — qui permet ailleurs au psychanalyste de lier le double motif symbolique de la caisse et du ballon dégonflé au ventre maternel qui a connu deux grossesses successives, en 1900 et 1902[6] — devient en 1947 le support d'une explosion fantaisiste de formes et de couleurs déliées de toute contrainte : éructation

« vache » dont certains motifs ont pu conserver la trace mémorielle de la prime enfance.

## LE DANDY MÉPRISANT

Lorsqu'en avril 1904 la famille déménage pour Châtelet et emménage au 77 rue des Gravelles, au bord de la Sambre, la belle-mère s'installe quelques maisons plus loin pour rester au contact de sa fille qu'elle sait malheureuse. Jusqu'à sa mort, en 1905, elle assurera à la famille un semblant de stabilité. Celle-ci ne résistera pas à la disparition tragique du patriarche en 1907. Ce déménagement prend l'apparence d'une prise d'indépendance de la part de Léopold. Le gendre cherche le filon qui lui permettrait de se dégager de l'emprise de sa belle-famille. Il doit à son beau-frère, Alfred Bertinchamps, d'avoir trouvé la maison de la rue des Gravelles. Boucher établi, celui-ci connaît tout Châtelet. Léopold veut en profiter pour se lancer dans de nouvelles aventures professionnelles. Il abandonne le métier de « marchand-tailleur » et se lance dans les assurances. En vain. Il tente ensuite sa chance dans le négoce des produits coloniaux, dans la vente de savon et la revente de café. Autant de tentatives infructueuses. Les affaires de Léopold prennent un tour nouveau lorsqu'il est engagé comme représentant de la firme De Bruyn installée à Termonde, non loin de Gand. Tirant parti des débouchés qu'offrent les colonies, la société a développé deux produits qui rencontrent les faveurs du public : l'huile et la margarine de coco. Léopold veut y croire et transforme la maison des Gravelles en un dépôt où les voisins viennent régulièrement s'approvisionner. Dans le salon, des démonstrations sont régulièrement organisées. Affiches et publicités viennent s'y empiler, offrant au regard du jeune René ce qui deviendra sa première orientation professionnelle. L'expansion de l'entreprise De Bruyn bénéficie au père. Ouvrant des succursales en Allemagne, en Autriche et en Angleterre, la compagnie a besoin d'un homme de confiance pour contrôler un travail désormais étendu à l'échelle de l'Europe. En 1905, Léopold se voit promu inspecteur général. Il lui faut désormais voyager pour visiter les usines du groupe. L'argent rentre. Et avec lui se précise un caractère dominé par l'égoïsme. Léopold mène grand train, joue aux courses, descend dans les meilleurs hôtels de Berlin, de Vienne ou de Londres, entretient plusieurs maîtresses qui l'aideront à dilapider une fortune qui n'est pas encore faite et ne dédaigne pas la fréquentation des prostituées. Ses retours à Châtelet lui pèsent tant qu'ils ne font que décupler l'arrogance qu'il témoigne désormais à une populace provinciale dans laquelle il ne s'est jamais reconnu. Recueillant le témoignage de derniers survivants de l'époque, Jacques Roisin a pu esquisser le portrait d'un Léopold enrichi, qui toise voisins et riverains : « Il passait dans les rues, le corps raide et le regard hautain, toujours vêtu d'un frac à pans et coiffé d'un chapeau buse, ou habillé d'un costume avec cravate et chapeau melon[7]. » Il refuse désormais de se mêler au peuple et tient à s'en distinguer d'un point de vue vestimentaire. Ainsi, l'âme du commis dans son vêtement qui ne rend compte de la mode qu'au passé a peut-être trouvé son point de référence dans l'image de ce père tiré à quatre épingles. De ce dandy aux moustaches frisées et portant chapeau boule qui apparaît sur une photographie de 1909. Par le vêtement comme par la pose, Léopold témoigne de prétentions que son fils aîné reprendra bientôt à son compte. Mélange de mépris et d'indifférence affiché pour mieux masquer, sans doute, des failles plus profondes.

Grâce à l'argent gagné, Léopold peut s'affirmer tandis que la génération qui le tenait comme une mésalliance s'éteint. Il est désormais libre de revendiquer des valeurs qui, pour être personnelles, résonnent d'abord comme une provocation à l'endroit des Nisolle. Libéral et anticlérical, Léopold lit *La Gazette de Charleroi* qui professe alors une virulente opposition aux principes chrétiens. Il se détache de sa femme avec de plus en plus d'ostentation. Alors qu'à Bruxelles le mari va de prostituée en conquête d'un jour, tout en se délestant régulièrement de ses revenus sur les champs de course, à Châtelet, l'épouse reste seule — et souvent sans le sou — avec trois fils dont l'éducation relève pour elle du chemin de croix[8]. C'est que l'image du père a fait tache : portant beau et fort en gueule, Léopold a transmis à ses fils un caractère rebelle et irrévérencieux. Prise dans ce marasme, Régina s'enfonce lentement dans la neurasthénie.

En octobre 1905, René Magritte entre à l'école moyenne de Châtelet. Dans cet enseignement d'État, il fera ses six classes primaires ainsi que sa première année d'études secondaires. C'est un élève appliqué qui travaille correctement, même si nombre de ses condisciples retiendront surtout sa passion pour le coloriage et pour les récits animés des héros du jour comme Zigomar ou Fantômas. Interrogé par Jacques Roisin, un des condisciples de Magritte s'en souviendra soixante-dix ans plus tard : « Je l'entends encore crier "Zi-go-mar-peau-d'an-gui-lle" et "Fan-tô-mas"[9]. » Dès l'école, Magritte affiche un goût prononcé pour la blague. Il ne s'en départira jamais, conservant, jusque très tard, un esprit potache. Scutenaire, le premier, recueillera pléthore d'anecdotes qui témoignent d'un sens éprouvé de la farce, même cruelle. L'ami poète les consignera comme autant d'actes puisés dans l'enfance pour légitimer le pied de nez acide que constituera la période « vache ». Scutenaire met notamment l'accent sur ce qui touche à la religion. Non sans suggérer l'ambiguïté qui caractérise alors le jeune René qui, tout croyant qu'il soit, tourne en dérision les exercices du culte. Et de décrire un Magritte fébrile se signant avant de prendre ses repas « à deux ou vingt reprises, brutalement, à toute vitesse, en faisant des grimaces telles que la bonne disait à sa mère : "Madame, je ne

veux plus rester seule avec votre aîné, il est fou"[10] ».
Anecdote dont la légende locale a conservé long-temps la trace en décrivant un Magritte qui faisait la messe sur les marches de la maison, tel un for-cené, devant le regard mi-amusé, mi-choqué, des passants[11]. Ces anecdotes ébauchent le portrait d'un Magritte tour à tour angélique et démonia-que, habité par une tension sarcastique permanente et dont Scutenaire rendra compte de la personna-lité complexe.

> Encore que ses familiers puissent tenir la chose pour incroya-ble, [Magritte] a vécu dans l'innocence et le mystère enfantins, il a peut-être la nostalgie des jours tout neufs qu'il passait alors sans embûche comme sans péché.
> Il fut mystique, au garde-à-vous devant Jésus, sa mère, sa colombe et les saints des vitraux. Les mauvaises confessions l'ont torturé et les chants liturgiques, les cierges, l'encens, l'étour-dissaient de bonheur et de malaise.
> Face au miroir de sa chambrette, il a des matins fait des gri-maces qui lui bouleversaient les traits, grimaces qu'il n'a pas abandonnées dans son âge mûr. D'autres matins, c'est pâle et solennel un peu qu'il regardait avec, dans les yeux et le cœur, le ferme propos d'être sage, de vivre mieux ; aujourd'hui, tou-jours avec des gestes définitifs de la main, des hochements de tête résolus, il aime prendre de bonnes résolutions[12].

Le portrait que livre Scutenaire témoigne d'une tension intérieure qui oppose deux réalités d'une même et unique personnalité. Il livre aussi une première acception de ce « Mystère » que l'œuvre ne cessera de vouloir dévoiler en un surgissement que le texte — qu'il soit théorique au fil des essais ou reflet de l'expérience vécue au hasard de la cor-respondance — ne se résoudra jamais à préciser, de peur que l'explication donnée n'en épuise le sens en perpétuel devenir. Le mystère de la foi y jouerait un rôle d'autant plus déterminant que lié à l'enfance. Il désignerait cette raison impénétrable qui régirait l'espace qui se déploie de l'autre côté d'une réalité qui détermine l'espace de l'existence humaine : au-delà du miroir sans nécessaire relation avec le champ de l'expérience personnelle. Cette raison absolue aurait constitué la première expression du « Mystère » sans que celle-ci ait eu à subir l'assaut d'une « raison raisonnante » dont Magritte, sa vie durant, se défiera... Surtout si celle-ci lui offre l'occasion d'agir à contre-courant du milieu qui est ou qui sera — songeons aux milieux multiples que forme la constellation surréaliste — le sien.

Ainsi, le « Mystère » au sens où Magritte l'entendra (sans jamais se risquer à le définir) aurait partie liée avec une forme d'ascèse nécessairement violente puisque sans limite ni contrainte. À la tête de sa bande de copains, Magritte se prend moins pour Jésus que pour Zigomar, l'aventurier méphistophélique créé en 1908 par le romancier Léon Sazie dont les méfaits soulèvent l'enthousiasme cruel de ses zélotes. Ceux-ci le suivront au cri de « Z'à la vie Z'à la mort ». La cruauté de Zigomar constitue un impératif pour ce héros impitoyable qui revendique un titre de « Roi du crime » que Fantômas cherchera bientôt à lui ravir. Comme Fantômas après lui, Zigomar ne brille que parce qu'il incarne un absolu du Mal répondant à l'absolu du Bien révélé par la religion. Lui aussi se signe... dans le sang de ses victimes qu'il marque d'un signe « Z ».

Zigomar n'est pas la seule lecture à laquelle s'adonne René Magritte. Aux auteurs classiques, il préfère des revues comme *Les Belles Images* ou *La Jeunesse illustrée*. Celles-ci sont alors célèbres pour leurs rébus dont le peintre se souviendra plus tard. Avec, en point d'orgue, une série d'œuvres (deux toiles et une gouache) de 1937 qui présentent une théorie d'objets qui devraient se répondre à l'instar d'un rébus et qui porte pour titre *La Jeunesse illustrée*. Le jeune René est un client assidu de la boutique du Passe-Temps où il se fournit en revues et magazines. Il dévore la littérature de jeunesse qui entre à l'époque dans l'ère industrielle. Aux publications anciennes comme *Le Magasin pittoresque* succèdent des nouvelles qui font ses délices : *L'Épatant*, *L'Intrépide*, *Buffalo Bill*, *Texas Jack*, *Nick Carter*, *Nat Pinkerton*, sans oublier *Les Pieds Nickelés* de Forton, dont l'anarchisme bon enfant fait figure de modèle pour cet adolescent insoumis.

Dans ce paysage peuplé d'aventuriers irréductibles et de joyeux libertaires surgit, en 1911, celui qui laissera sans doute la marque la plus durable sur l'imaginaire magrittien : Fantômas. Né dans les pages du *Parisien*, le héros inventé par Pierre Souvestre et Marcel Allain quitte rapidement la rubrique du feuilleton pour déployer ses aventures, où la cruauté le dispute au bizarre, dans des livres publiés par Fayard dans la collection du « Livre populaire ». La production du duo est intense : rien que pour l'année 1911, à l'inaugural

*Fantômas* succèdent *Juve contre Fantômas*, *Le Mort qui tue*, *L'Agent secret*, *Un roi prisonnier de Fantômas*, *Le Policier apache*, *Le Pendu de Londres*, *La Fille de Fantômas*, *Le Fiacre de nuit*, *La Main coupée* — motif qu'on retrouvera dans l'œuvre de Magritte jusqu'à ce dernier tableau laissé inachevé à sa mort et qui repose sur un livre fermé dont on peut rêver qu'il soit d'Allain et Souvestre — sans oublier *L'Arrestation de Fantômas*. La mort de Souvestre, en 1914, mettra un terme à une collaboration sanctionnée par la parution de trente-deux volumes dont certains portent des titres qui laisseraient à penser qu'ils eurent leur mot à dire dans l'élaboration de certaines œuvres du peintre : *Le Train perdu* d'octobre 1912, pour la locomotive de *La Durée poignardée* ou ce *Bouquet tragique*, paru en décembre de la même année et qui entretient, peut-être, quelque lien avec tel autre bouquet. Sans oublier l'énigmatique *Jockey masqué* de janvier 1913 qui a pu imprimer sa marque démoniaque au *Jockey perdu* par lequel Magritte inaugurera, en 1925 ou 1926, sa période surréaliste. Aux échos des titres répondent les emprunts directs que Magritte fait aux aventures de Fantômas. Tout particulièrement dans les premiers mois de 1927. *L'Homme du large* fait directement référence à un fragment de *Juve contre Fantômas*. De même, *L'Assassin menacé*, exécuté peu après, renvoie à une scène du *Policier apache* paru en mars 1911 à laquelle vient se superposer la mise en scène du premier film de Feuillade consacré à *Fantômas* avec ces deux bandits —

transformés en policiers par Magritte — qui, tapis de part et d'autre de la baie, attendent l'assassin.

Si la trente-deuxième livraison publiée le 20 décembre 1913 annonce *La Fin de Fantômas*, celui-ci reviendra en 1919 sous la plume désormais solitaire d'Allain pour onze volumes qui paraîtront par intermittence jusqu'en 1963. Entre-temps, le héros maléfique aura pris corps grâce au cinéma. En 1913, Louis Feuillade confie à René Navarre le rôle-titre pour une série de cinq films : *Fantômas*, *Juve contre Fantômas* et *Le Mort qui tue* en 1913 ; *Fantômas contre Fantômas* et *Le Faux Magistrat* en 1914. Au côté de Navarre, Edmond Bréon tient le rôle du policier Juve et Georges Melchior celui du journaliste Fandor. Renée Carl, l'interprète privilégiée de Feuillade, incarne cette troublante lady Beltham dont l'amour qu'elle porte à Fantômas n'a d'égal que le dégoût que lui inspirent ses crimes. Car Fantômas n'a rien à voir avec le charmant cambrioleur auquel Maurice Leblanc, un peu plus tôt, a donné les traits d'Arsène Lupin. Fantômas est sans foi ni loi. Il ne connaît pas plus la pitié que la loyauté. Délesté du poids d'une conscience, il apparaît en maître du camouflage comme un homme sans physique ni visage : une énigme vouée au crime. Aussi brutale qu'étrange. À l'aune des critères contemporains, il ferait figure de sociopathe tirant de ses crimes sadiques un plaisir dévoilant la face la plus sombre de l'être humain.

Si le personnage du « Roi du crime » n'est pas une innovation, la saga des *Fantômas* offre un profil singulier qui a largement justifié son succès.

Composées au dictaphone, les aventures se déploient dans une fluidité qui doit beaucoup à cette dimension verbale. Si, dans *Les Soirées de Paris* d'Apollinaire, Cendrars y voit l'« *Énéide* des temps modernes », c'est davantage à l'*Odyssée* qu'il faut comparer ce chant par lequel le Mal érigé en absolu dévoile l'issue du monde.

Magritte se plaira à se représenter en Fantômas : depuis ces photographies où le regard acquiert une profondeur machiavélique jusqu'à ce *Barbare* de 1927 qui reprend le visage et la pose du bandit tel que Starace l'avait immortalisé en couverture du premier volume de *Fantômas*. Surgissant d'un mur de briques rouges, le mystérieux malfaiteur n'est autre que Magritte, qui posera à l'identique à côté de sa toile lors de sa présentation à Londres, en 1938. Le motif fera l'objet d'une reprise avec *Le Retour de flamme* de 1943 où le peintre remplace le poignard sanglant de l'illustration originale par une rose, anticipation du *Coup au cœur*, toile de 1952 par laquelle Magritte « résoudra » le problème de la rose en présentant « un poignard qui pousse sur la tige d'une rose[13] ». Jeu de substitution que le futur peintre avait déjà eu l'occasion d'éprouver en 1913 en découvrant l'affiche pour le premier film de Feuillade qui reprenait la même illustration, mais en escamotant le poignard. Le « Roi du crime », on le voit, ne quittera pas Magritte qui lui consacrera quelques textes comme ces « Notes sur Fantômas » parues dans *Distances* en mars 1928 où il livre en une formule — « [Fantômas] n'est jamais invisible entièrement. On peut voir son portrait à travers son visage[14] » — le sens de ses propres portraits photographiques. Mais la figure démoniaque entraîne à sa suite celle du détective infaillible qui ramène l'univers à son état originel d'énigme dont la peinture, plus tard, traquera la solution.

## CINÉMA PEINTURE

Fantômas ouvre une fenêtre sur un imaginaire multiple où la dialectique du Bien et du Mal se double d'un dialogue qui lie littérature et cinéma. Magritte a découvert les magies du septième art à l'occasion de l'Exposition universelle de 1911 qui s'est tenue à Charleroi[15]. Dévolu à la promotion de l'énergie industrielle et de l'art wallons, l'événement, qui court d'avril à novembre, est le théâtre d'une multitude d'événements et d'animations dont la « cabane de cinéma » qu'un certain Zénon Emplit ouvre dans la ville basse de Charleroi. En avril 1912, celle-ci se transforme en un cinéma-brasserie dont l'accès est gratuit pour peu que l'on consomme. Magritte en devient un des habitués et y noue des amitiés profondes : avec les frères Chavepeyer notamment. En marge du septième art, l'adolescent découvre celui de l'affiche qui prolonge l'expérience cinématographique en en synthétisant l'argument. Ce que le film révèle dans la durée, l'image peinte le livre dans un instantané qui se veut accrocheur. En amont du film qu'elle a pour mission d'annoncer, l'affiche doit susciter la surprise et un irrépressible désir de voir. Interviewé par Jacques Roisin, Albert Chavepeyer se souviendra de ces affiches qui fascinaient tant Magritte : pour les cycles Alcion avec son cycliste cerbère arborant les quatre têtes des champions du Tour de France, Lapize, Faber, Van Hauwaert et Petit-Breton. Sans oublier celle annonçant en 1913 l'arrivée de Fantômas sur les écrans.

Si le cinéma imprime en Magritte une empreinte dont celui-ci ne se défera jamais, il aiguille le regard de l'adolescent vers l'image picturale selon une logique qui, avant d'arriver au film, est passée par la photographie en venant des livres illustrés. Ceux-ci ont enchanté les temps libres du futur peintre qui a d'abord tiré un plaisir du coloriage qui l'a peu à peu conduit à s'intéresser à la peinture. En 1910, il suit les cours hebdomadaires d'un artiste des environs de Charleroi qui se donnent au premier étage d'une boutique de bonbons et de fournitures scolaires tenue par deux sœurs, les demoiselles Thomas. Perdu dans un univers essentiellement féminin, l'artiste en herbe exécute ses premières toiles d'après des cartes postales. Trois œuvres, témoins de ces premiers pas datant de 1910, ont été conservées : deux paysages et un tableau de fleurs qui s'inspirent de chromolithographies de peintures hollandaises et flamandes.

Dans *La Ligne de vie*, conférence prononcée à Anvers en 1938, Magritte reviendra sur sa découverte pittoresque du monde de la peinture, concluant par une formule qui détermine le parcours à venir : « L'art de peindre me paraissait alors vaguement magique et le peintre doué de pouvoirs supérieurs[16]. »

Si le style se révèle maladroit, Magritte tire néanmoins du plaisir de l'exercice. Tout comme il s'enthousiasme pour la photographie qu'il a découverte auprès du père de Raymond Pétrus, un de ses condisciples à l'école moyenne de Châtelet. Il est séduit par le processus chimique qui fait apparaître sur la surface du papier une image façonnée par la seule lumière. Pétrus décrira un Magritte tapi dans le noir pour voir les photographies apparaître lentement[17]. À nouveau, l'expérience laissera sa marque sur l'imaginaire du peintre. D'abord, elle signale l'irruption dans la vie de Magritte d'une pratique qui l'accompagnera jusqu'à ses derniers jours. Que ce soit comme forme d'expression artistique ou comme simple moyen de fixer le temps voué à disparaître. Ensuite, la révélation de l'acte photographique, entendu comme graphisme né de la lumière ou, selon la formule du XIXe siècle, comme « dessin photogénique », introduit dans son imaginaire une esthétique du surgissement qui conditionnera en profondeur la valeur de l'image poétique. À l'instar de *La Lectrice soumise*, l'adolescent s'émerveille de voir surgir une image née du néant, qui prend forme dans un jaillissement dont la magie anesthésie sa conscience de spectateur. Révélée par une chimie que la puissance poétique transforme en alchimie, l'image prend corps dans l'instant, selon un processus que le futur peintre ne cessera d'explorer pour en affirmer la puissance démiurgique.

Ces années sont des années d'école. En disciple de Fantômas, René Magritte se révèle réfractaire à la discipline nécessaire à tout apprentissage. Son hostilité à l'égard des maîtres n'est que le reflet de l'arrogance professée par son père à l'égard de la population de Châtelet. Les résultats sont néanmoins bons. Il obtient régulièrement de bonnes notes et, durant le cycle primaire, finit toujours dans les dix premiers de la classe. Sa scolarité se poursuit sans embûches jusqu'à sa première année d'école moyenne, en 1911-1912, qu'il rate. À sa décharge… sa mère s'est suicidée en février 1912.

## « NE PARLONS PAS DE CELA »

*Le Rappel*, quotidien de la région de Charleroi, annonce dans la rubrique « Chronique locale et régionale : Châtelet » de son édition du dimanche 25 février 1912 : « Disparition. On signale la disparition de Régina Bertinchamps, épouse Magritte, domiciliée à Châtelet, rue des Gravelles 95, et qu'on ne l'a plus revue depuis samedi vers 4 heures 30 du matin. Âge : quarante ans ; taille 1,62 m ; corpulence assez forte ; cheveux et sourcils noirs. » Après sa description vestimentaire — une robe de nuit et une chemise en toile, des bas de laine noire —, suit en guise de commentaire : « Cette femme était neurasthénique et avait manifesté, à plusieurs reprises, l'intention d'en finir avec la vie. »

L'article sera repris — moyennant quelques variantes — dans la presse régionale. Le 13 mars, *Le Rappel* se fait l'écho de la découverte du corps sous le titre « Châtelet : noyée ». L'article rappelle que « dans un accès subit de fièvre chaude, [Régina Bertinchamps] avait quitté furtivement sa demeure en pleine nuit ». Son corps n'a été retrouvé dans la Sambre que le 12 et repêché vers onze heures du matin. Dans son édition du même jour, *Le Journal de Charleroi* précise que le corps a été retrouvé « derrière le terril des Agglomérés », non loin de l'endroit où elle avait disparu. Son inhumation est annoncée pour le jeudi 14 mars à neuf heures du matin en l'église paroissiale des Saint-Pierre-et-Paul de Châtelet. Ainsi s'achève une trajectoire tragique. Faute d'un achat de concession, la tombe de Régina Bertinchamps sera reprise en 1922 et les restes de la défunte déposés à l'ossuaire.

Mis à part un témoignage recueilli par Scutenaire pour la monographie à laquelle ce dernier travaillera à partir de 1942, Magritte restera muet sur ce drame. C'est donc en 1947 que l'événement trouvera sa formulation première avec l'image du visage voilé.

La mère du peintre s'était jetée à l'eau et, quand on repêcha son cadavre, elle avait le visage couvert de sa chemise de nuit. On n'a jamais su si elle s'en était cachée les yeux pour ne point voir la mort qu'elle avait choisie ou si les remous l'avaient ainsi voilée.

Le seul sentiment dont Magritte, à propos de cet événement, se souvienne — ou imagine se souvenir — est celui d'une vive fierté d'être le centre pitoyable d'un drame[18].

Scutenaire a-t-il inventé l'image de noyée à la tête recouverte par sa chemise de nuit ou bien Magritte a-t-il voulu souligner le caractère dramatique du suicide en le mettant en scène ? D'autant que le dispositif renvoie à l'esthétique que le peintre a mise en place dès 1928 avec des œuvres comme *La Ruse symétrique* où un corps féminin nu, réduit à un torse sans bras et à une paire de jambes, est recouvert d'un drap blanc qui ne laisse apparaître que ces dernières. Plus loin, dans la même pièce obscure, deux formes dans laquelle l'esprit aspire à vouloir reconnaître des têtes sont recouvertes d'un même linceul. En 1928 toujours, Magritte reprendra le motif pour *L'Invention de la vie* qui juxtapose dans un même paysage sommaire une femme coiffée au goût du jour et une silhouette immobile recouverte d'un drap. Sombre et angoissante, la représentation suggère une relation entre cette forme fantomatique et le buisson qui en dédouble le tracé. Le motif a clairement été repris par le peintre pour une série de toiles réunissant *L'Histoire centrale* et deux différentes versions d'un même sujet baptisé *Les Amants*. On sent Magritte intéressé par ce motif qui renvoie au masque de Fantômas. À moins que l'image du visage voilé ne lui ait été suggérée par une intrigue de Nick Carter, le « grand détective américain », dont les aventures, publiées chaque semaine, bercèrent son adolescence. Magritte a pu s'inspirer de la couverture du volume intitulé *Les Initiales mystérieuses*, qui met en scène une femme assassinée, couchée par terre, pieds joints et bras en croix, la tête enveloppée d'un drap. Quel sort donner à l'anecdote rapportée par Scutenaire ? Faut-il y voir une projection de l'œuvre sur un fait bouleversant de l'existence ? Ou, au contraire, le peintre a-t-il livré à l'ami un détail qui lui aurait été rapporté et qui aurait infusé dans son œuvre depuis le corps flottant derrière le promeneur solitaire de 1926 jusqu'au visage caché de cette femme énigmatique aux bras sales et gonflés et aux ongles noircis de *L'Histoire centrale* ? L'œuvre s'est-elle nourrie de l'expérience traumatisante, comme le suggérera David Sylvester dans son étude monumentale consacrée au peintre dans la foulée du catalogue raisonné qu'il dirigea[19], ou bien le souvenir s'est-il plié aux artifices d'une esthétique qui cultive l'occultation du visible pour mieux signifier le « Mystère » ?

En ce qui le concerne, Magritte taira l'événement. Sa femme, Georgette, n'aurait d'ailleurs appris le sort funeste de sa belle-mère que bien après leur mariage par l'entremise de Scutenaire[20]. Plus tard, elle rapportera à l'historien René Passeron que Magritte ne parlait jamais de sa mère. Ajoutant : « Ni le passé ni l'avenir ne l'intéressaient ; seulement le présent[21]. » Dans son esquisse biographique composée en 1954, le peintre se contentera d'une formule laconique : « Sa mère Régina ne veut plus vivre. Elle se jette dans la Sambre[22]. » Interviewé sur ce point en décembre 1961 par le critique d'art Jean Stévo, il opposera invariablement à la douleur vécue son dégoût pour toute forme de déterminisme[23] et son rejet de toute interprétation psychologique.

Bien sûr, ce sont des choses qu'on n'oublie pas. Oui, cela m'a marqué mais pas dans le sens que vous pensez. Ce fut un choc. Mais je ne crois pas à la psychologie, pas plus que je ne crois à la volonté qui est une faculté imaginaire. La psychologie ne m'intéresse pas. Elle prétend révéler le cours de notre pensée et de nos émotions, ses tentatives s'opposent à ce que je sais, elle veut expliquer le mystère. Un seul mystère : le monde. La psychologie s'occupe de faux mystères. On ne peut dire si la mort de ma mère a eu une influence ou non[24].

À observer l'extrême réserve qui sera celle du peintre arrivé à l'âge mûr, on peut en déduire que l'adolescent de quatorze ans, confronté au suicide de sa mère, a dû s'enfermer dans un mutisme protecteur qui l'accompagnera sa vie durant. Interrogée par René Passeron, Georgette confirmera que toute discussion à propos de la mort entraînait invariablement de la part de Magritte la même réponse : « Ne parlons pas de cela[25] ! » Le suicide de la mère est-il absent de l'œuvre comme aimerait le faire croire un Magritte soucieux de ne pas laisser la place à l'introspection biographique ? Si la mort porte les traits déformés de sa mère, la figure de plâtre de *La Mémoire*, avec sa poche de sang à la tempe, n'incarne-t-elle pas l'omniprésence d'un souvenir douloureux qui, sans cesse, revient et qui, indéfiniment, exige d'être refoulé ? Refoulement que rend seul possible l'acte de création entendu comme sublimation.

Comme le signale Roisin, « le temps de la disparition de Régina Bertinchamps fut le temps des rumeurs[26] ». Soixante ans plus tard, celles-ci iront encore bon train. Glanant ses informations auprès des derniers témoins de l'événement, le psychanalyste-biographe recueillera les confidences d'une lointaine parente qui décrira le milieu familial au moment du suicide. Alors que Léopold délaisse de plus en plus ouvertement son épouse, celle-ci ne parvient plus à maîtriser ses trois fils aussi turbulents qu'insoumis. Avec l'éveil de leur sexualité, ceux-ci voient leur énergie décuplée. De son côté, le père multiplie les provocations pour tourmenter sa femme qu'il sait fragile. Ainsi, interrogeant les enfants sur ce qui aurait conduit sa nièce au suicide une tante de Régina aurait reçu comme réponse de René : « C'est not'père, il nous a fait cracher sur la croix devant maman[27]. » Quel statut accorder à ce témoignage tardif ? Tout au plus s'en souviendra-t-on lorsque Magritte rompra avec André Breton, en 1929, pour une histoire de croix qui pendait au cou de Georgette. On retiendra la conclusion qu'en tire Jacques Roisin, selon laquelle la découverte du corps confirmant le suicide « marquera d'une empreinte ineffaçable l'image sociale des fils Magritte[28] ». Ceux-ci resteront jusqu'à leur installation à Charleroi en 1913 les fils de la noyée en même temps qu'une des causes de ses turpitudes. L'autre étant Léopold Magritte, désormais ouvertement détesté par toute la communauté. À la lecture des témoignages recueillis par Jacques Roisin, une question se pose. Quel a été l'impact du drame familial vécu par les Magritte en 1912 sur l'image qui s'est mûrement et méthodiquement composée de ce mari détesté et de ces enfants pour le moins turbulents ? Ces enfants, que d'aucuns décriront comme « possédés », furent-ils si différents de ceux qu'on retrouve à leurs côtés sur les photographies conservées et qui formaient avec eux une bande ? Ou bien est-ce le suicide de cette mère perdue dans son drame intime qui jettera sur eux un parfum démoniaque si fort qu'il était encore palpable plus d'un demi-siècle plus tard ? La question mérite d'être développée. D'autant que le tissu des faits relève significativement de la légende locale avec son cortège d'affabulations que le temps a pris soin, souvent, de déformer.

## LE RADEAU DE LA MÉMOIRE

En novembre, René Magritte est entré à l'Athénée royal mixte de Charleroi. Sa mère est repêchée dans la Sambre le 13 mars suivant. Quel sens donner à l'espace qui sépare ces deux dates ? Quelle a été la réaction psychologique des frères Magritte — et en particulier de René et Paul, les plus réfractaires — à ce drame qui venait sanctionner la lente dérive d'une famille déchirée ? La mémoire collective conservera des Magritte une image diabolique à laquelle le peintre se prêtera encore dans certains portraits photographiques des années 1917-1919. Trente ans plus tard, la presse locale s'en fera toujours l'écho, décrivant un René Magritte qui « faisait du surréalisme en pendant des chats aux sonnettes des bourgeois. Sur les bancs de l'école moyenne, il cherchait dans le macabre une voie vers le bizarre et l'on cite comme un de ses premiers essais une œuvre où se voyait un crâne éclairé par une chandelle[29] ». Cette vision du jeune Magritte — largement reprise et amplifiée par les témoignages glanés par Jacques Roisin — mérite d'être replacée dans son contexte. L'article publié par *La Nouvelle Gazette de Bruxelles* fait écho à l'exposition inaugurée à la galerie La Boétie, en décembre 1945, que Magritte situe au cœur de son « surréalisme en plein soleil ». La crudité, voire la cruauté, de certaines représentations plonge ses racines dans les recherches passées. Ainsi Magritte reprendra-t-il le motif de sa *Jeune Fille mangeant un oiseau*[30] de 1927 pour le rebaptiser *Le Plaisir*[31]. C'est dans ce contexte que le peintre laissera se diffuser la vision d'une jeunesse présentée à dessein comme sauvage.

Il n'en reste pas moins vrai que le suicide de la mère livre les enfants à eux-mêmes. Si son attachement pour ses fils est sans bornes, Léopold Magritte ne renonce pas à son mode d'existence licencieux et dispendieux. Les fils — dont l'aîné n'a que quatorze ans — restent souvent seuls à la maison avec de grosses sommes d'argent qu'ils dépensent sans réserve. La rigueur n'est pas de mise et les bonnes que Léopold engage devront endurer toutes les turpitudes. Comme l'écrira Scutenaire, « la tyrannie enfantine de René avec le sens très spécial du bizarre qu'il a déjà[32] » effraie un personnel déboussolé tant par sa piété frénétique que par son irrespect incontrôlable. L'aîné exerce un ascendant prononcé sur son jeune frère, Paul, qui devient son principal comparse. Interviewé par Patrick Waldberg, qui lui consacrera une monographie importante en 1965, René Magritte relatera un des mauvais tours joués à des invités réunis dans le salon familial :

> Tandis que l'on conversait, Paul entra subrepticement dans la pièce qu'il parcourut en longeant les murs, vêtu d'une robe de chambre. Au passage, il marchait sur les meubles, montait sur la cheminée, manège qu'il accomplissait en souplesse, comme un danseur de corde, sans mot dire et d'un air grave, avant de ressortir comme il était entré. Les visiteurs — et surtout le sourd — se montrèrent troublés par cette curieuse démonstration[33].

Ravivé par la mémoire du peintre, Paul prend les traits d'un Fantômas domestique. La saynète n'est pas sans annoncer certaines des mises en scène photographiques que René imaginera plus tard en vue de peintures à élaborer. Ainsi, la vision de Paul escaladant la cheminée rappelle la photographie qui présente Magritte de dos en pardessus et coiffé d'un large feutre devant la jeune Jacqueline Nonkels, couchée sur la cheminée de l'appartement du Perreux.

La situation à Châtelet est devenue intenable pour Léopold et pour ses fils. Leurs frasques leur aliènent de manière définitive une opinion publique qui les juge responsables du suicide de leur épouse et mère. Alors que l'année scolaire 1912-1913 est déjà largement entamée, on sait que Léopold inscrit René et Raymond à l'Athénée de Charleroi. Pour s'y rendre, ceux-ci doivent prendre le train. En mars 1913, la famille déménage pour s'installer à Charleroi au 41 de la rue du Fort. En juillet, Léopold engagera comme gouvernante Jeanne Verdeyen, une jeune et séduisante veuve qu'il épousera en 1928. Muni d'un appareil Pathé acheté grâce à la munificence paternelle, René se lance dans l'exécution de petits films dessinés qu'il projette dans la cour. Le cinéma reste sa passion. À Charleroi, il fréquentera avec assiduité le Cinéma bleu, installé depuis 1911 rue Neuve. Son frère Paul y travaillera comme vendeur de billets, offrant ainsi à René la possibilité de s'y rendre quand bon lui chante. En 1925, le peintre rendra hommage à ce lieu magique où on projette, par série de quatre ou cinq titres par séance, westerns américains et films comiques. C'est dans cette salle entièrement peinte en bleu que Magritte découvrira Stacia Napierkowska, l'interprète, en 1913, de *Max jockey par amour* de Max Linder et René Leprince ainsi que Musidora — alias Jeanne Roque — et Édouard Mathé. À peine démobilisé, Feuillade offrira à ces deux acteurs un rôle majeur en 1915

avec *Les Vampires*. Musidora devient la légendaire Irma Vep de ce film en dix épisodes qui
lui apporte une gloire instantanée. Anagramme de
« vampire », la chanteuse de cabaret Irma Vep
appartient au gang des « Vampires » que combat
le journaliste Philippe Guérande dont le rôle est
tenu par Édouard Mathé. Sœur cadette de Fantômas, Irma Vep apparaît dans le troisième épisode
dans une combinaison noire moulante qui fait
d'elle un ange du Mal au charme envoûtant.
Magritte ne résiste pas à cette figure dont l'érotisme
teintera certaines de ses compositions comme *La
Voleuse* de 1927.

Magritte trouve au cinéma le moyen d'échapper
à une réalité douloureuse. Sa scolarité n'en sera
que plus catastrophique. Avant-dernier de sa classe
de septième, il se voit condamné à redoubler sa
classe de sixième. La proclamation de fin d'année
a lieu le 2 août 1914. Deux jours plus tard, l'invasion de la Belgique par les troupes allemandes
changera les perspectives.

Le tempérament de l'adolescent ne s'est pas
assoupli. À Patrick Waldberg il déclarera avoir été
l'amant de la maîtresse de son père, « la Jeanne »,
comme il l'appelle, et pour laquelle il n'affichera
jamais le moindre respect. À lire les témoignages
rapportés *a posteriori*, on constate qu'une critique
revient en permanence. Anarchiste indomptable,
René Magritte apparaît aussi comme un adolescent à la sexualité débordante qui aime dessiner
dans ses cahiers d'école des femmes nues aux poses

suggestives[34] et qui se vante de fréquenter, à l'instar de son père, de nombreuses prostituées.

À cette image sulfureuse en répond une autre. Ce souvenir-écran a un cadre. Celui de Soignies, où les fils Magritte passent leurs vacances dans la famille paternelle. Ils y retrouvent Marie, leur grand-mère, leurs tantes Flora et Maria, ainsi que l'époux de Maria, la marraine de René, Firmin Desaunois. De ce dernier — dont les longues moustaches tombantes frappèrent le futur peintre —, Magritte gardera le souvenir comme de « l'homme le plus intelligent[35] » qu'il ait connu alors que la mémoire locale a gardé de ce dernier l'image d'un « doux sot[36] » dont l'avarice deviendra aussi légendaire que sa neurasthénie. Un homme brimé par une belle-famille tyrannique et une épouse alcoolique. Installée à Soignies depuis 1898, cette branche des Magritte tient une boutique de chaussures, Le Nul s'y frotte, et accueille régulièrement les enfants de Léopold pour les vacances. Alors qu'il ne s'intéressera pas réellement à ses tantes — après la mort de Firmin et de la grand-mère Marie en 1929, les deux tantes abandonneront Soignies pour s'installer à Bruxelles où seul Raymond les visitera et leur portera assistance[37] —, Magritte transforme Soignies en un espace symbolique voué à la sensualité. Dans le vieux cimetière désaffecté depuis 1890, le peintre, ainsi qu'il le relatera dans *La Ligne de vie*, aura la révélation de la portée « magique » de l'art de peindre, perçu comme un pouvoir supérieur.

Dans mon enfance, j'aimais jouer avec une petite fille, dans le vieux cimetière désaffecté d'une petite ville de province. Nous visitions les caveaux souterrains dont nous pouvions soulever les lourdes portes de fer et nous remontions à la lumière, où un artiste peintre, venu de la capitale, peignait dans une allée du cimetière, très pittoresque avec ses colonnes de pierre brisées jonchant les feuilles mortes. L'art de peindre me paraissait alors vaguement magique et le peintre doué de pouvoirs supérieurs[38].

D'après les recherches de Jacques Roisin, le peintre auquel Magritte fait allusion serait un certain Léon Huygens qui, après des études à l'Académie royale des beaux-arts de Bruxelles, se spécialisera dans les paysages forestiers. Il aurait séjourné à Soignies en 1911 et en 1912. L'anecdote relatée par Magritte serait donc contemporaine du suicide de sa mère. À travers son récit, il lie en une même révélation l'assomption de la lumière au sortir des caveaux où il joue avec sa camarade et l'éveil de la sensation érotique qui transfigure celle-ci. Cette lumière, qu'il retrouve en remontant des tombeaux obscurs — sans doute assimilés à la mort de sa mère — et qui donnera son éclat à ses premiers tableaux futuristes, prend une coloration sensuelle. À la mort répond la puissance de l'amour qui transforme la lumière en quête de ce « sentiment pur et puissant » que constitue aux yeux du peintre « l'érotisme[39] ». Creusant l'anecdote, Scutenaire mettra en relief le conflit intérieur qui déchire désormais un Magritte partagé entre ses pulsions érotiques libératoires et ses actes de contrition angoissés[40].

Au-delà d'une sexualité que Magritte veut trépidante, l'amour constitue le point d'horizon d'un jeune homme singulièrement perturbé par les chocs émotifs qu'il a vécus. Ce besoin d'amour va se convertir en amour fou et prendra les traits de Georgette Berger.

En août 1913, à l'occasion de la foire de Charleroi qui se tient place du Manège, Magritte rencontre cette fille d'un boucher de Charleroi qu'il croise quotidiennement. Elle n'a que douze ans. Lors d'une interview, Georgette reviendra sur leur rencontre : « À Charleroi, où j'ai vécu mon enfance, avait lieu une foire [...]. Sur la place de la ville haute, il y a un carrousel fermé : "Venez donc faire un tour sur le moulin", me dit un tout jeune homme. Par la suite, sur le chemin de l'école, René et moi nous nous rencontrions presque quotidiennement[41]. » Magritte relatera souvent cette rencontre dans ce qu'on appelle alors un carrousel-salon qui permet aux enfants de jouer sur les chevaux de bois tandis que les adultes prennent un verre dans les compartiments aux sièges de velours qui bordent la piste. Derrière sa façade de toile peinte, l'attraction jouit d'une réputation de luxe.

Née en 1901 à Marcinelle, une commune proche de Charleroi célèbre pour ses charbonnages, Georgette vit avec ses parents, Florent Berger et Lia Payot, ainsi qu'avec sa sœur, Léontine. Elle fréquentera un moment René Magritte qui l'invite aux projections du Cinéma bleu et se promène avec elle. Les deux jeunes se perdront de vue peu de temps après le début des hostilités de 1914-1918.

Léopold Magritte connaît un renversement de situation aussi violent qu'inattendu. Après avoir largement gagné sa vie grâce à la Cocoline, dont il a intelligemment réinvesti les revenus, son train de vie, les courses hippiques et son goût prononcé pour le sexe ont eu raison du pécule amassé. Au même moment, l'incendie de l'usine De Bruyn de Termonde porte un coup à la production de Cocoline. Avec son emploi, Léopold perd ses revenus. Le voilà forcé de revenir pour un temps au négoce de tissu. Il se lance ensuite dans la promotion de ces cubes d'extrait de viande qu'on appelle « bouillon Kub » pour le pot-au-feu Maggi. Entretemps la guerre a éclaté. L'armée allemande de von Bülow arrive devant Charleroi le 21 août 1914. En application du plan Schlieffen, elle doit prendre la ville et couper au sud pour franchir la frontière en prenant à revers les troupes françaises. Pressentant la manœuvre, la V$^e$ armée française viendra à la rencontre de l'avant-garde allemande, déclenchant ainsi ce que les historiens appelleront « la bataille des frontières ». L'essentiel se jouera à Charleroi entre le 21 et le 23 août. Violent, l'affrontement n'épargnera pas les civils soumis à la vindicte des uhlans du Kaiser. Une fois le tumulte passé, la ville s'enfoncera dans une occupation sévère. En octobre, la famille Magritte quitte Charleroi et retourne s'installer dans la maison de Châtelet. Léopold y poursuit ses activités de représentant pour le pot-au-feu Maggi tout en développant sa propre production d'extraits à partir de déchets de viande de cheval récupérés chez les bouchers du coin. Isolé à Châtelet et soumis aux règles de l'occupant, Magritte se tourne vers la peinture

## PREMIERS PAS D'UN PEINTRE

De nombreux témoignages d'amis de jeunesse, de Raymond Pétrus à Albert Chavepeyer, situent à la fin de l'année 1914 ou aux premiers mois de 1915 la première peinture de Magritte inspirée d'un chromo mettant en scène des chevaux s'échappant d'une écurie en flammes. Dans une note de son édition des écrits de Magritte, André Blavier fait allusion au destin de ce tableau au format monumental. D'après un récit de la gouvernante de la famille, René Magritte aurait détruit le tableau durant la guerre suite aux remarques adressées par un officier allemand, critique d'art dans le civil[42]. Si le devenir de ce tableau n'est pas assuré, il ne témoigne pas moins, par son format — plus d'un mètre cinquante de hauteur sur près de deux mètres cinquante de long — d'une ambition nouvelle qui se fait jour chez le jeune Magritte. Celle-ci va rapidement devenir sa principale occupation. Magritte peint de manière continue. Au-delà de ce que laisse entrevoir le catalogue raisonné de David Sylvester. Il travaille seul, se contentant de quelques leçons données par Félicien Defin, un peintre qui habite dans les environs. L'artiste en herbe s'intéresse particulièrement à l'alchimie des couleurs et à leur mélange. Une fois exécutées, ces toiles sont offertes à des amis ou aux membres de la famille. Parmi les bénéficiaires des largesses du jeune René figure le docteur Alphonse Thibaut, qui exerce à Châtelet et qui s'est spécialisé dans les maladies vénériennes au point de publier, en 1907, un ouvrage intitulé *Le Fléau de Cupidon* dont l'expertise était largement tributaire d'une manifeste expérience de terrain. Amateur d'art, le docteur Thibaut soignera le jeune Magritte, victime de son excessive fréquentation des prostituées. En échange, le jeune peintre offrira au praticien deux toiles datées de 1916.

En dehors de la peinture qui canalise son énergie, Magritte apparaît à ce point désœuvré qu'il prendra le chemin de l'Allemagne pour aller y contribuer à l'effort de guerre. Scutenaire rapportera l'anecdote que d'aucuns qualifieraient de fait de collaboration en la mettant à l'actif d'un « esprit de perversité » aiguisé par l'ennui engendré par l'école. L'intervention du père, flanqué d'un officier allemand, permettra d'extirper du wagon de chemin de fer où s'était installé « un fils tout marri de voir l'aventure tourner court à ce point[43] ». L'épisode aura au moins un mérite. En octobre 1915, avec l'assentiment de son père, Magritte met un terme à ses études pour s'installer à Bruxelles au 122a de la rue du Midi, à deux pas de l'Académie des beaux-arts qu'il compte fréquenter comme élève libre. À la maison communale, il se fait enregistrer comme « dessinateur » et réalise ses premières œuvres de facture impressionniste en attendant d'entrer à l'Académie l'année suivante.

# De l'Académie aux avant-gardes

En juillet 1916, Magritte présente à l'Exposition technique des arts appliqués à l'industrie qui se tient à Châtelet deux fusains ainsi qu'une nature morte et un paysage. Les deux dessins s'inscrivent dans la pure tradition académique tandis que le paysage, représentant le pont de Sambre, rend compte des sites que le jeune peintre fréquente lors de ses retours à Châtelet. Parmi les fusains, le thème de la lionne blessée s'inspire des statuettes produites industriellement qui ornent les dessus de cheminée ou les appuis de fenêtres des intérieurs bourgeois de l'époque. Debout, la patte levée, tournant la tête vers son côté transpercé d'une flèche, la figure témoigne des stéréotypes formels ancrés dans la culture populaire. En octobre, alors que l'occupation pèse sur Bruxelles avec son cortège de privations et de répressions, Magritte s'inscrit à l'Académie dont il suivra les cours « par intermittence », selon la formule qu'il emploiera en 1954. L'Académie demeure un des rares établissements scolaires ouvert sous l'occupation pour autant que les conditions matérielles le permettent. Parmi les quelque deux cent soixante-quinze nouveaux étudiants, Magritte se retrouve au côté d'un jeune homme timide qu'une éducation dominée par la figure maternelle a conduit à vivre dans la crainte des femmes et qui, sous l'ascendant d'un ami peintre, a multiplié les dessins de squelettes croisés au Muséum d'histoire naturelle. Magritte n'appréciera jamais ce condisciple introverti qui a pour nom Paul Delvaux et qu'il tournera régulièrement en dérision en le rebaptisant « Delvache » ou en le qualifiant de « décorateur[1] ».

## INTERMITTENCES ACADÉMIQUES

Dans un entretien qu'il accorde en 1966 à Jacques Goossens, Magritte dira avoir appris à dessiner en tant qu'élève libre auprès d'Émile Vandamme-Sylva, alors réputé pour ses paysages peuplés de vaches, en suivant, dès 1915, ses cours sur la faune et la flore. En 1917, il fréquente à nouveau la classe de Vandamme-Sylva ainsi que celle, de peinture décorative, de Constant Montald et l'atelier de composition ornementale de Gisbert Combaz. L'influence directe de ce dernier est perceptible dans des œuvres exécutées à l'époque comme *Femme à côté d'un siège de jardin*. Peintre symboliste, Montald milite pour l'intégration monumentale d'une peinture idéaliste à vertu pédagogique. Sinologue réputé, Combaz s'est imposé comme un des affichistes Art nouveau les plus créatifs.

Ayant été reçu premier en composition ornementale et neuvième chez Combaz, Magritte décroche son numéro de matricule — le 18.540 — et est officiellement autorisé à suivre les deux cours ainsi que les enseignements annexes en esthétique, en perspective et en anatomie animale. Il assimilera ainsi des connaissances qui soutiendront sa création à venir. Bien des années plus tard, sa lecture du *Traité pratique de perspective* (1858) d'Armand Cassagne lui servira pour des compositions comme *La Géante* et *La Belle Captive*.

Magritte étudie et se cultive. À lire Patrick Walberg dont l'information provient du peintre même, traités d'esthétique et livres d'histoire le dépriment. Ses premiers enthousiasmes naîtront de la lecture d'un essai d'Élie Faure intitulé *Les Constructeurs*[2]. Charles Alexandre, un condisciple rencontré en 1917, relativisera ce rapport au livre pour restaurer le climat de ce que fut cette période de guerre : « Nous étions beaucoup trop pauvres pour avoir des livres d'art. On allait à la bibliothèque de l'Académie mais à ce moment-là cette bibliothèque c'était un capharnaüm épouvantable et c'était difficile de les avoir, et on ne pouvait pas les amener à domicile. Alors c'était surtout des photos — des photos qui venaient d'Italie, des photos d'Alinari et d'Anderson. Et puis à la Coopérative artistique on trouvait des cartes postales. Il y avait des boîtes sur le côté du trottoir, des cartes postales avec des reproductions. Et à côté, il y avait un marchand qui vendait également des couleurs, des pinceaux et des toiles La Maison Roideau[3]. » En cette période de restrictions, cartes postales et prospectus promotionnels supplantent la réalité de tableaux désormais invisibles dans les musées qui ont été évacués.

À l'Académie, le jeune artiste entre en contact avec des étudiants de tous les horizons. Une amitié profonde se noue avec Pierre-Louis Flouquet. Celui-ci est né à Paris alors que l'Exposition universelle de 1900 battait son plein[4]. Sa famille catholique et désargentée voit dans la politique anticléricale menée par Émile Combes les stigmates d'une décadence française jugée irréversible. Convaincu que le « nationalisme intégral et monarchique » de Charles Maurras constitue la seule option, son père, Philippe-Louis Flouquet, rallie les Camelots du Roi après avoir milité un temps dans l'Action française. Les procès politiques intentés à cette frange d'extrême droite auront tôt fait de l'effrayer. En 1909, les Flouquet décident de s'exiler en Belgique. Leurs deux enfants cadets, Pierre-Louis et sa sœur Henriette, les accompagnent. L'installation ne se fera pas sans peine. Après avoir ouvert un hôtel dans le centre-ville puis une épicerie, le père revient à son métier initial de brocanteur. Les jours sont difficiles et, en désespoir de cause, sa femme s'adresse à Clemenceau, qu'elle avait connu durant la Commune de Paris. Étrangement, celui-ci lui conseillera d'ouvrir à Bruxelles une agence de placement de gens de maison catholiques. Convaincus, les Flouquet ouvrent dans le bas de la ville une officine baptisée La Providence,

qui fournira la petite bourgeoisie en domestiques
« recommandables ».

De son côté, le jeune Pierre-Louis a découvert
l'art à travers les marchés aux puces où son père
l'emmène. L'intervention d'un ecclésiastique empor-
tera la décision parentale permettant au jeune
homme de s'engager dans une formation artistique. Habile décorateur et travailleur, Flouquet entre
à l'Académie des beaux-arts en 1914. Lorsqu'il
rencontre Magritte, une amitié singulière se noue
entre eux. Celle-ci est largement tributaire du cadre
moderniste qui a pris corps à l'Académie durant
les premières années de l'occupation. Avec Karel
Maes, Marcel-Louis Baugniet et Victor Servranckx,
Flouquet forme un groupe tenté par une modernité qui cherche ses formes. En ce qui concerne le
contenu, celui-ci semble largement tributaire de la
fréquentation des poètes Pierre Bourgeois, Charles
Alexandre, Aimé Declercq ou Pierre Broodcoorens.

Ainsi, au cœur même du milieu qu'il fréquente,
Magritte découvre un esprit moderne qui nourrit
sa curiosité intellectuelle. Une modernité au contenu encore vague mais qui s'appuie sur un irrépressible désir de rupture à l'endroit des esthétiques
et des valeurs défendues par la génération précédente.

En décembre 1916, Léopold Magritte et le reste
de la famille rejoignent René dans son petit studio
bruxellois avant de s'installer au 3 rue des Fou-
lons près de la gare du Midi, non loin de l'Académie. Ils y resteront quelques mois. Pour une raison
inconnue, en avril 1917, René abandonne ses étu-

des et retourne à Châtelet avec sa famille. Ils y resteront jusqu'en octobre. De retour à Bruxelles, les Magritte s'installent à Schaerbeek dans une banlieue cossue. Jeanne Verdeyen les y rejoint. Dans le grand hôtel de maître du 43 rue François-Joseph Navez, Léopold Magritte reprend la fabrication de ses bouillons concentrés. La maison de Châtelet est mise en location. René Magritte ne reviendra qu'épisodiquement dans le quartier de son enfance où il a laissé l'empreinte de ses farces cruelles.

## UN AFFICHISTE PEU MODÈLE

Les Magritte n'ont pas fini de bouger. En juin 1918, ils déménagent à nouveau pour le 73 de la rue Giraud où ils ne restent qu'un mois avant de s'installer, du 11 juillet au 18 novembre 1918, au 751 chaussée d'Alsemberg. À cette date, ils s'établissent à proximité de la gare du Nord, au 37 de la rue Depotter. Charles Alexandre, qui se lie à Magritte à ce moment, donnera à David Sylvester une description des conditions de vie chez ce père atypique : « Magritte a beaucoup peint et beaucoup dessiné et il a fait aussi un peu de travaux pour des commerçants des environs... des œuvres décoratives. Mais très peu. Au fond, il vivait de ce que lui payait son père[5]. » Ce dernier poursuit dans l'arrière-cour sa fabrique pour laquelle il entasse déchets de viande et légumes en tout genre. Le produit est conditionné dans les anciennes écuries où les préparations sont mises dans des petits pots à pharmacie blancs. Léopold a ses quartiers au premier étage de la demeure. Nul n'a le droit d'y pénétrer. Les fils occupent le dernier étage :

Il y avait deux ou trois pièces dans lesquelles il y avait des chevalets et pratiquement rien d'autre. Et Magritte avait ce dernier étage à peu près pour lui tout seul. Et, dans un coin d'une pièce, il y avait un tas de vieux vêtements, et quand il était fatigué il allait se coucher là-dessus. Il n'avait pas de lit — je n'ai jamais vu un lit à René Magritte. Je ne sais pas où il se couchait [...]. À l'étage en dessous, c'était l'étage du père, et alors, sur le palier d'un grand escalier assez monumental, assez grand, sur le palier il y avait un canapé avec à côté un trépied de photographie sur lequel il y avait une bougie et c'est là que dormait Popaul, le fantaisiste de la famille, qui surveillait toutes les allées et venues[6].

Les relations s'avèrent cependant houleuses. Le récit fait par Charles Alexandre de sa première rencontre avec les autres membres de la famille en témoigne.

Un jour Magritte me dit qu'il faut venir à la maison. Et j'arrive un matin. Toute la famille était à table et Magritte me présente : « Popaul, mon frère qui est un imbécile, parce qu'il se fiche de tout le monde, Raymond encore plus, ça c'est mon papa, ça c'est la maîtresse de papa », il me dit en montrant la gouvernante — est-ce que c'était vrai, je n'en sais rien — « et ça c'est un fils bâtard. » Et alors le père se lève, furibond, et lui crie : « Imbécile, espèce de voyou ainsi insulter votre famille. » Et c'est comme ça que j'ai été reçu dans la famille[7].

La valse des adresses est sans doute révélatrice des affaires douteuses que conduit désormais Léopold.

Le parcours académique de René n'est pas plus régulier. À son retour de Châtelet, il s'inscrit aux cours de figure humaine de Constant Montald. Sans ressources et soumise aux rigueurs de la guerre, l'Académie doit fermer ses portes en novembre 1917. Elle ouvrira à nouveau au début de l'année 1918, mais c'est Magritte maintenant qui s'éloigne d'un enseignement qu'il suivra, de loin en loin, jusqu'à la fin de 1919. Les préoccupations du jeune artiste sont ailleurs. Habile séducteur, il parvient à décrocher de plus en plus de contrats pour des peintures décoratives et des travaux de lettrage. Grâce aux combines de son père et à ses propres activités, il gagne beaucoup d'argent, qu'il dépense avec une ostentation non dénuée de provocation.

Pour travailler, René Magritte éprouve désormais le besoin de disposer d'un atelier dégagé du baroque familial. À la fin du mois de février 1919, il louera avec Pierre-Louis Flouquet un appartement situé rue des Alexiens, à l'arrière de l'Académie royale. Les deux compères le convertissent en atelier. L'immeuble accueille au rez-de-chaussée un magasin de poêles et, dans l'arrière-cour, un atelier de repasseuses. Ils occupent les deux pièces du premier étage que Flouquet, selon le souvenir de Magritte, a décoré de « fresques d'avant-garde[8] ». En fait, des peintures murales d'inspiration futuriste. Sa fréquentation de l'atelier se révèle aussi intermittente que celle de l'Académie. Évoluant de la rue des Alexiens à la maison paternelle, Magritte finira par prendre un atelier près de la gare du Nord à proximité du cabaret De Drie Pikkel (« Les Trois Douleurs »).

Magritte s'épanouit dans ce climat bohème qui favorise blagues et frasques sous couvert d'un comportement « artiste ». Le jeune peintre aime les femmes et puise dans la pratique du nu prétexte à conquêtes. Les témoignages réunis par Jacques Roisin foisonnent. Certains soulignent son attirance pour Marka, le modèle préféré de Constant Montald. D'autres relatent les exploits, souvent cruels, de ce don juan sans morale ni conscience. Ces témoins tracent tous le portrait d'un Magritte férocement irrévérencieux, peu respectueux des faiblesses des autres, prompt à la provocation lorsque celle-ci lie le trivial au scatologique. Son anticléricalisme virulent est patent, même si sa haine de la religion ne l'empêche pas de se lier à un Pierre-Louis Flouquet dont il admire la démarche artistique. Il est probable que, sans ce trait d'union avant-gardiste, Magritte eût traité son condisciple avec le même mépris qu'il afficha à l'égard d'autres jeunes étudiants à la conscience catholique aussi fermement arrimée. Ainsi, maltraita-t-il sans vergogne la foi de Louis Pringels. Jacques Roisin a montré avec quel plaisir pervers Magritte s'est plu à perpétuellement heurter les convictions chrétiennes de ce jeune étudiant désargenté, sans idées ni réel talent. D'autres porteront un regard différent sur l'histrion Magritte. Ainsi, Charles Alexandre puisera dans cette irréductibilité provocante l'élément central de son amitié pour Magritte. Il rapportera à Jacques Roisin être un jour arrivé chez le peintre avec un ami. « Magritte peignait une jeune fille nue. Il a terminé sa toile en notre présence, puis s'est éclipsé dans la pièce d'à côté avec son modèle, en nous disant sur un ton solennel : "Et maintenant, messieurs, l'artiste va baiser le modèle"[9]. »

René Magritte dépense beaucoup. Il lui faut donc gagner plus que ce que lui donne ce père incapable de refuser quoi que ce soit à ses fils. En 1918, par l'intermédiaire de ce dernier, Magritte réalise sa première affiche pour le *Pot-au-feu Derbaix*. Parallèlement, il a soumis un projet d'affiche au jury d'un concours destiné à une campagne nationale de prophylaxie antivénérienne. Habile négociateur, le jeune peintre multiplie les commandes alors que son engouement pour l'Académie va en déclinant. L'exécution de ces projets décoratifs amuse peu Magritte : affiches de cinéma, d'événements sportifs ou lettrages ne l'intéressent qu'au niveau de la conception. Il laissera à des condisciples aussi désargentés que Léon Pringels le soin d'une réalisation qu'il ne se prive pas de critiquer méchamment. Ces témoignages sont intéressants. Ils livrent le portrait d'un Magritte attentif à la conception de ses projets et qui dispose d'une maîtrise technique qui va au-delà des connaissances de ses camarades.

L'attitude de Magritte trahit un profond nihilisme qui s'attaque aussi bien à la religion qu'à l'art, à la morale ou aux bonnes mœurs. C'est de ce rejet aussi absolu que permanent de ce qui détermine la vie sociale que le jeune artiste bohème nourrit ses blagues et ses mauvais tours. Cet anarchisme de chien fou, qui s'identifiera bientôt à la négation dadaïste, se révèle moins réfléchi que viscéral. Il reste, sans doute, le fruit de l'alchimie familiale détonante et du drame personnel désormais refoulé.

## BOHÈME, BOHÈME

Intégré à un groupe de jeunes artistes modernistes gravitant autour de l'Académie royale des beaux-arts, Magritte va trouver dans la littérature l'outil qui lui permettra, d'une part, de parfaire son éducation trop tôt interrompue et, d'autre part, de donner une finalité à cette virulence exaltée qui caractérise le regard qu'il porte sur le monde.

Cette découverte du monde littéraire a son cadre : celui d'un célèbre estaminet bruxellois baptisé Le Diable-au-Corps, qui se trouvait au 12 de la rue aux Choux dans le centre de Bruxelles, entre le Théâtre royal de la Monnaie et la gare du Nord. Animé par Jules Gaspar, ce cabaret, où se mêlent étudiants de l'Université libre, jeunes artistes, journalistes et intellectuels, est depuis longtemps un lieu de ralliement de la bohème. Outre la Compagnie artistique du Diable-au-Corps et les cercles estudiantins de l'Université, s'y retrouvent des associations aussi fantasques que Les Nébuleux, La Pipologie, Les Sauriens, Les Clyopompiers, Les Vénussoïdes ou la Fraternelle des Rescapés des Mémorables Inondations de Toulouse. Sans oublier Les Brutes du Samedi. À l'automne 1917, Magritte y rencontre Charles Alexandre, un jeune écrivain qui suit le cours de littérature que Georges Eekhoud donne en soirée en marge de l'Université libre de Bruxelles. Ce dernier est aussi titulaire du cours de littérature que Magritte suit à l'Académie.

Issu d'un milieu modeste, Eekhoud n'a jamais nié un profond ancrage dans le monde flamand auquel il a prêté une attention marquée par la question sociale. Dès son premier roman publié en 1883, *Kees Doorik, Scène de Polder*, la sympathie de l'écrivain va à la figure du marginal à laquelle son homosexualité l'identifie. Paru en 1899, son roman *Escal-Vigor* a fait œuvre de pionnier en mettant en scène l'homosexualité masculine. Le scandale que souleva le roman s'est doublé d'un procès dont le retentissement a dépassé les frontières belges. Dans le *Mercure de France*, des écrivains aussi différents que Gide ou Barrès ont pris la défense de l'écrivain qui sera finalement acquitté. Tôt reconnu pour ses fresques sociales dont le peintre Eugène Laermans se fera l'illustrateur privilégié, Eekhoud apparaît aux yeux de ses étudiants comme un modèle d'intégrité et de courage dans la défense des valeurs modernistes en rupture avec le conformisme bourgeois.

Le cours qu'ils suivent en commun rapproche Magritte et Alexandre qui se lient rapidement d'amitié. Charles Alexandre est taraudé par le défi que représentera la fin des hostilités. Comment relancer la modernité et, surtout, quelle sera la place d'une jeunesse qui n'a pas eu encore son mot à dire ? Magritte reprendra à son compte cette réflexion qui, parallèlement, pose la question du progrès en art et dans la société. À peine sorti de sa province, le jeune peintre se trouve au cœur d'un débat qui le dépasse. Car Charles Alexandre n'est pas seul et révèle à son nouvel ami l'existence d'un groupe de littérateurs qui, eux aussi, ont fréquenté l'auditoire de Georges Eekhoud et qui sont depuis plusieurs années animés par une même ambition.

Charles Alexandre est emporté par le non-conformisme de ce Magritte qui n'adopte pas la tournure propre aux peintres. Pas de lavallière, pas de barbe, pas de chapeau. Magritte se veut dandy moderne. Il porte le costume et traite son art avec désinvolture. À Jacques Roisin, il décrit celui-ci « très ironique, sarcastique [et qui] aimait par-dessus tout, selon ses propres termes "faire ce qui ne se fait pas"[10] ». À cette époque, Magritte n'est pas secret. Il n'a pas encore adopté cette réserve et cette distance qui le caractériseront bientôt. Volubile, il vit dans un anticonformisme permanent qui le conduit à rechercher la compagnie des écrivains. Aux yeux de Charles Alexandre, il incarne « l'envers du monde[11] ».

Magritte compte au nombre des défenseurs de Georges Eekhoud lorsque celui-ci est remercié, en 1919, pour avoir signalé dans une interview publiée le 5 septembre 1917 au journal *La Belgique*, contrôlé par les Allemands, qu'il était favorable à la création d'une université flamande. Cette indépendance d'esprit, l'écrivain la revendiquera dès la fin de la guerre en ne versant pas dans un patriotisme étroit qui conduirait à rejeter la culture germanique et, avec elle, les amitiés nouées outre-Rhin. Comme il le fera comprendre à ses étudiants, tous les Allemands ne sont pas des assassins.

L'engagement de l'écrivain ne relève toutefois pas du seul pacifisme. Sa sympathie pour le mouvement flamand — largement déterminée chez lui par la question sociale — le place en porte à faux alors que les revendications flamandes ont été largement instrumentalisées par l'occupant. En effet, par sa *Flamenpolitik* (Politique flamande), le gouverneur général de la Belgique occupée, Moritz von Bissing, avait espéré écorner l'unité nationale en donnant satisfaction à certaines des revendications nationalistes. Si la division administrative du pays en deux entités ne soulève pas l'intérêt d'un Eekhoud, la création à Gand d'une université néerlandophone rejoint ses aspirations de voir sa culture reconnue et valorisée. Par ailleurs, Eekhoud a eu de nombreux contacts avec des éditeurs allemands qui souhaitaient traduire son œuvre. Ce sera Insel-Verlag qui le fera dans sa « Série flamande » créée dans le cadre de la *Flamenpolitik*. Pour mener à bien le projet, l'écrivain sera en étroite relation avec Friedrich Markus Huebner, activiste flamingant rattaché au département politique puis à l'administration de la Flandre autonome[12]. Étrangement, ce fait ne sera pas utilisé par les adversaires d'Eekhoud qui s'en tiennent à l'interview publiée en septembre 1917.

Une fois le pays libéré, c'est sous cet éclairage que d'aucuns liront les prises de position de l'écrivain. Ses propos pacifistes et, plus encore, son enthousiasme pour le mouvement flamand sont alors interprétés, sinon comme un acte, tout au moins comme une sympathie pour certains milieux de la collaboration. Destitué de toutes ses charges, Eekhoud voit nombre de portes se fermer. À commencer par le *Mercure de France* qui lui retire la chronique qu'il tenait depuis 1897. Il bénéficie néanmoins d'un large mouvement de solidarité internationale auquel prendront part Romain Rolland et Henri Barbusse. À l'action de ces intellectuels de premier plan répond celle, incontrôlable, de la faction moderniste des étudiants dont les actions menées en faveur de l'écrivain conduiront régulièrement à l'intervention des forces de l'ordre. L'ensemble sera fédéré par Raoul Ruttiens, un intellectuel de gauche qui se lancera dans une tournée de conférences intitulées « Georges Eekhoud au pilori ». Dans son numéro spécial de mars 1920 consacré à la défense de l'auteur de *La Nouvelle Carthage*, la revue *Le Geste* publiera intégralement le plaidoyer de Ruttiens. Celui-ci s'articule sur deux axes : d'une part, réduire l'accusation de comportement « antipatriotique » à une question de conjoncture malheureuse et, d'autre part, déporter le jugement de la personne de l'écrivain qualifiée d'incivique vers l'œuvre pour mieux en souligner la portée esthétique et humaniste.

En remplacement de Georges Eekhoud, la ville de Bruxelles, autorité de tutelle de l'Académie, a nommé Edmond Cattier que la revue *Au volant*\* présentera, en septembre 1919, comme « l'intarissable pisseur de la doctrinaire Gazette et [le] soporifique [professeur] du cours du soir de littérature française à l'Université libre[13] ». Le 25 février 1920, celui-ci devra faire face à la bronca des étudiants qui se sont émus du décès de l'épouse d'Eekhoud précipité par la tempête que celui-ci a affrontée. À l'arrivée du professeur, ils scanderont « Vive Eekhoud ! À bas Cattier » jusqu'à ce que celui-ci s'interrompe pour s'informer du responsable de ce chahut. Cattier voit alors se dresser face à lui Flouquet qu'il qualifie de « lâche » avant de le souffleter. Selon Pierre Bourgeois, Flouquet resta digne et calme « se contentant de caractériser la valeur intellectuelle de son adversaire » avant d'ajouter : « La vérité blesse ! » Cattier réitère sa gifle tout en invectivant les sympathisants d'Eekhoud : « Boches, vendus, activistes[14]. » Ayant perdu la face, le professeur se retire. Il obtiendra par la suite le renvoi de Flouquet.

La défense de Georges Eekhoud sera assurée par un noyau de sympathisants réunis en une « Asso-

---

\* Revue d'art et de littérature fondée en avril 1919 par les frères Bourgeois.

ciation des amis de Georges Eekhoud » qui se réunira tous les vendredis au café du Téléphone. Charles Alexandre, Pierre Bourgeois et son frère Victor, alors étudiant en architecture, Pierre Broodcoorens, Léon Chenoy, Aimé Declercq, Pierre-Louis Flouquet, Henri Kerels, Dolf Ledel, Jules Vingternier et René Magritte sont du nombre. Le 27 mars 1920, une manifestation « démocratique et artistique » est organisée au Théâtre lyrique à Schaerbeek en hommage à Eekhoud. Le Centre d'art qu'anime Aimé Declercq vend les cartes de soutien au prix de trois francs. Une photographie montre les participants à la tribune. À l'extrême droite, on reconnaît Magritte. Devant la scène sont présentés les portraits exécutés par des peintres en hommage à l'écrivain. Parmi lesquels ceux, aujourd'hui disparus, de Flouquet et Magritte. Bourgeois adressera le compte rendu de la séance à Flouquet qui, entretemps, a été mobilisé en France. Il y parle du « triomphe sentimental, artistique, littéraire et bachique que furent les journées Eekhoud[15] ». Au même Flouquet, Magritte envoie ses impressions au lendemain de la seconde journée d'hommage :

La fête d'hier fut un succès énorme la salle était bondée —
Au moment où Eekhoud entrait, tout le monde se lève et l'acclame pendant que la chorale (150 exécutants) y entone* le « Bayreuth Lied », ci-joint le programme — nos œuvres furent admirées [...].
EEKHOUD t'envoit ses amitiés
Bref dommage que tu n'étais pas là nom de Dieu[16] !

* Magritte truffait ses lettres de fautes d'orthographe et d'inexactitudes syntaxiques, que l'on a conservées dans les lettres citées dans cette biographie sans recourir à l'usage permanent de la mention *sic*.

Anarchiste, homosexuel défenseur de l'amour libre, Eekhoud a été un passeur en même temps qu'un modèle de libre pensée au service d'un idéal internationaliste et généreux. Ce qui passe alors pour « L'Affaire Eekhoud » — et dont l'expérience jouera pour beaucoup dans le positionnement belge face à « L'Affaire Aragon » qui éclatera moins de dix ans plus tard — constitue un élément catalyseur d'une avant-garde en gestation qui trouve là l'occasion de se fédérer et de préciser ses valeurs.

## LE CERCLE DES FINS LETTRÉS

Dans ce milieu où se mêlent écrivains et peintres, Magritte puise un complément à sa formation déficiente. Dans ses témoignages, Charles Alexandre revient sur ce moment décisif en présentant un Magritte qui s'ouvre à la réflexion philosophique :

Un jour, René est arrivé chez moi, tout angoissé, et m'a demandé : « Dis, Charles, est-ce que tu crois que j'existe ? » Puis, insistant : « Ou, mieux, comment peux-tu être sûr que j'existe ? » Et, enfin : « Oui, mais est-ce que je peux, moi, en être sûr ? » En fait, nous avions passé la nuit précédente à discuter avec des étudiants en philosophie. Ils avaient parlé du doute de Descartes et de son *cogito ergo sum*. Quelqu'un avait cité la réflexion d'un peintre : « Si je peins un cheval, je n'obtiens pas un cheval, mais une peinture de cheval. » Et, bien sûr, nous avions parlé de l'anecdote légendaire du peintre hollandais Frans Hals qui, après avoir consommé un repas dans une auberge, cria, au moment de partir : « J'ai laissé l'argent sur la table. » Et l'aubergiste le remercia satisfait car il voyait sur la table les louis d'or que Frans Hals y avait peints. On dit qu'il rattrapa le peintre, lorsqu'il se fut rendu compte de sa méprise et qu'il lui dit alors : « *Ben jij Frans Hals of ben jij de duivel* » [es-tu Frans Hals ou le diable ?]. René, lui, avait fait une soupe de ces choses[17].

Avec sa frénésie coutumière, Magritte se plonge dans la pensée de manière exaltée et décousue. D'après Charles Alexandre, il lit alors Nietzsche et découvre Poe. Des horizons nouveaux s'ouvrent devant lui. Magritte touche à la pensée et à la philosophie, à laquelle il s'intéressera sa vie durant de façon complémentaire à la poésie. Il se lie à de jeunes artistes qui poursuivent comme lui une formation à l'Académie et à de jeunes écrivains qui sont tous passés par l'auditoire de Georges Eekhoud.

Durant la guerre, ces écrivains formèrent un groupe baptisé « Quand même ». Épaulé par Charles Alexandre, Aimé Declercq* sera le premier agent catalyseur de cette avant-garde naissante. Énergique, il se veut un agitateur d'art soucieux de rassembler à ses côtés une jeunesse artistique qui entend participer au mouvement de renouveau qui traverse l'Europe. À ses côtés, Armand Roty,

* Directeur d'une agence de publicité, Aimé Declercq (1898-1978) poursuit depuis 1916 une activité d'animateur de revue. En 1922, il publie à L'Équerre un premier recueil intitulé *Chèque barré*. À partir de 1930, il se tourne vers le théâtre. De 1930 à 1932, il dirige avec Raymond Rouleau le second Théâtre du Marais pour lequel il écrit un spectacle en trois actes intitulé *L'Envers vaut l'endroit* qui sera créé dans ce théâtre le 3 mai 1932. Il deviendra ensuite copropriétaire du Théâtre des Galeries dont la compagnie, créée en 1953, sera dirigée par Jean-Pierre Rey.

Charles Alexandre et Maurice Casteels avaient lancé au début de 1916 une revue clandestine intitulée *Les Jeunes*, qui connaîtra six livraisons dactylographiées et stencilées en bleu. Le quatrième numéro mettra Aimé Declercq à l'honneur. En janvier 1919, les mêmes écrivains lanceront une nouvelle revue, *Demain littéraire et social* sous l'égide de « Pour l'art quand même ». Revue éphémère qui, à la fin de l'année, fusionnera avec *Au volant* pour donner *Le Geste*. Signé par Declercq, Chenoy et Alexandre, le manifeste publié dans le numéro inaugural de janvier 1919 fixe l'objectif de cette phalange qui entend sortir de l'ombre : « Sur les ruines morales et matérielles que lui laisse la guerre, le peuple belge doit réédifier ses centres intellectuels et ses villes. Il faut que nous, jeunesse d'aujourd'hui, collaborions puissamment à cette œuvre de reconstruction et fassions jaillir du sol encore sanglant les assises du monde nouveau. Un fossé infranchissable, la guerre, nous sépare de ceux d'hier. Sachons-le, tout retour au passé est une trahison. Tout pas vers l'ancien esprit est un pas vers la mort. Des efforts neufs doivent bâtir la nation future[18]. »

À première vue anodine, la déclaration témoigne d'un état d'esprit qui sera celui de Magritte lorsque, à partir de 1943, la défaite des forces allemandes lui apparaîtra comme inévitable. Dès lors se posera la question de la responsabilité de l'artiste dans un monde en reconstruction. Celle-ci constitue en 1919 une nécessité qui ranime un idéal avant-gardiste qui n'avait que marginalement pénétré la Belgique d'avant guerre. Avec cet idéal, refleurit un désir de rupture qui fut consubstantiel à un certain radicalisme moderne. Il nourrit un état d'esprit propre à une jeunesse qui aspire à rattraper le temps perdu en revendiquant ses droits et une place dans le monde à venir. Declercq en rendra compte à plusieurs reprises dans le même numéro : « Je pense qu'il faut rompre avec un passé que ces quatre années de guerre nous ont montré vétuste et usé et que, pour essayer de se détacher de celui-ci, il faut en tuer les racines qui tentent de pousser encore dans nos terres nouvelles[19]. »

La rupture a force d'impératif pour qui veut que naisse un monde nouveau plus fraternel et plus juste. L'idée d'avant-garde se précise ainsi dans le manifeste de *Demain littéraire et social* : « [...] Pour la réalisation de cette œuvre commune, il est nécessaire qu'un groupement canalise toutes les jeunes énergies disséminées, qu'il les conduise en une seule force et que, cette fois, au lieu de se payer de phrases et de mots, il arrive enfin à créer un centre de production et de travail d'où jailliront des œuvres. Il faut qu'il soit le creuset d'où sortiront des hommes d'action, d'énergie et de volonté dont le monde a besoin, après ces jours affreux de léthargie et d'épuisement[20]. » Au-delà d'un légitime souci de liberté, l'appel à l'ouverture « à toutes les formes et à toutes les pensées » entend néanmoins filtrer ses enthousiasmes et mesurer ses alliances à l'aune d'un caractère « sain et tonifiant » qui écarte d'emblée « la littérature mièvre et névrosée ». Et de conclure : « Ce sont des énergies et des volontés qu'il faut à l'heure présente,

maintenant que le penseur et le poète sont sollici-
tés à chaque minute par la réalité et par le sentiment du devoir social qui leur incombe[21]. »

## RECONSTRUCTION FUTURISTE

Au sortir de la guerre, la reconstruction ne recouvre pas qu'une métaphore morale. C'est un projet
concret que les bombardements et les destructions
perpétrés par les Allemands ont transformé en
impératif. L'avant-garde naissante y voit d'emblée
un espace d'affirmation dont tirera parti *Au
volant*. Pierre Bourgeois a suivi les enseignements
de l'Université nouvelle et s'engage dans une carrière littéraire foisonnante. Son frère aîné, Victor,
est sorti diplômé d'architecture de l'Académie de
Bruxelles. Grâce à ce dernier, Magritte découvre
les idées professées par Henry van de Velde dès
1914 et désormais reprises par le Bauhaus à Wei-
mar. Sorti de la morale bourgeoise qui n'y voit
qu'un divertissement, l'art est perçu comme un vec-
teur de progrès social. À partir des formes artistiques, une nouvelle organisation de la société se
fait jour. La maîtrise rigoureuse de l'artisan rencontre l'imaginaire fantasque de l'artiste pour réta-
blir l'harmonie des arts et abolir le cloisonnement
des genres. *Au volant* en témoigne avec ce slogan
lancé par Victor Bourgeois : « Vive la peinture et
sculpture décoratives réintégrées à leur milieu : un
ensemble architectonique[22] ! » De part et d'autre

de sa ponctuation, la phrase articule des ambitions différentes en un même projet ancré dans l'air du temps. La valorisation de la portée décorative de la peinture offre à Magritte une forme de réhabilitation de ce qui était jusque-là sa principale occupation : projets d'affiches ou de lettrage qui prennent désormais un sens nouveau. La correspondance adressée à Pierre Bourgeois met en place les termes d'un traitement décoratif de la peinture qui puise son modèle dans la musique. Une lettre de Magritte datée du 13 juillet 1920 — comme toujours totalement privée de ponctuation, d'accentuation et de majuscules — met en exergue cette « musicalisation » de la peinture dans sa fonction décorative sans doute largement empruntée à l'ouvrage de Jean Cocteau *Le Coq et l'Arlequin* :

> Lorsque tu écoutes un morceau de musique, peut t'importe ce qu'il représente, quel est son titre ? Du moment que c'est beau ? hein ? C'est tout ce qu'il faut !
> En peinture, en sculpture, cher ami, nous ferons cela aussi, mais avec des lignes et des couleurs, pour répondre à ceux qui objecteront que la peinture c'est pas de la musique
> [...]
> en si bémol, sous la dièse, ni sol naturel[23].

Face à cette assomption décorative de la peinture s'affirme, sous l'égide de l'architecture comme principe architectonique, le radicalisme propre aux avant-gardes constructivistes. De part et d'autre de ces deux conceptions s'ouvrent des horizons différents : là, le goût Art déco qui fleurira bientôt à Paris ; ici, la référence à une avant-garde dogmatique qui, de la Russie à l'Allemagne, définit désormais l'essentiel de la modernité.

Sous l'orthographe Maguerite, Magritte fait partie du comité de direction de cette revue à la présentation originale qui, d'avril à septembre 1919, connaîtra quatre parutions. Il exécute des dessins qui participent de l'enthousiasme « modernolâtre » de la revue. Dans le premier numéro, les frères Bourgeois précisent une conception résumée en trois mots : « Éclectisme. Enthousiasme. Originalité. » Sous le titre « Vers la plénitude par la dictature de la conscience », Pierre Bourgeois consacre l'acte de création en geste vital. L'enthousiasme sera le maître mot d'une démarche perçue comme « l'acte de la conscience qui tente de drainer des forces internes ou externes afin de les recréer en beauté[24] ». Ce jargon philosophique qui le troublait tant séduit Magritte. Son anticonformisme y puise une certaine légitimité. Et ce malgré la résonance catholique dont le poète dote sa conception de la conscience. Aux yeux de Magritte, celle-ci s'accorderait davantage à cette autre définition livrée quelques pages plus loin en justification même du titre de la revue : « Être conscient, ce n'est pas refuser de prendre place dans une auto de course, mais c'est n'accepter que celle du conducteur. »

Magritte se rapproche de Pierre Bourgeois qui, avec Flouquet, devient son meilleur ami et dont il réalisera cinq portraits en 1919-1920. Par leurs textes et par leurs dessins, l'un illustre l'autre dans une totale communauté d'esprit. Dans les derniers mois de 1919, Pierre Bourgeois lui fait découvrir le futurisme italien en feuilletant un catalogue d'exposition. Pour Magritte, le choc est intense. Au-delà de la pique adressée à l'ami d'alors, Magritte livrera en 1938 un témoignage qui mérite d'être déchiffré pour percevoir, indépendamment de l'actualité de son propos, ce qu'a été la révélation du futurisme. D'emblée, la peinture lui apparaît comme « un défi lancé au bon sens qui [l']ennuyait tellement[25] ». C'est bien l'anticonformisme qui justifie l'engouement pour une modernité vécue comme une perpétuelle rupture. Vient ensuite une recomposition de la mémoire qui favorise la prise de distance à l'égard de ce modernisme d'avant-garde dans lequel Magritte, en 1938, ne se reconnaît plus et qu'il combat ouvertement sous la bannière surréaliste. L'anecdote relatée vise à positionner l'expérience futuriste en regard de l'œuvre présente et non pour ce qu'elle avait dû être :

> J'avais devant les yeux [...]. C'était un sentiment pur et puissant : l'érotisme. La petite fille connue dans le cimetière était l'objet de mes rêveries et se trouvait engagée dans des atmosphères mouvementées de gares, de fêtes ou de villes, que je créais pour elle. Je retrouvais grâce à cette peinture magique, les mêmes sensations que j'avais eues dans mon enfance[26].

D'emblée, le chatoiement dynamique des toiles futuristes est ramené à la logique poétique qui nourrit le surréalisme. Il ne peut être qu'en contraste avec un néant qui renvoie Magritte aux caveaux de Soignies qui, tout en symbolisant la mort et le deuil, évoquent aussi, dans un sursaut d'anticonformisme, l'éveil de la sexualité associé au travail de la lumière. Tout le texte de Magritte concourt à cette sensation de joie qui caractérise la production futuriste. Joie qui fait ici une première — et éphémère — apparition et qui ne refleurira dans l'œuvre qu'avec le « surréalisme en plein soleil », au sortir de la guerre. Se dégageant de toute obédience futuriste classique, Magritte affirme l'existence d'un « centre invariable » de sa démarche — « sans rapport avec le futurisme esthétique », prendra-t-il le soin de préciser —, le « sentiment pur et puissant[27] » de l'érotisme. Subtilement, Magritte fait l'impasse sur l'abstraction qu'il rejette désormais pour laisser le rêve coloniser cette période futuriste sous le signe de l'érotisme. Un terme employé par Magritte en 1938 mérite d'être souligné tant il tranche avec la production artistique du moment dominée par une recherche des plus intellectuelles. Revenant à son passé, l'artiste signale que ces peintures faites de couleurs et de mouvements traduisent d'abord un sentiment qui ranime peu à peu le jeu libre des associations propres à l'enfance.

Revenons au contexte de 1919 alors que Bourgeois et Magritte s'emportent dans des discussions passionnées, centrées sur la modernité dont la correspondance porte la marque volubile.

Cher Pierre,
Aujourd'hui, jeudi, je reçois ta lettre d'hier (le 22) — Je croyais que les correspondances n'allaient pas si vite — enfin tant mieux —
Cette lettre est remplie de paroles intéressantes et qui peuvent être indifféremment attribuées à toi ou à moi, quand à notre impossibilité de vivre dans le « moment » et c'est très

compréhensible, vu que nous avons un idéal d'art à réaliser, et la reconnaissance de nos pauvres moyens, nous [é]nerve bien entendu en cr[é]ant on fuit vraiment —

Mais le but n'[é]tant jamais atteint, et tant mieux car cela prouve que notre idéal est haut placé plus haut que les autres —

Je ne suis pas un génie, mais je veux l'être, et je suis content de pas être un génie, car celui qui en possède les moyens (du g[é]nie) n'a aucun m[é]rite d'accomplir de belles choses, ces choses [é]tant les fonctions naturelles du g[é]nie, comme boire, manger, etc —

Mais celui qui fait une œuvre nouvelle à la suite d'efforts inouïs et d'angoisse, est admirable —

Est zite a naie boum'paaaaa !

RENÉ[28]

Charles Alexandre se souviendra de l'action positive exercée par le peintre fauve Ferdinand Schirren qui diffusera auprès des jeunes peintres les découvertes faites à Paris. Le café est alors sans conteste la plaque tournante de ces révélations et innovations. Alexandre alimentera aussi son ami en lectures comme *Mafarka le futuriste*, écrit en 1909 par Filippo Tommaso Marinetti que Magritte lui rendra orné d'un buste de femme dessiné dans la marge.

Tout en essayant d'assimiler les principes de la modernité cubiste ou futuriste, Magritte revient à l'Académie en septembre 1919 pour suivre à nouveau le cours de peinture décorative de 1re classe, 2e section, donné par Constant Montald. Classé huitième aux examens de Noël, il ne se présentera pas aux épreuves de juin.

En décembre 1919, les deux équipes de *Demain littéraire et social* et *Au volant* fusionnent pour fonder *Le Geste*. Les rôles sont répartis : Aimé Declercq et Victor Bourgeois assument la codirection. Léon Chenoy est nommé rédacteur en chef tandis que Pierre Bourgeois assume le secrétariat de rédaction. La revue se veut pluridisciplinaire : elle ira de la poésie à l'architecture en passant par les arts décoratifs, le cinéma ou le théâtre moderne. À côté de la défense de Georges Eekhoud, elle s'imposera un objectif majeur, l'élaboration de ce lieu de création que Declercq revendiquait déjà en 1919 dans sa revue *Les Jeunes*. Celui-ci entend profiter de sa nouvelle situation professionnelle. Entré en 1918 dans la firme de publicité Meunier, il en est devenu le propriétaire. À ce titre, il passera plusieurs commandes à René Magritte. Declercq considère la revue comme une tribune essentielle au renouveau artistique. Essentielle, mais insuffisante. La nouvelle création doit acquérir une visibilité que seul un lieu d'exposition lui conférera. Reprenant pour part le travail de ses devanciers que furent Octave Maus avec le cercle des Vingt, puis La Libre Esthétique ou, plus proche, Georges Giroux qui, dans sa galerie, a présenté en mai 1919 le cercle des Quinze\* dont la revue *L'Art libre* s'est faite le porte-parole, Declercq lance en décembre de cette même année un « centre de production et de travail d'où jailliront des œuvres »,

---

\* Fondé en 1918 à l'instigation du critique d'art Paul Colin qui dirige alors la galerie Georges Giroux, le cercle des Quinze réunit autour de Léon Spilliaert des personnalités issues du fauvisme brabançon comme Jos Albert, Jean Brusselmans, Charles Counhaye, Charles Dehoy, Anne-Pierre de Kat, Willem Paerels ou Ferdinand Schirren. Pour doter d'une tribune ce groupe pourtant hétéroclite, la revue *L'Art libre* est fondée. Le cercle n'aura qu'une existence éphémère puisqu'il sera dissous en 1922, renvoyant les artistes à leurs trajectoires individuelles.

selon la formule qu'il emploie dans *Le Geste*. L'animateur s'attache moins aux canons de diffusion de la création que forment le salon fin de siècle ou la galerie moderne qu'il ne se concentre sur l'atelier comme lieu de production traditionnel pour le transformer en un « centre » qui rend compte d'un idéal machiniste et industriel bien dans l'esprit de l'époque. Les idéaux constructivistes travaillent tandis que les esthétiques d'avant guerre prennent des formes d'expression nouvelles.

Installé au 6 rue Coudenberg, sur le Mont des Arts, à Bruxelles, le Centre d'art se résume en fait à deux locaux répartis sur deux niveaux où Declercq organise rencontres littéraires et expositions. Une partie du rez-de-chaussée est affectée à une petite imprimerie en charge des éditions, le reste étant occupé par une librairie dont l'offre se veut résolument moderniste. Le Centre ne connaîtra qu'une existence éphémère. L'objectif immédiat est de proposer un espace d'exposition pour une somme modique, de publier de jeunes écrivains belges, d'éditer revues, ouvrages et objets décoratifs « d'expression moderne et propres à mener vers une esthétique nouvelle[29] ». L'exposition inaugurale comprendra deux sections : l'une consacrée à la peinture et à la sculpture, l'autre à l'affiche commerciale tributaire des activités professionnelles de Declercq. Désireux de poursuivre une activité dans le domaine de la publicité, Magritte présente ses premières créations dans cette catégorie.

Une photographie contemporaine présente le peintre entouré de compositions exécutées pour le violoniste anversois Dubois Sylva ainsi que pour une pâtisserie bruxelloise. Le style se veut résolument moderne : dynamisme de la composition, synthétisme des formes et des couleurs qu'on devine chatoyantes. Il est intéressant de constater que ces affiches, aujourd'hui perdues, répondent aux toiles exécutées à l'époque. Si elles partagent le même élan cubo-futuriste, elles maintiennent néanmoins l'image dans le périmètre d'une figuration dont la peinture, inscrite dans le débat avant-gardiste, s'est déjà émancipée. Ainsi, la publicité constitue pour Magritte une sorte de contrepoint à une abstraction dont le fondement reste à ses yeux essentiellement théorique. Sa liquidation reposera bientôt sur le rejet de tout esprit de système.

Magritte expose au Centre d'art en compagnie de Flouquet. Après la série d'affiches présentée pour l'inauguration en 1919, il revient en 1920 avec des peintures résolument non figuratives. À en croire une critique parue dans *Le Geste*, les œuvres présentées paient leur obole à « cette nouvelle conception cinématique où nous mène la vie trépidante de demain[30] ». L'influence cubiste et futuriste prédomine dans une diversité de sources et de références dont émerge toutefois un enthousiasme appuyé pour l'esthétique futuriste.

De Flouquet à Bourgeois en passant par Magritte, l'adhésion aux formes d'avant-garde est de mise. Et même la confrontation avec les vedettes du marché de l'art de l'immédiat après-guerre ne décourage pas les jeunes Turcs. Dans une lettre qu'il envoie à Flouquet en 1920, Magritte témoigne d'une assurance toute juvénile :

Cher Ami, ? ! ?
On m'avait parlé d'une exposition futuriste à Bruxelles ? Mais cher ami saches donc que ce n'était pas du futurisme, mais bien du cubisme, he hum, permettez ? ! ? Oui, figures toi, que l'avant-hier attends un peu, nous sommes mercredi donc avant-hier lundi en passant rue royale, je pense à visiter une nouvelle boîte, « Selection », et, une exposition cubiste parisienne y avait lieu ? ! ? he hum, Picasso, Survage, Metzinger, Leger, et d'autres — mais nous sommes plus forts[31] ! ????????

Le ton est à la bohème pour ces jeunes artistes qui mettent tout en commun. Dans une carte postale qu'il adresse à Flouquet en date du 22 septembre 1920, Magritte écrit : « J'ai achevé comme dans le bon vieux temps, l'esquisssssse que tu avais commencée (à la colle rappelles-toi) ! » Et d'ajouter, comme s'il s'agissait de projets qu'il réaliserait au nom de Flouquet : « Envois moi des croquis alstubelif[32]. » La confrontation des œuvres de Pierre-Louis Flouquet avec celles signées de la main de Magritte conforte cette possibilité.

Dans le cas de Karel Maes, Jacques Roisin a retrouvé, au cours de ses recherches, une œuvre intitulée *Arlequin*, monogrammée « KM », qui avait été offerte par Magritte à Hortensia Gallemaert. Professeur de solfège au conservatoire de Schaerbeek, celle-ci aura pour élève Paul Magritte. Par la suite, avec son complice Paul Deroy, elle animera musicalement le café-restaurant Métropole. Le cas laisse à penser que Magritte aurait lui-même produit des œuvres signées Maes. Divertissement d'un peintre doué pour démonter les systèmes ou coup de main amical ? La question reste ouverte. Tout au plus notera-t-on que Magritte ne témoignera jamais d'une sympathie débordante à l'égard de Maes. Au moment de sa rupture avec 7 Arts, il décrira à Flouquet certaines de ses antipathies. Maes sera du nombre :

Maes — petit professeur, génie, esprit géométrique très obtus, qui ne dit pas grand chose parce qu'il ne pense rien — j'ai voulu vaincre l'antipathie que j'avais pour lui, mais son attitude tantôt me le fait mépriser, s'il n'a pas reçu les élèves c'est qu'il avait la chiasse, il peut-être très cabotin avec ses dents carriées, sa casquette a carreaux, ses lunettes pour se faire passer pour « lui » mais il a une trop sale gueule pour ça[33].

Magritte suivra avec passion cette mise en branle d'une nouvelle création assimilée à cette jeunesse qui a été privée de liberté pendant quatre ans. Son anticonformisme y trouve une légitimité qui lui permet de sublimer ses drames personnels. Il y puise aussi les outils nécessaires à une première structuration de sa pensée. Bien sûr, les commentaires de l'époque manquent et les regards rétrospectifs, orchestrés par le peintre même, rendent moins compte de la vérité historique que de la réalité du moment où ils ont été consignés. Pour retrouver un certain ton qui fut celui des années 1919-1921, sans doute faut-il se tourner vers les photographies qui montrent un Magritte enjoué et toujours en mouvement. Celles-ci tranchent avec les mises en scène à venir. De même, la correspondance adressée à Flouquet ou à Bourgeois rend compte de cette énergie et de ce lyrisme. Dans une écriture faite de boucles déliées, truffées d'onomatopées et où le croquis fait son apparition pour compléter une expression verbale trop limitée, Magritte témoigne d'une joie de vivre largement tributaire de son engagement artistique.

> Hier je lisais la vie de Cézanne [...] Lorseque Cézanne recevait un ami, ceux[-ci] discutaient si fort que les pompiers et les flics de AIX accouraient les [uns] croyant au feu, alors que c'était une fumée de pipe qui s'échappait de la fenêtre, les autres à un assassinat, tellement il gueulait. Quand pourrons-nous faire la même chose[34] ?

Pourtant, la correspondance livre aussi un autre portrait du peintre. Poursuivi par des problèmes de gorge qui entraîneront plusieurs opérations plus ou moins réussies, Magritte se révèle fébrile et anxieux. Il en rend compte à ses interlocuteurs sans aucune retenue comme il le fait ici, à l'intention de Bourgeois :

> Voici les symptômes : la nuit « tirement » dans le nez — jamais de mouchage de nez — la gorge sèche — biles copieuses — abcès qui percent de temps en temps, et qui ne sentent pas trop mauvais, mais a l'odeur tu [illisible] — c'est très rassurant — douleurs dans les oreilles, tête et gorge — mais maintenant je puis m'endormir comme une bête sans vouloir penser à mon affection.
> avec cela : je doute de mon art car mon œuvre n'est pas homogène — ce sont des questions angoissantes, sans réponses — je doute par conséquent des autres aussi mais bien entendu, les « académistes » ne m'intéressent pas[35].

Magritte doute de son œuvre comme la philosophie lui a appris à douter de la réalité de son existence. Seule son intégration à l'avant-garde artistique naissante lui procure alors un apaisement lié à l'appartenance au groupe.

En février 1920, Théo Van Doesburg donne sa conférence consacrée au mouvement non figuratif hollandais De Stijl formé en 1917 autour de Mondrian. L'orateur parle devant quinze personnes réunies au Centre d'art. Flouquet réalise un portrait de Magritte que ce dernier réutilisera en peignant au dos une tête d'homme dans un style cubiste. Il l'offrira en 1921 à Franz Van Montfort, un peintre d'inspiration fauve qui, avant guerre, a suivi les enseignements de Montald à l'Académie. Au contact de Flouquet, Bourgeois et Magritte, Montfort intégrera, vers 1921, quelques éléments du répertoire cubiste avant de quitter Bruxelles pour Paris où il s'installera en 1923.

ELT DADA

En janvier 1920, Magritte rencontre Édouard Louis Théodore Mesens, qui se fera connaître sous le nom de ELT Mesens, venu visiter l'exposition conjointe de Magritte et Flouquet dans « une boutique pompeusement baptisée "Centre d'art"[36] », selon la formule assassine de celui qui deviendra un des plus proches complices du peintre. Dans un manuscrit resté inédit, Mesens livre une description de Magritte tel qu'il lui apparut alors :

[Magritte] passait à nos yeux pour très élégant. Il avait des complets coupés sur mesure et si cintrés à la taille qu'ils lui donnaient l'air d'une jeune fille enceinte. Tous les dimanches, son père lui frisait les cheveux aux petits fers. Il portait aussi, à cette époque, des bottines à boutons avec tiges en tissu gris perle et couronnait tout cet attirail d'un Borsalino à très larges bords : un gâteau de première communion sous une cloche à fromage[37] !

Ayant tôt appris à jouer du piano, Mesens a abandonné ses études en 1919 pour entrer au conservatoire de Bruxelles qu'il fréquentera, lui aussi, par intermittence. Il n'est pourtant ni un interprète remarquable, ni un compositeur de premier plan. En tant que compositeur, il n'a fait que des études musicales élémentaires. Que ce soit pour ses mélodies sur des poèmes de Soupault, Éluard, Péret ou Tzara ou pour ses pièces pour piano, son écriture reste très simple sinon fruste.

Les liens qui l'unissent à Magritte semblent aussi instantanés qu'étroits. Tous deux partagent le même intérêt pour l'avant-garde qu'elle soit futuriste ou, bientôt, dadaïste. Peu après l'exposition au Centre d'art, Mesens et Magritte adresseront une lettre aux futuristes de Milan. S'ensuivra, en guise de réponse, l'envoi de catalogues et de manifestes qui confortent Magritte dans sa vision anticonformiste et moderne. À ses yeux, le futurisme fait alors figure de « défi lancé au bon sens[38] ». Comme beaucoup de peintres à l'époque, il est vivement impressionné par la lecture de *Du cubisme et des moyens de le comprendre* qu'Albert Gleizes publie en 1920[39]. Poursuivant l'analyse livrée huit ans plus tôt avec Jean Metzinger dans *Du cubisme* qui contribua largement à répandre une certaine vision de l'esthétique cubiste en Europe, Gleizes tente de raviver l'esprit du cubisme orphique tel qu'Apollinaire l'avait déduit des visions simultanées de Robert Delaunay et qui avait présidé, à Paris, à la création de la Section d'Or. Malgré une exposition itinérante organisée en 1920, l'idéal orphique ne rencontre plus l'actualité[40]. Son abstraction est jugée obsolète et Gleizes devient la cible permanente des attaques d'une nouvelle faction artistique qui se développe à Paris sous le nom de Dada[41]. Suivi deux ans plus tard par *La Peinture et ses lois*, l'essai de 1920 a permis à Gleizes de définir une conception orphique du cubisme à partir des notions de rotation et de translation dont sa peinture s'est largement nourrie. Dans les marges de son exemplaire personnel qu'il offrira en 1935 à Éliane Souris, la fille du compositeur André Souris, de nombreux croquis témoignent des efforts faits par le peintre en 1920 pour intégrer les principes abscons développés par Gleizes.

Mesens, Bourgeois et Magritte se lient d'amitié. Tous trois bambochent dans l'appartement de Bourgeois ou dans l'atelier de Magritte. Scutenaire les décrira allant de bar louche en café interlope autour de la gare du Nord. Poésie, peinture et, maintenant, musique se répondent.

Fort de cette amitié, Magritte convaincra son père de remplacer Hortense Gallemaert, qui donnait des cours de piano à son frère Paul par Mesens. Épaulé par ce dernier, les deux frères s'essaient à la composition de chansonnettes. Un de leur jeu favori est alors le détournement des paroles de musiques connues comme les valses et polkas d'Émile Waldteufel. Sous la plume assassine des comparses, le texte sans relief qui sied à une musique à danser devient :

Si vous venez à Bruxelles / Venez dans notre milieu / Pour vider votre escarcelle / Et rafraîchir vos essieux / Si vous aimez la bière / Et les roses trémières / Venez donc vite en vacances / Pour enculer tante Hortense / Les chemins de fer moisis / Les chemins de fer pourris / Hyacinthe danse[42].

## UNE INTERNATIONALE D'AVANT-GARDE

Magritte participe à la vie des cercles d'avant-garde qui se multiplient. Il exécute notamment des projets de couvertures pour le nouveau mensuel des frères Bourgeois baptisé *Voilà*. Le projet restera lettre morte. L'initiative viendra d'ailleurs. Après avoir lancé le périodique *Het Rode Zeil*, consacré à la création littéraire flamande, Paul-Gustave Van Hecke, principal agent artistique en Belgique, et l'écrivain André de Ridder fondent en juin 1920 la revue *Sélection* ainsi que la galerie Sélection-Atelier de l'art contemporain qui, de 1920 à 1922, défendra l'expressionnisme de Laethem-Saint-Martin tout en faisant la promotion d'une peinture parisienne d'inspiration cubiste.

Le premier numéro de la revue paraît en août 1920. Au rythme de dix numéros par an, elle accueillera, à partir de 1927, les plus importantes contributions consacrées à Magritte avec lequel Van Hecke est en contrat depuis 1925. À partir de mars 1928, les « Cahiers de Sélection » feront la promotion des artistes de la galerie sous forme de monographies dont une devait être consacrée à Magritte. Régulièrement annoncée depuis 1926, celle-ci est en chantier en 1929 lorsque la crise économique ruine l'ensemble des projets du tandem Van Hecke-de Ridder.

Les 10 et 11 octobre 1920, Magritte assiste au Congrès d'art moderne organisé, à Anvers, par Jozef Peeters et l'architecte Huibrecht Hoste sous l'égide de Moderne Kunst, groupe fondé par Peeters et Edmond Van Dooren en 1918. Il s'y est rendu en compagnie de Mesens, de Pierre Bourgeois et du peintre Karel Maes. Magritte n'a de toute évidence pas apprécié les œuvres exposées ni le déroulement du congrès. Une lettre à Flouquet commente ce week-end jugé aussi coûteux que déplaisant*. Toujours fidèle à Eekhoud, Magritte profitera de son passage à Anvers pour visiter le Musée des beaux-arts où est conservé le triptyque *Les Émigrants* qu'Eugène Laermans a tiré de sa lecture de *La Nouvelle Carthage* publiée en 1888. Au radicalisme d'avant-garde Magritte avoue préférer la figuration monumentale de ce peintre sensible à la question sociale.

---

* « Qu'ils aillent tous chier avec leur congrès… je rougirais de m'être dérangé pour si peu Nom de Dieu et dépensé 50 fr qui auraient pu servir à acheter de la belle couleur. » R. Magritte, *Lettre à Pierre-Louis Flouquet*, [sans date], Houston, The Menil Foundation (Archives Sylvester).

Pourtant, malgré cet aveu, Magritte persiste dans l'abstraction alors que ses œuvres pénètrent le milieu d'avant-garde européen. Ainsi, en décembre 1920, enverra-t-il à l'Exposition internationale d'art contemporain de Genève cinq peintures qui, quoique dotées d'un titre qui suggérerait quelque représentation, sont d'une abstraction résolument cubo-futuriste. Le témoignage de Paul Sacrez, un ami d'enfance resté en contact avec Magritte, mérite d'être cité :

> [Magritte] ne peignait pas que des tableaux, mais il transformait tout : les cendriers, les pots de fleurs, il décorait tous les bibelots de la maison avec des lignes blanches, rouges et noires et cela produisait un effet formidable. Mais comme pour ses tableaux on ne reconnaissait pas ce qui était représenté, c'était surtout décoratif. Je lui demandais : « Que représente ce tableau-ci ? » Il me répondait un jour : « C'est mon grand-père », et le lendemain : « C'est un coucher de soleil[43]. »

L'abstraction apparaît comme un jeu. Sans doute trop gratuit pour être longtemps pris au sérieux par Magritte.


## LE RETOUR DE GEORGETTE


Au printemps 1920, René Magritte se promène au Jardin botanique en compagnie de Mesens lorsqu'il croise Georgette Berger qu'il n'a plus vue depuis 1914. Celle-ci vit depuis peu à Bruxelles avec sa sœur Léontine et travaille à la Coopérative artistique. Un an plus tôt, au décès de leur mère, les deux sœurs se sont brouillées avec un père un peu trop prompt à se remarier. La relation reprend même si, comme Suzi Gablik le rapportera de Magritte lui-même[44], le jeune dandy éprouve le besoin instantané de donner libre cours à son humour pervers. Ainsi fabrique-t-il à l'instant même de leurs retrouvailles une histoire destinée à choquer la jeune femme dont il connaît le conformisme : il ne peut rester plus longtemps avec elle, lui dit-il, car il a rendez-vous avec sa maîtresse. S'agissait-il seulement d'un mensonge ? La correspondance que Magritte entretient avec ses amis est alors riche d'allusions à de jeunes femmes qui se succèdent à un rythme, semble-t-il, soutenu. Ainsi, dans une lettre adressée, peut-on supposer, à Pierre-Louis Flouquet précisera-t-il — alors qu'il a retrouvé Georgette depuis quelques mois — : « Il ne faut plus envoyer des compliments à Mme Louise, car après elle ce furent "Elvyre", "Mariette" et maintenant, c'est "Alice"[45] !!!! »

Malgré ces frasques, de nombreux témoignages ainsi que les lettres qu'il adresse à certains de ses proches témoignent de la métamorphose qu'il entame. Étrangement, Magritte tait à son père — pourtant bien au fait des expériences licencieuses de ses fils — l'existence de Georgette. Le jeune homme s'assouplit, s'assagit et entame une lente mutation qui le conduit à prendre ses distances avec ce que furent ses années de jeunesse. À la farce perverse de leurs retrouvailles répond le geste posé le soir même : Magritte envoie à Georgette une rose dessinée sur une feuille de papier. Rose qui reviendra régulièrement dans son œuvre sans qu'on puisse éluder la valeur personnelle à donner à cette fleur, rappel de cette première rose qui scella leur vie commune.

René vit toujours chez son père. Celui-ci a traversé une période de grandes difficultés, multipliant les initiatives sans réellement rencontrer le succès. Agent immobilier, représentant en tout genre — de la bière à la chimie —, industriel lançant des produits plus ou moins aboutis, mais rarement nécessaires. Paradoxalement, c'est la fin de la guerre qui va offrir à ce joueur patenté l'occasion de se refaire. Rachetant à vil prix une usine à un industriel dont les faits de collaboration l'incitent à fuir au plus vite les autorités judiciaires, Léopold montera un carrousel financier afin d'emprunter de quoi acheter l'usine convoitée. Pour y parvenir, il a recours à une technique délictueuse : il crée pour l'occasion une société anonyme qu'il dote d'un capital en or qu'il ne peut avancer. Celui-ci correspond au prix élevé qu'il entend tirer de la revente de ladite usine. Ainsi emprunte-t-il sur la base du prix de revente d'un bien dont il n'est pas propriétaire l'argent nécessaire à l'achat de ce même bien. Le tour de passe-passe réussira. Au sortir de cette opération douteuse, Léopold non seulement empochera une juteuse plus-value, mais se fera embaucher par les nouveaux propriétaires au titre d'administrateur-directeur commercial. Fonction qu'il perdra toutefois rapidement pour cause d'incompatibilité avec ses patrons, excédés par la suffisance de cet employé singulier. Lorsqu'ils découvriront le mécanisme qui avait présidé à l'achat de l'entreprise, ils le poursuivront pour escroquerie.

Toujours est-il que l'argent coule à nouveau à flots. En décembre 1920, la famille déménage pour un immeuble cossu du 16 avenue du Boulevard à Saint-Josse. Tirés à quatre épingles, Léopold et son fils Raymond vont aux courses. Le soir, le « dab » — le dur en argot, comme l'appellent ses fils — tient table ouverte. Ayant retrouvé son aisance, Léopold retourne à ses vices : chevaux et jupes légères. Alors que Raymond, devenu représentant pour la maison Coene, fabricant de parfums, d'essences et de colorants pour la pâtisserie, quitte la maison familiale pour voler de ses propres ailes, René et Paul poursuivent leur vie dissolue aux crochets de ce père dispendieux. À l'instar du comédien français alors en vogue Saint-Granier, René se laisse pousser une frange. Facéties et provocations se multiplient. Souvent d'un goût douteux.

## ENCAQUÉ KAKI

Le 1er décembre 1920, Magritte rentre sous les drapeaux. Pour une longue année. Affecté à la 10e compagnie du 8e régiment de ligne, il est basé un moment à Bruxelles où il est autorisé à suivre les cours à l'Académie des beaux-arts, avant de gagner le camp de Beverloo, près d'Anvers, puis

Leopoldsburg. De là, il part rejoindre l'armée d'occupation belge en Allemagne, près d'Aix-la-Chapelle. Il restera en service armé jusqu'au 30 septembre. À Beverloo, il retrouvera Pierre Bourgeois alors sergent dans un régiment de grenadiers.

En 1958 — le 11 novembre ! —, Magritte reviendra sur ces mois d'encasernement à l'intention d'André Bosmans, un jeune poète lui aussi de kaki vêtu :

Je m'étonne de votre horreur pour une institution qui témoigne si éloquemment de la persistance de l'infantilisme de la mentalité bien « pensante ». En tant que disciple du Père Ubu, vous pourriez vous dispenser de regrets et de désaccord avec l'armée dont les statuts et règlements correspondent si bien au système spirituel de ce grand esprit (un général belge, n'ignorant pas les messages du Père Ubu, renforcerait encore le sens de ses conceptions de manière à en rendre les effets plus difficiles qu'ils ne sont) présent pour les poètes sous les armes.

« J'ai passé par là », sans prendre au tragique l'exposition de la stupidité épaisse qui règne dans les casernes. Au contraire, je voyais la chose sous l'angle de « l'emmerdement » dont il s'agissait de se « démerder » autant que possible. Les moyens sont variés, un peu de votre intelligence suffirait à en trouver d'efficaces. Comme j'étais déjà alors un « artiste peintre », j'ai fait un portrait de mon commandant digne de figurer dans la collection de Père Ubu et cela m'a valu pour pas mal de temps une liberté presque complète. Je suis « passé » aussi comme employé au ministère de la guerre, « en ménage » c'est-à-dire dormant et mangeant chez moi et n'étant astreint qu'à une présence inutile pendant quelques heures par jour dans un bureau. Toutes les « ficelles » je n'ai pas manqué de les user jusqu'à la corde. Même les quelques heures de bureau, j'arrivais à les supprimer en prétextant des visites que je devais faire à des médecins ! Bien sûr, un « emmerdement » subsistait, même atténué par le plaisir de « rouler » les « chefs »[46].

Plusieurs lettres échangées avec des amis témoignent de cette qualité de « garrotier* » dont Magritte avait déjà fait l'étalage durant ses années à l'Académie. À titre d'exemple, cette lettre envoyée à Flouquet d'Anvers, sur le papier à en-tête de la taverne Greenwich dans les premiers mois de 1921.

Cher Pierre,

Je t'écris de ce café, entouré de 6 officiers qui sirotent leur café, et si je suis ici par un truc, donc juge de mon culot ! Je deviens mon vieux un garrotier comme pas un. Hier c'est Alexandre qui vient me voir et que je fais passer pour mon cousin, je sors donc à 4 h 1/2 au lieu de 6 h.

Aujourd'hui je suis allé au matin à l'hôpital pour ma gorge. Je devrai y retourner jeudi à 9 h. J'aurai fini à l'hôpital, je me ballade et je rentre à moi ensuite je passe au bureau où je fais le portrait de l'employé qui me donne comme récompense une commission « illusoire » à faire donc je sors à 3 h 1/2 et ce [page déchirée]. J'attends Jeanne qui doit venir me voir et qu'une lettre [page déchirée] qu'on lui mettra à la caserne, lui indiquera ou elle peut me trouver.

J'ai reçu ce matin ta lettre « description de fous » en effet nous nous plaignons mon cher !

jeudi Paul Fort vient réciter ses vers à Anvers, j'espère bien avoir une perm'— Bourgeois et Alexandre aussi.

et ta permission ? ! Je suis à bout de souffle cher ami on allume l'électricité. 20 lampes 100 bougies.

+ café + groom + officiers = délices — exercice froid merdeux —

Les WC (?) de l'armée me plaisent actuellement lorsque tu viendras à Anvers tu les visiteras.

SALUT

RENÉ[47]

---

* Mot wallon, approximativement orthographié par Magritte dans la lettre ici citée, qui signifie : « menteur », « magouilleur », « arrangeur ».

La correspondance entretenue avec Mesens et, surtout, avec Flouquet — lui-même incorporé depuis mai 1920 dans un régiment d'infanterie à Cambrai — livre le portrait d'un Magritte moins crâneur et passablement déprimé. Il se rapproche de Flouquet qui est soumis comme lui à cette détresse militaire née, d'après les termes mêmes de Magritte, d'une « promiscuité honteuse[48] ». Il se livre et, en bon catholique, son ami écoute et déchiffre ses propos. Les échanges épistolaires prennent une densité jusque-là inconnue, ainsi qu'en témoigne cette lettre de Flouquet, datée de mai 1921, en réponse au mal-être de son compagnon d'infortune :

Tu ne crois plus à l'âme me dis-tu... À ton propre aveu, tu es malheureux, tu souffres. Le scepticisme dont tu te parais se brise brusquement sous la surcharge d'un fait peut-être infime. Tu te dévoiles à moi et ton masque tragique est celui de tout homme... Je ne veux voir en cet instant que ta souffrance artistique et morale. Que d'abord pour t'apaiser, si cela est possible, je te clame la confiance que j'ai en toi... Oui, je crois en ta personnalité, je crois en ton talent [...]. Crée, voilà le remède, cette aptitude qu'a l'humain d'échafauder mille plans, à créer, n'est-ce pas un rappel des hyper-espaces astraux, n'est-ce pas un besoin d'élévation, une sorte de purification des turpitudes charnelles... peut-être. Mon cher René, pourquoi te désoler, dans quatre mois tu pourras te donner entier à ton art, tu pourras t'exprimer en toute liberté, venir te compléter à Paris, voyager... Et si ton âme souffre, c'est qu'elle est écrasée par cette tunique kaki qui est de plomb à ta fantaisie... pour quatre mois encore[49].

En ne voulant voir que la « souffrance artistique et morale » de Magritte, Flouquet prend ses distances avec un personnage dont les frasques l'ont souvent heurté et dont la sexualité débridée n'a pas manqué de choquer ce fervent catholique. Un Magritte souffrant est un Magritte somatisant. Ses maux de gorge sont le témoignage de cette crise spirituelle qui le conduit à douter de lui-même et de sa peinture. Celle-ci reste, aux yeux de Flouquet, promesse d'un salut auquel le peintre donne une résonance ésotérique appuyée. Et de plus en plus étrangère au parti pris iconoclaste d'un Magritte tenté par le dadaïsme.

À travers sa correspondance, on découvre aussi un jeune homme amoureux qui s'inquiète pour celle qu'il a laissée à Bruxelles. Une autre lettre adressée à Flouquet, qui vient d'être démobilisé, témoigne de sa désolation :

Cher ami,
je voudrais que tu reconduises Georgette chez elle quand tu as le temps, car je crains qu'elle s'ennuie et tu me rendras un grand service, demande lui aussi pourquoi elle ne m'a pas écrit vendredi ni samedi, je ne sais ce qui lui est arrivé, et j'espère, Cher Pierre, que tu lui rendra service si elle a besoin de toi — tu me ferais plaisir en [demandant] adroitement chez moi ce qui se passe au sujet de Georgette et me le faire savoir, ta lettre était très belle et très amusante (peindre le naturel de Madame Sylva ! ?! mais vois-tu toutes ces belles choses ! Pitoëff etc...) sont pour moi un supplice de Tantalle, et qui s'ajoute à ma tristesse (oui tu peux rire) d'être si loin de ma bonne petite Georgette — à bientôt alors cher Pierre, mes compliments chez toi et écris moi le plus souvent possible[50].

Le passage sous les drapeaux aura été une épreuve pour Magritte. Épreuve singulièrement allégée par sa capacité à s'accommoder d'un système qui, en retour, lui offre quelques facilités. Deux officiers, Albert Tahon et Alphonse Dierickx, lui rendront l'existence tolérable, allant jusqu'à lui passer commande de portraits — il l'évoque dans sa lettre à Bosmans du 11 novembre 1958 — que Magritte exécute dans un style empreint d'une volontaire naïveté, comme si un portrait de militaire devait conserver quelque chose de l'innocence propre à un chromo. Le capitaine Dierickx le conviera régulièrement dans la maison de famille de son épouse à Hasselt où Magritte réalisera le portrait de Tilly Braekers intitulé *Jeune Fille au piano*.

En octobre 1921, la démobilisation signe chez Magritte un retour à la joie de peindre. À Flouquet, il annonce que son père soutient son projet de devenir pleinement peintre. Dans l'enthousiasme, il annonce :

> [...] muni de bonne couleur et toiles, je vais commencer tantôt un grand tableau auquel je pense depuis longtemps : orgue de barbarie dans la rue avec femmes mouchoirs vermillon, vent qui les font aller, enfants qui dansent, d'autres qui regardent, badauds, arbres, maisons, soleil ! L'avenir ne m'apparaît pas moins tragique malgré cela, enfin je travaille maintenant et si je fais une œuvre belle, c'est beaucoup[51].

Les difficultés financières éprouvées par son père obligeront René à revoir ses ambitions. Il lui faudra pourvoir à ses besoins conjugués à ceux de Georgette. En effet, Léopold, qui a dilapidé son pécule, fait désormais l'objet de poursuites judiciaires. À Flouquet, Magritte donne sa vision de la situation : « Mon père est dans une situation embarrassée, il est, comme tu le sais, en procès avec ses anciens commanditaires et l'argent qu'il me donne pour suffire à des petites dépenses serait loin de me procurer ce dont j'ai besoin — couleurs, toiles, modèles[52]. »

Magritte cherche un emploi. En novembre, grâce au soutien probable de Victor Servranckx qu'il connaît depuis l'Académie, Magritte est engagé comme dessinateur à la fabrique de papiers peints Peters-Lacroix, installée à Haren, où son ami travaille depuis 1918. Magritte y apprend un métier tout en s'enthousiasmant pour le projet annoncé de créer des papiers peints modernistes. L'excitation sera de courte durée. Revenant sur ces années de jeunesse, il écrira en 1954 : « Magritte supporte aussi mal l'usine que la caserne. Au bout d'une année d'emploi, il abandonne et cherche sa subsistance en faisant des travaux imbéciles : affiches et dessins publicitaires[53]. »

La fréquentation de Servranckx transforme l'œuvre de Magritte. Des visions mécanicistes de son aîné, le jeune peintre retient l'expression d'une abstraction inscrite dans l'ère du temps. Une modernité plus proche de l'Art déco que du radicalisme non figuratif découvert au Centre d'art lors de la conférence de Van Doesburg. Pour Magritte, la peinture rend « visible l'essence abstraite de la réalité » sans que celle-ci doive faire l'objet d'une liquidation surtout dictée par le désir de faire autrement, de se distinguer, de rompre avec une histoire assimilée à la tradition. Magritte prend ainsi ses distances avec un des lieux communs de la culture avant-gardiste : l'affirmation de l'abstraction comme nouveau langage plastique qui viendrait se substituer à une réalité disqualifiée sans autre forme de procès. Si l'abstraction reste une expérience essentielle, elle ne peut être inféodée à un projet social qui lui imposerait de s'intégrer à l'architecture comme creuset de l'homme nouveau. Magritte — comme Servranckx — prend ses distances avec cette doctrine radicale qui caractérise les membres de 7 Arts qui lancent en 1922 une revue homonyme qui paraît au rythme d'une trentaine de livraisons par an afin de répondre au mieux à l'actualité.

Animée par les frères Bourgeois, 7 *Arts* avait tout pour devenir le milieu naturel au sein duquel Magritte devait évoluer. Mais celui-ci n'a rien perdu de son goût pour la polémique. Le combat pour le modernisme engagé par 7 *Arts* ne le convainc plus totalement. La recherche du modernisme à tous crins, l'affirmation du formalisme constructiviste, la soumission au fonctionnalisme en architecture, le rationalisme imposé à toutes les formes de création, de la musique au cinéma en passant par le théâtre, n'entraînent plus son adhésion. La désagrégation de l'esprit de corps en sera une autre facette. Une lettre adressée à l'époque à Flouquet témoigne de la distance que Magritte prend vis-à-vis de la phalange à laquelle il appartenait :

Pierre,
En qualité de vieil ami, je vais t'expliquer pourquoi j'ai rompu avec mes anciens « amis ».

Monier, grâce aux disputes qu'il a provoquées depuis que nous le connaissons m'a fait voir ce que c'est que l'amitié entre artistes, lui entre parenthèses je l'emmerde, surtout a cause de son « manque d'amour pour personne » ses yeux qui ne regardent jamais quelqu'un en face et sa théosophie si pratique.

[...]

Toi bobo, j'ai bien vu que tantôt que tes yeux étaient tristes de ce qui arrivait, mais depuis que tu connais ces types là tu deviens diplomate, et je hais cela — je te garde mon entière amitié mais je crois que ayant choisi une route bien différente nous puissions encore nous entendre — toutefois je te recevrai toujours à bras ouverts mais alors soyons amis simplement et plus membres de groupe — Bourgeois Pierre tu le connais. Il est trop malin pour avoir des disputes, c'est un bon type au moins — franc, mais qui tire son plan — je lui garde aussi mon amitié, il n'a d'ailleurs rien fait pour l'augmenter ni la diminuer — mais je n'ai jamais trouvé qu'en toi, un moment l'amitié telle que je la conçois.

Voila pense en ce que tu voudras, fais savoir aux intéressés l'opinion que j'ai d'eux, elle n'aura que plus de valeur puisqu'elle est écrite et réfléchie et maintenant je vais vivre calme et je vais travailler, c'est le seul moyen d'être artiste.

RENÉ MAGRITTE[54]


## L'ART PUR


Chez Peters-Lacroix, Magritte dira mener avec Victor Servranckx « des recherches qui n'ont rien à voir avec leurs travaux de salariés[55] ». À la fin de l'année, sans doute désireux de répondre aux thèses défendues par 7 Arts, tous deux entreprennent la rédaction de *L'Art pur, défense de l'esthé-*

*tique*. Magritte espère publier ce texte consacré à l'architecture et à la peinture, à Anvers, aux éditions Ça Ira, comme pour mieux s'opposer à 7 Arts. Si l'édition ne voit pas le jour, l'essai n'en reste pas moins révélateur des conceptions qui animent alors Magritte[56]. D'emblée, il met en exergue un concept au cœur de l'esprit dadaïste dont Magritte se rapproche au même moment. La vie y est perpétuel et spontané appel au désordre : « Une peinture accrochée au mur peut être un facteur de désordre ; ce désordre n'est qu'apparent ; il est causé par la vie ; il est inévitable, fatal ; profondément, il est l'ordre : une loi[57]. » Tout en participant de la vulgate moderniste, le texte met en exergue la fonction de l'œuvre qui est de « déclencher AUTOMATIQUEMENT la sensation esthétique chez le spectateur[58] ». Magritte prend ainsi le contre-pied des thèses défendues par 7 Arts qu'il stigmatise en de nombreux points.

Magritte assimile la perfection de la forme à son « côté décoratif spirituel ». L'automatisme — sans pour autant circonscrire une quelconque surréalité encore dans les limbes — qualifie la sensation suscitée par l'image. Ce surgissement, auquel Magritte restera fidèle à travers le leitmotiv du « Mystère », permet de distinguer l'œuvre de la réalité. Lorsqu'il déclare que « l'œuvre d'art comme tout autre objet, pour atteindre le maximum (perfection relative, seule possible) doit avoir une nature distincte et se soucier uniquement de remplir intégralement sa mission essentielle[59] », il dégage l'horizon pictural des travaux de circonstance. Un des mérites de l'essai réside dans la distinction établie entre l'esthétique* aux prises avec l'art indépendamment de la réalité et le fonctionnalisme dont la finalité sociale annule toute possibilité d'art. Au-delà du clivage s'opposent définitivement utilitarisme collectiviste et pensée individuelle, c'est-à-dire, pour Magritte, « pensée pure ».

L'ascendant de Servranckx s'exprime notamment du point de vue de la palette. Ainsi qu'il l'écrit à Flouquet, la couleur dont use Magritte a changé : « Ce ne sont plus comme avant des tons purs — mais toutes les gammes, gris chaud, froids, sales, clairs, etc. » Et de préciser qu'il emploie désormais « brun Van Dyck (c'est très chaud), terre de Sienne, noir d'ivoire — je vais employer du bitume bientôt[60] ». En éteignant sa palette, Magritte tourne le dos à l'expérience initiale de l'iridescence futuriste ramenée aux caveaux de Soignies. La tonalité de sa palette se fait l'écho d'une vie intérieure plus sombre et tourmentée qu'il ne paraissait jusque-là. L'œuvre devient le révélateur d'une angoisse permanente dont la correspondance, entre deux incartades, se fait l'écho constant.

Si Magritte est condamné à travailler, ELT Mesens poursuit sa vie de bohème. Il se liera à Satie lors de la venue de ce dernier à Bruxelles en avril 1921 et lui rendra visite à Paris en décembre de cette même année. Satie l'initie à l'avant-garde parisienne : il lui fait découvrir la première expo-

---

* « L'esthétique n'est pas la manière de trouver la solution parfaite d'un problème quelconque, mais c'est bien la nature d'un problème spécial : l'art. » R. Magritte, *L'Art pur, op. cit.*, p. 18 (note).

sition de Man Ray avec lequel il se lie d'amitié, visite l'atelier de Brancusi, rencontre Duchamp et Kiki de Montparnasse. Satie brillera dès lors comme un modèle pour ce compositeur approximatif qui, comme le signale Robert Wangermée, se contente souvent d'un « contre-point à deux voix assez grossièrement polytonal[61] ». Doué d'un entregent et d'une faconde hors norme, Mesens fera beaucoup d'effort pour faire jouer sa musique, pour la faire entendre, la publier et, surtout, pour qu'on en parle.

Pour arriver à ses fins, il organisera à Bruxelles, Anvers et Liège des concerts qui voudraient faire croire que la Belgique connaît en ce début des années 1920 l'équivalent du Groupe des Six à Paris. Afin d'alimenter les commentaires — à défaut de débat — et de susciter la controverse, il fait précéder ses performances musicales d'une conférence ou d'un exposé à vocation moins pédagogique que polémique. Ce que la qualité des œuvres composées ne lui permet pas d'affirmer, une certaine violence consubstantielle de la vision que Mesens se fait de la modernité l'imposera. Propagandiste d'avant-garde, il sera aussi attentif à figurer en bonne place dans les principales revues du moment : de *Sélection* à *Het Overzicht* en passant par *La Bataille littéraire*. Cet activisme n'impressionnera pas l'oreille critique de Paul Collaer, alors à la tête des concerts Pro Arte. Celui-ci égratignera avec sévérité les prétentions de cette jeune musique flamande dans un article paru en novembre 1922 dans *Het Overzicht*.

La position exigeante et rigoureuse de Collaer vaudra à ce dernier l'hostilité à la fois des défenseurs d'un art national et des militants d'avant-garde, au premier rang desquels les rédacteurs de *7 Arts*. Dans les colonnes de la revue, Georges Monnier polémiquera avec un Collaer peu enclin à se laisser impressionner par ceux qu'il appelle « les moineaux piailleurs de 1920[62] ».

Grâce à Mesens et aux milieux multiples au sein desquels celui-ci évolue, Magritte découvre Satie, Tzara et l'agitation littéraire que celui-ci suscite à Paris. Même s'il se dit parfois fatigué par le trop-plein de relations que cultive Mesens, Magritte est d'emblée fasciné par le désir de table rase culturelle qui, depuis 1917, anime le fondateur des soi-rées Dada du Cabaret Voltaire. La libération de la création passe par le rejet de la culture et de la morale bourgeoises. Le peintre trouve ainsi un con-tenu artistique à ce qui n'était jusque-là que mau-vaise éducation. Voire pas d'éducation du tout ! Le nihilisme, allié au goût du scandale et à la pro-vocation, donne une légitimité antiartistique à une violence profondément ancrée en lui. Violence qui ne lui paraît jamais aussi jubilatoire que lorsqu'elle se double de scatologie et d'insultes.

Magritte découvre une jeune avant-garde pari-sienne dont les moyens d'action n'ont plus aucun lien avec la culture d'avant guerre. Derrière Tzara se révèlent une série de personnalités que le jeune pein-tre découvrira progressivement : Man Ray, Pica-bia, Soupault, Ribemont-Dessaignes, Duchamp... Les activités antiartistiques de ce dernier qui pro-pose avec le plus grand naturel de transformer les Rembrandt en planche à repasser le ravissent.

René et Georgette vivent des jours d'intense passion. Une photographie les montre enlacés. Georgette est assise sur les genoux d'un René dont le sourire irradie de bonheur. D'une beauté féline, la jeune femme témoigne d'une sensualité qui non seulement rassasie son amant, mais l'apaise. Le couple est fusionnel au point qu'en janvier 1922 le jeune peintre expose, sous le nom de Magritte-Berger, six peintures à l'exposition internationale organisée, à Anvers, dans le cadre du Deuxième Congrès sur l'art moderne. La fusion des deux noms témoigne d'un secret désir de mariage. Alors que, durant le mois de mars, René effectue son rappel militaire en Allemagne, à Geilenkirchen, Léopold convoquera Georgette quelques jours avant le retour de son fils. En date du 23 mars, Georgette fera la relation de l'entrevue à celui qu'elle entend désormais épouser. Léopold lui aurait décrit un René incapable de compter ou de gérer un ménage, un être léger qui ne sait rien du manque ou des privations. Et Léopold de décrire son projet pour ses trois fils : leur acheter une usine que Raymond — à ses yeux le seul fiable — gérerait pour le compte de la fratrie. Et d'ajouter par la voix de Georgette : « Et puis là où tu es employé à Vilvorde, tu n'y resteras plus longtemps. Il va te faire sortir de là — et lorsque son affaire sera finie, il veut t'envoyer pour un an en Italie[63]. »

Georgette s'opposera à ce dessein et affirmera sa volonté de se marier. Si Jeanne Verdeyen prend le parti des amants, Léopold n'en démord pas. Georgette se fait l'écho de ses conclusions : « En tout cas, il [ne] nous empêche pas de courtiser, mais il ne voudra [pas] qu'on se marie 1) avant que son affaire soit terminée 2) avant que tu sois complètement guéri de ta gorge, parce qu'il paraît que tu dois toujours te soigner[64]. »

Le peu d'autorité paternelle que Léopold détient aux yeux de son fils n'y résistera pas. Cet amour fou aboutit le 28 juin 1922 à un mariage civil célébré à la Maison communale de Saint-Josse, suivi d'une cérémonie religieuse en l'église Sainte-Marie de Schaerbeek. Pierre Broodcoorens et Pierre Bourgeois sont les témoins du couple. Une photographie réunit en une même vision ensoleillée les membres d'une jeune avant-garde pleine de promesses transformés en convives d'une joyeuse noce.

D'après les témoignages recueillis par Jacques Roisin, Georgette s'opposera régulièrement à un beau-père dont elle juge la conduite aussi immature qu'immorale. Notamment à propos de Paul, qu'elle incite à préparer un avenir professionnel sans compter sur les chimères de Léopold, horrifié par la « malédiction » du travail. Sans doute la jeune femme exprime-t-elle une conception qui, pour trancher au sein de la tribu des Magritte, est pour beaucoup dans la transformation de René. Sous son impulsion, celui-ci s'est émancipé du milieu délétère qu'avait créé Léopold. Dix ans après le suicide de sa mère, une femme prend, d'une certaine manière, l'ascendant sur sa vie, canalisant sa violence, organisant son quotidien, lui enseignant cette normalité à laquelle elle aspirera sa vie durant. Poussant Magritte à travailler pour gagner sa vie, Georgette a largement contribué à structurer le jeune artiste à partir d'une vie de couple dont la simplicité, sans doute, appelait, comme par compensation, les futures outrances dadaïstes.

Il y a fort à parier que l'opération ne s'est pas déroulée sans heurts. Certains témoins retrouvés par Jacques Roisin évoqueront *a posteriori* un « époux tyrannique, épris de boisson et violent[65] ». Celui-là même que Flouquet jugera sévèrement. Pourtant, ni les photographies de l'époque ni, surtout, la correspondance échangée entre Georgette et René ne confortent cette accusation. Des témoignages de Charles Alexandre à ceux du journaliste Degrange, qui retrouvera Magritte pour une interview en 1963, en passant par Raymond Pétrus ou Albert Chavepeyer, on retiendra la perception unanime d'une métamorphose radicale dont atteste, par ailleurs, l'écriture même de Magritte. Le Magritte que Scutenaire découvrira en 1927 n'aura aucun trait commun avec celui envers lequel Flouquet a pris ses distances en 1925.

Ses problèmes judiciaires allant en empirant, les projets de Léopold ne se réaliseront pas. Passant d'appartement miteux en garni sommaire, son errance s'apparente à une descente aux enfers. Le 24 août 1928, il succombera à une crise cardiaque, laissant Jeanne — qu'il a épousée quelques mois plus tôt — sans ressources. Indolents, les trois frères ne prendront en charge les modalités de l'inhumation qu'après que Georgette les aura sévèrement houspillés. En toute logique, celle-ci proposera que le coût des funérailles soit divisé en trois. Pourtant René et Paul se défausseront sur Raymond qui l'assumera seul.

En août 1922, les époux Magritte s'installent à Laeken, 7 rue Ledeganck. Le mobilier de l'appartement est réalisé d'après les dessins du peintre, qui exécute lui-même plusieurs meubles dans une veine simple et fonctionnelle qui n'aurait pas dépareillé dans les colonnes de 7 *Arts*. Même s'il prend ses distances vis-à-vis du modernisme, Magritte n'en reste pas moins un artiste catalogué « d'avantgarde ». Jusqu'en 1925, il prendra part à des expositions clairement ancrées dans le champ de l'abstraction. Ainsi, en janvier 1923, présente-t-il à Bruxelles quatre toiles à la galerie Georges Giroux. Il figure aux cimaises aux côtés d'œuvres de Peeters, Flouquet, Servranckx, Maes, Baugniet... et Delvaux. Pierre Bourgeois, qui le connaît sur le bout des doigts, souligne dans 7 *Arts* la situation de Magritte au sein de ce courant moderniste : celle d'un « irrégulier » qui, sans renoncer au langage plastique né de l'abstraction, se révèle « curieux d'éternel nu féminin et exprimant, avec un insistant amour, sa passion fiévreuse[66] ». Lorsqu'il parle d'« une vie passionnée et cérébrale [qui] affirme son inquiétude hardie », Bourgeois livre un parfait résumé de ce qu'a été Magritte jusque-là.

En avril de la même année, celui-ci présente sept œuvres dans une exposition internationale organisée par *Ça Ira* au Cercle royal artistique d'Anvers. S'y retrouvent des compositions de Baumeister, Feininger, Joostens, Lissitzky, Moholy-Nagy, Peeters, Rodtchenko et Servranckx. Dans une lettre adressée à Mesens, Magritte lance alors un « À bas la plastique pure — vive la peinture tout court[67] » qui sonne comme une déclaration de guerre. Mesens a certainement joué un rôle central dans cette prise de distance qui, en 1925, aboutira à une rupture définitive avec Flouquet. Pour Mesens, l'avenir ne peut être que dadaïste. Avec cet humour ravageur qui est sa marque de fabrique, il le résume en un slogan : « 7 Arts, c'est tard ! » Pour Magritte, ce débat artistique se double d'une opposition personnelle à l'encontre de Flouquet. Le mécréant jubilatoire qui aime lier l'obscénité au blasphème ne peut plus s'accommoder du militantisme chrétien qui, en 1931, conduira Flouquet à créer *Le Journal des poètes*, que Magritte rebaptise aussitôt *Le Jour nul des poètes*. Si Flouquet témoignera jusqu'à sa mort d'un profond respect pour la recherche de Magritte, celui-ci ne montrera à l'endroit de cet ancien ami qu'un mépris violent. Ainsi, en 1946, alors que le journal de Flouquet reparaît, Magritte traitera son ancien camarade de collaborateur fasciste et sa revue de torchon. Magritte ne peut tourner la page. Il lui faut la déchirer et la piétiner.

# L'autre face du monde

L'opinion négative que Léopold nourrissait à l'encontre de son fils aîné et dont il fit part à Georgette aura été contredite par les faits. Magritte travaille beaucoup. Et pas seulement dans la fabrique de Vilvorde ou pour les peintures qu'il exécute en dehors de ses heures de service. Depuis 1919, il multiplie aussi les projets pour l'Agence Meunier dirigée par Aimé Declercq. En 1924, année où il vendra sa première toile pour cent francs à la chanteuse Évelyne Brélia, P.-G. Van Hecke et la couturière Norine lui commanderont illustrations et affiches. Métamorphosé, c'est un Magritte travailleur acharné qui aspire désormais à la reconnaissance d'une œuvre qu'il sent, elle aussi, en pleine mutation.

## UN CHOC INITIATEUR

Alors qu'il se positionne contre l'art abstrait, l'année 1923 a assisté à l'exécution des tableaux qui s'inscrivent peut-être le plus résolument dans cette esthétique. S'il est prêt pour d'autres aventures artistiques, Magritte n'a pas encore découvert le sésame qui lui en ouvrira la porte. Il n'aura pas à attendre longtemps. À l'automne 1923, Marcel Lecomte, qu'il a rencontré un an plus tôt, lui révèle le tableau de Giorgio De Chirico *Le Chant d'amour*, d'après une reproduction tirée du numéro de mai-juin de la revue parisienne *Les Feuilles libres*. À la même époque, la revue *Sélection* publie un article de René Crevel consacré au fondateur de la peinture métaphysique et illustré de six reproductions. L'influence décisive de De Chirico sur l'œuvre de Magritte sera sensible dès 1925 avec des toiles comme *Le Jockey perdu*. En 1938, Magritte rendra compte de sa fascination pour « cette poésie triomphante [qui] a remplacé l'effet stéréotypé de la peinture traditionnelle ». Et de souligner : « C'est la rupture complète avec les habitudes mentales propres aux artistes prisonniers du talent, de la virtuosité et de toutes les petites spécialités esthétiques. Il s'agit d'une nouvelle vision où le spectateur retrouve son isolement et entend le silence du monde[1]. »

La recherche de Magritte participe du climat de « rappel à l'ordre » qui traduit une même incertitude face aux forces incarnant la modernité machiniste et ses aspirations totalitaires. Quelques peintures empruntent aux cités désertées que hantent les automates incertains de Georg Grosz et de Calo Carrà. Natures mortes et nus dénotent une inspiration proche de la « nouvelle objectivité ».

En décembre 1923, Magritte présente quatre tableaux à l'exposition du Salon de La Lanterne sourde, société fondée en 1921 à l'Université libre de Bruxelles dans le but d'encourager les échanges culturels sur un plan international. Magritte y rencontre Camille Goemans, alors fonctionnaire du ministère de l'Industrie et du Travail. Celui-ci comptera parmi les premiers écrivains à s'engager dans l'action surréaliste. Il travaille alors à l'édition de l'unique recueil de poèmes qu'il publiera de son vivant. *Périples* paraîtra en 1924. Deux ans plus tard, il s'associera avec Geert Van Bruaene, un ancien acteur, pour ouvrir, à Bruxelles, la galerie La Vierge poupine. En 1927, il s'installera à Paris comme marchand indépendant. Van Bruaene pour sa part ouvre en décembre 1927 une nouvelle galerie baptisée Le Cabinet Maldoror et entame une longue activité de marchand d'œuvres de Magritte.

En février 1924, Magritte quitte son emploi de graphiste à l'usine de papiers peints Lacroix. Confiant dans sa capacité de décrocher un emploi de dessinateur décoratif, il envisage de s'installer à Paris. À la recherche d'un travail, il y séjourne brièvement une fois sa démission remise. La correspondance échangée avec Georgette[2] rend compte des difficultés rencontrées. Ne parvenant pas à obtenir un contrat stable, il y renoncera… temporairement. La Ville lumière exerce sur Magritte une fascination dont il ne se départira pas avant 1947 et l'épisode de la période « vache ». L'innovation permanente et le rythme frénétique de la métropole le magnétisent. Paris apparaît à ses yeux comme un horizon sans limites où son œuvre trouverait sa juste place. En vain. L'accueil n'y sera aucunement chaleureux.

De toute façon ma petite adorée, je crois que si tu devais venir à Paris, la vie te serait très dure, les gens ici se croient supérieurs et méprisent les étrangers c'est bien changé ! Chacun pour soi la lutte pour la vie[3] !

L'installation n'aura lieu qu'en septembre 1927, une fois la sécurité financière assurée grâce au contrat qui liera Magritte à Van Hecke. Ce (premier) échec parisien pousse Magritte à rester à Bruxelles où il cherche une place « chez un peintre de décors de théâtre ou de lettres[4] ». Le séjour à Paris ne reste pas sans effets. Le peintre y puise une inspiration qu'il compte bien exploiter à Bruxelles en en déclinant les innovations. En témoigne la gouache exécutée en 1924 pour illustrer la robe de soirée *Minuit*, qui s'inspire directement des travaux publicitaires de Paul Colin. Cette robe est une création de la Maison Norine tenue par Honorine Deschrijver, l'épouse de Van Hecke, avec laquelle Magritte a noué des contacts étroits. Il réalise pour elle plusieurs gouaches reprenant ses différents modèles.

C'est donc à Bruxelles que Magritte investit la scène publicitaire. L'appui d'Aimé Declercq, qui dirige la société Publicité Meunier, ainsi que la collaboration de son frère Paul s'avèrent décisifs. Magritte s'installe comme indépendant et effectue des travaux pour des clients bruxellois. Tirant parti de son cercle de relations, il multiplie les projets : pour des films — *J'ai tué* avec Sessue Hayakawa en 1924 —, pour des théâtres — le Théâtre du Groupe libre en 1925 ou *Moulin Rouge* en 1926 —, pour des entreprises comme les Établissements Minet (1924), le chocolatier Neuhaus (1925), la Maison Vanderborght (1925), Primevère (1926), la lingerie Thila Naghel (1928) ou pour des sociétés automobiles comme Alfa Romeo, en 1924, ou Citroën, en 1925[5].

Dans une autre direction, il exécute ses premières illustrations pour des couvertures de partitions musicales. Activité qui l'occupera jusqu'à son départ pour Paris et qu'il reprendra peu après son retour à Bruxelles en 1930[6]. La musique constitue un marché important pour le publiciste. Grâce à la complicité de Mesens, Magritte y rencontre aussi des personnalités qui compteront parmi ses premiers collectionneurs, comme le compositeur Fernand Quinet ou le parolier Franz Toussaint[7].

Magritte travaille dans tous les formats et dans tous les registres : affiches, lettrages, illustrations, encarts dans des revues, brochures... Si la publicité n'incarne pas un idéal — il le répétera à l'envi —, elle nourrit son imaginaire au-delà du strict travail alimentaire. À regarder les projets qu'il développe, on ressent le plaisir mis à trouver l'idée juste qui frappera l'esprit. L'analyse quantitative de la production conforte la signification de la recherche publicitaire, puisque Magritte a réalisé moins de travaux publicitaires en 1924-1925 qu'entre janvier 1926 et septembre 1927, alors qu'il est sous contrat avec Van Hecke. Bien qu'elle ne soit plus nécessaire à la vie du couple, la publicité restera, jusqu'au départ pour Paris, une activité importante participant de l'œuvre du peintre.

En 1924-1925, Magritte exécute une série de douze gouaches en vue de publication dans des revues. Un de ces dessins sera par ailleurs agrandi pour servir d'affiche. Datées de 1924, neuf de ces gouaches sont d'un format de 46 × 30 cm. Exécutées en 1925, les trois dernières font 65 × 50 cm. Elles forment deux groupes d'une unité stylistique renforcée. Toutes marquées par la technique du collage, ces œuvres apparaissent alors que le peintre réalise ses premières compositions surréalistes. Rejetant le langage non figuratif des avant-gardes, Magritte voit dans le collage un principe poétique dont il entend explorer les potentialités avant de les transposer à la peinture.

## DE DADA AU SURRÉALISME

L'abandon de l'abstraction induit chez Magritte un déchaînement de violence par laquelle la tension qui accompagne sa recherche nouvelle trouve son exutoire. Le ton sera donc d'autant plus dadaïste que Mesens a noué de solides liens avec les cercles parisiens que dominent les silhouettes de Tristan Tzara et de Francis Picabia. À l'automne 1924, Mesens entraîne Magritte à sa suite afin de livrer la contribution belge à la revue *391*, dirigée par Picabia. Magritte rédige pour son dix-neuvième numéro une série d'aphorismes aussi obscurs qu'inutiles, selon le jugement qu'il portera *a posteriori* et dont « les chats sont heureux de vivre en dessous des chaises » constitue le parfait exemple.

L'activisme nourrit le peintre qui partage pleinement l'aventure dadaïste qui l'unit en un même groupe à Mesens, à Goemans et à Lecomte. Ce sera le projet de la revue *Période* dont l'existence se résumera à l'édition d'un prospectus d'annonce pour lequel Magritte compose quelques nouveaux aphorismes et un poème :

L'ambassadeur
d'un beau pays
a l'honneur
de vous inviter
à un grand dîner.
Les salons seront éclairés avec
des bougies

Dans l'ombre, *Période* est observé et analysé par un nouveau venu sur la scène littéraire. Celui-ci prendra le prospectus pour cible. Paul Nougé fait son entrée en scène.

Jusqu'à cette année 1924, Nougé s'est tenu en retrait de la vie littéraire bruxelloise. Biochimiste, ses préoccupations ont d'abord été politiques. Marqué par la pensée de l'écrivain néerlandais Herman Gorter — l'auteur de *La Révolution mondiale* que Nougé traduira en français avec Petrus van Assche —, il se place à la marge du Kominform en refusant la politique de coopération avec les partis socialistes et l'entrée dans les organismes syndicaux traditionnels, fût-ce pour les noyauter. Comme Gorter, Nougé stigmatise le pragmatisme qui, à ses yeux, ouvre la voie à l'opportunisme individuel et aux compromissions douteuses. À l'instar de son mentor qui s'est opposé aux directives de la II$^e$ Internationale, il ne reconnaît pas plus au sein du Parti que, bientôt, face à André Breton la légitimité d'une action régie par le triple axiome « discipline de fer, obéissance militaire et servitude de cadavre[8] ».

Progressivement marginalisée, cette fraction radicale, que Lénine qualifiera de « gauchiste », sera finalement exclue des instances de direction. Ostracisé, Nougé renoncera au militantisme, non sans en éprouver une mélancolie qui le hantera sa vie durant. Abandonnant le combat politique, il se tourne vers la littérature et se rapproche de l'écrivain André Baillon qui a été remarqué par la publication récente de *Moi, quelque part*. Pour un bref moment, Nougé collabore à la revue progressiste *Aujourd'hui* où il croise des personnalités du monde artistique comme l'historien de l'art et critique Paul Fierens ou les peintres Robert Guiette et Charles Counhaye. Sous pseudonyme, il publie, entre différents comptes rendus, une nouvelle d'inspiration psychanalytique qui témoigne de sa fréquentation de la pensée freudienne alors peu diffusée en langue française.

La critique lui donne l'occasion de préciser sa conception de la littérature. Pour Nougé, lorsque la structure sociale s'effondre, lorsque, sur tous les plans de l'existence, les valeurs anciennes s'obscurcissent, lorsque l'inquiétude rend incertaine toute forme d'action, l'artiste ne peut que faire appel à son intelligence pour recomposer sa vie en restaurant un ordre pour que la réalité à laquelle il appartient retrouve un sens. Il n'y a donc pas d'art sans une discipline par laquelle s'exercera cette mission fondamentale. Aux yeux de Nougé, la création prend une valeur révolutionnaire qui la situe au-delà des contingences politiques. Par son travail, l'artiste livre à l'humanité l'expression sensible de cette unité qui est nécessaire à chacun et à laquelle tous tendent sans réellement avoir conscience de l'objectif à atteindre. Nougé jette ainsi les bases d'une esthétique « révélée » dont l'affirmation ne se départira pas d'une certaine violence. Celle-ci répond à sa vision du présent comme stade ultime d'une histoire dominée par les menaces, tensions et autres conflits qui réduisent à néant perpétuellement cette unité de l'homme au monde.

Ce sens du tragique, que Nougé cultivera en masochiste jusque dans sa propre existence, est à situer dans l'échec de l'action politique conditionnée par la médiocrité de l'homme social. De là, une forme de mystique de l'engagement qui passe par une exigence morale absolue. La réaction à « L'Affaire Aragon » en témoignera.

Confronté à un pragmatisme qu'il récuse, Nougé s'est dégagé de l'action politique pour adopter en littérature la même radicalité critique et la même intégrité éthique. Professant l'effacement de l'artiste devant l'urgence de l'œuvre, Nougé opère en scientifique. Méthodique et rationnel, il entend construire une discipline à la hauteur de sa conception de la création. Dès les premiers textes rédigés vers 1923-1924, dans un style concis et dépouillé, où pointe un fantastique tiré du quotidien, il manifeste un intérêt pour une réflexion sur l'optique qui conditionne en profondeur la perception du monde de ce myope au plus haut degré. Dans un essai comme *L'Optique dévoilée* se fait jour la possibilité de construire, scientifiquement, une autre réalité qui conditionnera en profondeur les attentes que le poète formule à l'endroit de la peinture.

Nougé fera de l'écriture un exercice solitaire. Il ne publie pas, ne se mêle pas à l'agitation avant-gardiste dont il se défie. Au début de 1924, il caresse le projet de fonder une publication qui ne chercherait pas à entrer en contact avec un public large, mais seulement à partager avec quelques personnes concernées des questions essentielles... comme une lettre qui lierait entre eux des destinataires élus. Ce sera la revue *Correspondance*.

Nougé adopte une position critique nouvelle. Il renonce aux grands développements méthodiques et opte pour une technique qui mêle plagiat et pastiche en un même exercice fondamentalement ironique. À la fin de l'été 1924, il jette son dévolu sur le placard d'appel aux abonnements paru dans la livraison du 20 juillet d'*Aujourd'hui*. Nougé tourne en dérision le programme de la revue en décalant légèrement les formules qu'il reprend en imposant un minimum de changements. La technique relève du collage érigé en méthode critique. Réduite au minimum, l'intervention permet d'adopter la position de l'adversaire, d'endosser son regard et, dès lors, de pénétrer sa pensée pour mieux en révéler les partis pris, les présupposés et les incohérences. L'exercice s'impose à Nougé — et à ses futurs comparses — avec l'évidence d'une critique extra-littéraire qui joue de « subtiles gauchissements qui en altèrent les perspectives[9] », selon la formule qu'emploiera André Souris.

En octobre, le même procédé est convoqué pour détourner le lancement par Mesens de *Période*, revue dadaïste calquée sur celle de Picabia, *391*. La satire est facilitée par le style dadaïste du prospectus. Mesens y a disposé ses propres aphorismes ainsi que ceux de Magritte, de Lecomte et de Goemans. Ces deux derniers n'ont accepté que par amitié de prendre part à une aventure dont le sens leur échappe. Le contre-prospectus anonyme que Nougé réalise dans la foulée met en exergue d'hypothétiques prétentions commerciales de Mesens et détourne finement les aphorismes de la phalange Dada. Magritte lui-même en fait les frais. Reprenant le poème publié dans l'annonce pour *Période*,

Nougé ne change qu'un détail : le « beau pays » se mue en « sombre pays », selon une rhétorique de « l'inquiétante étrangeté » qui pénétrera bientôt l'univers imaginaire du peintre.

L'improbable groupe fondé par Mesens n'y résistera pas. Peu convaincus par la démarche propagandiste de ce dernier, Goemans et Lecomte font immédiatement défection et rallient Nougé qui les convertit à *Correspondance* qu'il lance le 22 novembre 1924 avec la parution de « Bleu 1 ».

Dans un premier temps, l'action entreprise par Nougé sous la bannière de *Correspondance* fédère de manière exclusive Goemans et Lecomte. Chaque envoi porte la signature de son seul auteur. L'ensemble témoigne cependant d'une unité d'écriture et de ton qui privilégie une forme aussi incisive que concise, sibylline et néanmoins inquiétante par le détournement d'une pensée. Nougé entend assurer à la démarche une impersonnalité extralittéraire qu'il érige en principe. Chaque tract portera le nom de la couleur du papier ainsi que son numéro d'ordre : « Bleu 1 », « Rose 2 »... Chaque livraison répondra en une page à un événement jugé suffisamment important pour mériter sa mise en abyme critique. Elle ne sera envoyée qu'aux personnalités les plus actives du monde des lettres.

« Bleu 1 » ouvre le bal. Dû à la seule plume de Nougé, il s'en prend au credo avant-gardiste au prétexte d'une « Réponse à une enquête sur le modernisme ». Avec une rigueur toute scientifique, Nougé développe son pseudo-manifeste en six alinéas numérotés. Sa démarche ironique dénonce les prétentions des écrivains d'avant-garde qui pensent changer la face du monde par la seule force de leur pensée mise en mots. La dérision dont il fait preuve réduit à néant les professions de foi progressistes des zélotes de *7 Arts*. La technique fait merveille. Empruntant des fragments de textes à ses adversaires, Nougé en détourne le sens. Il cite ainsi le credo que *7 Arts*, moins d'une semaine auparavant, a publié dans sa livraison du 6 novembre 1924 : « L'Idéal qui est le nôtre, *la venue d'un art nouveau*, mérite les plus obstinés dénouements. Aussi continuons notre effort avec une sérénité passionnée. Vive le Modernisme. » Revu par Nougé, le texte devient : « Regarder jouer aux échecs, à la balle, aux sept arts, nous amuse quelque peu, mais l'avènement d'un art nouveau ne nous préoccupe guère. »

La critique que Nougé adresse à *7 Arts* rejoint la position que Magritte a adoptée d'instinct avec une cohérence intellectuelle dont ne dispose pas le peintre. Nul doute que celui-ci a dû être pour le moins interpellé et amusé par ce retournement doctrinaire en bonne et due forme qui renvoie la doctrine avant-gardiste à la somme de ses prétentions.

Dans sa critique de « l'esprit de corps » qui caractérise les avant-gardes, Nougé ouvre une porte. Reprenant une phrase publiée par *7 Arts* — « L'Art a démobilisé. Que Faire ? Vivre » —, il change l'angle de vue et annonce : « L'Art est démobilisé, par ailleurs il s'agit de vivre. » Et d'ajouter : « Plutôt la vie, dit la voix d'en face. » Ainsi introduit-il le surréalisme — cette voix d'en face n'étant autre que celle d'André Breton — comme une alternative aux errances formalistes de la plastique pure. Sans sortir du texte qu'il détourne, Nougé fait affleurer le leitmotiv de « Plutôt la vie » que Breton répétait comme une incantation dans le poème éponyme publié en novembre 1923 dans *Clair de terre*[10]. Aux jeux formels, à l'endoctrinement, mais aussi au goût du scandale pour le scandale cher aux dadaïstes, Nougé oppose — avec Breton — la prise à bras-le-corps de l'existence dans la plénitude de ses possibles. Une aspiration partagée alors par un Magritte qui se cherche. Pour Nougé, affirmer la primauté exclusive de la vie signifie aussi se défier de la littérature qui constituerait un territoire étranger à cet élan vital opposé à l'inéluctable carriérisme qui caractérise les petits jeux sociaux de l'institution artistique.

La vie de *Correspondance* ne sera pas un long fleuve tranquille. Composant à tour de rôle, Lecomte a préparé pour la vingt et unième livraison un texte qui ne paraîtra pas. Nougé lui substituera *La Guérison sévère* par lequel il s'attaque à Jean Paulhan avec lequel Lecomte était lié.

Le numéro suivant, *Nankin 22* — dans lequel Goemans s'en prend au dernier roman de Gide *Les Faux Monnayeurs* — sera la dernière livraison de *Correspondance* dont l'activité ne sera relancée que pour deux numéros d'une série « Musique » due à André Souris et à Paul Hooreman[11].

Au-delà du traitement réservé à Paulhan, Lecomte dénonce l'obligation affirmée par Nougé et imposée aux membres de *Correspondance* de se tenir hors du champ littéraire. Et, dès lors, de renoncer à la possibilité même de créer une œuvre. La rupture est entérinée le 21 juillet 1925 par l'envoi d'une carte annonçant sobrement : « *Correspondance* prend congé de Marcel Lecomte[12]. »

La critique formulée par Lecomte rejoint celle par laquelle Hermann Closson espérait détourner André Souris des sirènes de *Correspondance* qu'il qualifiera dans une lettre du 3 juillet 1925 de « ligue des stériles et des inquiets (inquiets de la pire inquiétude : l'inquiétude de l'impuissance) contre les puissants et les créateurs ». Pour le critique musical ami de Lecomte, Nougé et ses comparses « ne créent pas. Ils ne tendent pas à la création. Ce sont des critiques, des philosophes, des esthéticiens, des moralistes : ce ne sont pas des artistes ». Et d'en conclure que « tout cela repose sur des acceptions fausses, des jeux de mots qui deviennent des jeux de concepts, des errements volontaires de types qui ont beaucoup trop bavardé, qui n'ont jamais fait que bavarder et dont, en fait, ce n'est pas écrire, mais bavarder qui est la vie ». Closson frappe fort et se fait l'écho d'un mal à être qui anime alors Lecomte. À ses yeux, l'imposture relève de la confusion entre théorie et création. Celle-ci ne préoccupe pas les tenants de *Correspondance* qu'il juge piètres écrivains. « Et pour cause, ils n'en ont pas besoin. Ils n'y voient (faute d'y voir autre chose, *par exemple ce qu'ils y pourraient mettre de création*) que des intentions morales, des portées de toutes sortes, des valeurs, des nécessités, des efficacités, des tendances, des inhibitions, quantité de choses que je ne déconsidère pas, mais qui sont accessoires, secondaires. Parce qu'elles n'ont rien à faire dans la création. » Élargissant son propos, le pourfendeur de *Correspondance* se fait le thuriféraire d'un surréalisme qu'il sent atteint, dans sa globalité, par la maladie de l'emphase théorique : « *Poisson soluble* existe parfaitement en dehors du *Manifeste du surréalisme*. Il ne le "réalise", ni ne le démontre, ni ne l'infirme. Il vaut en soi bon ou mauvais. *Le Manifeste* est une chose, *Poisson soluble*, une autre [...]. Nougé et les autres te soutiendront qu'il y a des rapports. Naturellement, mais pas ceux de cause à effet qu'ils veulent introduire[13]. »

La ligne de démarcation que trace Closson a contribué à l'éjection de Lecomte qui éprouvait cette nécessité de l'œuvre que Nougé entendait éradiquer sans doute par crainte de l'affronter. André Souris allait connaître, en 1935, des problèmes similaires. Magritte, de son côté, y échappera et développera une œuvre qui constituera pour Nougé et pour l'ensemble du groupe surréaliste cette création autour et à partir de laquelle ceux-ci développeront cette pensée systématique qui, selon Closson, ne forme pas une œuvre mais une constellation de positionnements idéologiques, éthiques, politiques ou esthétiques. Bénéficiant d'un statut d'exception — il livre des images là où les autres produisent des textes —, Magritte évoluera à l'intérieur du groupe surréaliste en jouissant d'une forme d'extraterritorialité qui aboutira *in fine* à la reconnaissance d'une œuvre interdite aux Nougé, Goemans et autres comparses écrivains. Avec, à terme, une incompréhension qui, chez Nougé, se transformera en agressivité incontrôlée. Incompréhension dont les origines se situent au cœur même du projet que constitue *Correspondance*.

## CLIQUES ET CLAQUES

Le principe de « l'automatisme psychique pur » figure d'entrée de jeu dans le *Manifeste* que Breton publie le 24 novembre 1924. Comme s'il fallait situer le texte théorique dans le prolongement de *Champs magnétiques* qu'il a publié avec Philippe Soupaut, Breton fait du surréalisme l'expression aussi bien verbale que picturale, scripturale ou plastique du « fonctionnement réel de la pensée ». D'emblée, cette démarche — indépendamment de la question de l'automatisme — constituera l'élément central vers lequel Magritte tendra de façon méthodique à partir de 1927, avec les premiers tableaux-mots, jusqu'à la définition de sa poétique du problème qui, dans les derniers mois de 1932, inaugure une nouvelle recherche à laquelle il consacrera l'ensemble de son œuvre à venir.

Aux yeux de Breton, l'automatisme constitue la méthode privilégiée de cette plongée dans les mécanismes de la pensée. Libre de tout contrôle exercé par la raison, émancipé de toute « préoccupation esthétique ou sociale », l'automatisme jette un pont entre la « vie réelle » et la « vraie vie » en donnant à l'imaginaire la plénitude de ses moyens. C'est à ce prix seulement que la poésie pourra prétendre changer l'existence[14].

S'il partage la même ambition de révolutionner la vie, Nougé ne se définit pas pour autant en fonction du surréalisme dont il réprouve l'ancrage dans cet automatisme qui court-circuite le travail de la raison auquel, en scientifique convaincu, il reste fondamentalement attaché. La question — comme celle de l'adhésion au communisme — met d'emblée une certaine distance entre Paris et Bruxelles. Le point de contact avec le surréalisme se fera à un autre niveau : celui d'une commune détestation à l'endroit des prétentions avant-gardistes qui réduisent la modernité à un principe formel. Le tract *Orange 19* lancé par *Correspondance* le 20 mai 1925, mettra en exergue ce point de convergence.

La rencontre des deux groupes est inévitable et vivement désirée par les uns comme par les autres. Les membres de *Correspondance* ont été immédiatement interpellés par le lancement de *La Révolution surréaliste* qui suit d'une semaine la parution du tract inaugural *Bleu 1*. De même, Nougé a été impressionné par la structuration du groupe parisien avec local et permanences assurées par les membres. Alors que le Bureau de recherches surréalistes s'est ouvert, rue de Grenelle, le 11 octobre 1924, le registre des visites signale dès le 6 décembre le passage de Nougé et de Goemans. L'intérêt est manifeste, la méfiance latente. Fort de l'expérience acquise au sein de la nébuleuse communiste, Nougé connaît le risque que représente l'ingérence étrangère dans les affaires belges et, face à Paris, Bruxelles ne pèse pas plus que face à Moscou.

La rencontre aura lieu en août 1925. Breton, Aragon et, peut-être, Max Ernst font le voyage à Bruxelles pour rencontrer l'ensemble de la gauche intellectuelle en espérant susciter le plus de ralliements possible à leur tract « La Révolution d'abord et toujours ! ». Nougé et Goemans iront les accueillir sur le quai de la gare où ils retrouveront, à leur grand mécontentement, Hermann Closson, lui aussi sollicité. L'adhésion de *Correspondance* était loin d'être acquise. Voulue amicale, la rencontre vire rapidement à l'affrontement. Dans le salon de l'hôtel où ils sont descendus, les Français se font menaçants. Péremptoire, Aragon lance à Nougé : « N'oubliez pas que vous êtes en notre pouvoir et vous ne sortirez que si nous le voulons bien. » En militant communiste aguerri, Aragon est prêt à en découdre. Mais Nougé fond sur son adversaire tout en tonnant un « C'est ce que nous allons voir !... » qui surprend et déstabilise Aragon qui, visiblement, ne dispose pas de moyens physiques au diapason de ses menaces. Celui-ci ne peut faire que machine arrière en déclarant que tout cela n'était, en soi, « qu'une formule de style[15] ».

Hermann Closson figurera au nombre des signataires du tract au même titre que Nougé et Goemans. Le 28 septembre, ces derniers tiendront à exprimer leur différence face à l'instrumentalisation parisienne de *Correspondance*. Le tract « À l'occasion d'un manifeste » rend compte des aménagements et amendements que Nougé a imposés au texte qui lui a été soumis. Il ravive aussi chez ce dernier l'opposition radicale qui fut la sienne au pragmatisme idéologique de la II$^e$ Internationale. Et de conclure en positionnant le rapport au communisme au centre du débat :

> L'on ne peut le méconnaître, notre activité ne se ramène pas à l'activité des partis qui travaillent à la révolution sociale.
>
> Nous nous opposons à ce que l'on situe cette activité sur le plan politique qui n'est pas le nôtre. L'on voit là la manœuvre, tout ce que nos démarches en auraient à souffrir, et quelle confusion nouvelle elles ne manqueront pas d'entraîner, ainsi maquillées.
>
> Nous refusons de nous reconnaître dans ces miroirs faussés que l'on nous tend de toutes parts[16].

## ŒSOPHAGE ET MARIE

La désertion de Lecomte et de Goemans en 1924 a déstabilisé Mesens. Ayant perdu une grande partie de ses contributeurs, il a été obligé de reporter la parution de *Période* qui, finalement, ne verra pas le jour. Ce n'est qu'au mois de mars 1925 que Mesens et Magritte lancent *Œsophage*, qui reste dans le droit-fil de la revue *391* créée en 1917 par Francis Picabia et qui a cessé de paraître en 1924. Les deux complices en reprennent la devise : « Hop-là ! Hop-là ! » Au sommaire, outre Mesens et Magritte qui cosignent leurs « 5 commandements », on retrouve Tzara, Picabia, Ribemont-Dessaignes, Arp, Ernst, Schwitters ou encore le dadaïste belge Paul Joostens. Entre les sentences célébrant Satie ou Tzara et les injures proférées à l'encontre de Breton et des surréalistes — « Tristan Tzara vient de publier un nouveau manifeste sous le pseudonyme d'André Breton : le Manifeste du Surréalisme » —, les (rares) lecteurs d'*Œsophage* découvriront des publicités fantaisistes et quelques règlements de comptes abscons que Mesens dirige contre l'institution musicale dans son ensemble et contre Paul Collaer en particulier.

Dans ce numéro, Magritte a renoncé à poursuivre ses aphorismes. D'un ton plus assuré, il développe sa conception de la peinture dégagée de la doctrine avant-gardiste. Au centre du processus créateur, il place la volonté de révéler ce que l'artiste porte en lui de latent en des termes qui se veulent dadaïstes :

> Lorsque la Volonté n'est plus l'esclave des choses, tout semble perdu et il devient possible de réaliser des images d'un univers merveilleux — création — pour les délaisser aussitôt — critique. Car l'on est si sérieux que plus rien n'est pris au sérieux, sauf la négation[17].

Impressionné par le numéro d'*Œsophage*, Tzara proposera à Magritte de reproduire tableaux et dessins dans une revue allemande avec laquelle il est en contact ainsi que dans *Little Review*. Si le projet n'aboutit pas, il permet au duo de se faire remarquer à Paris. Pourtant, l'initiative peine à prendre. En juin et en juillet 1926, Mesens tentera de réitérer l'expérience sous couvert d'un titre, en apparence, bien-pensant : *Marie. Journal bimensuel pour la belle jeunesse*. L'esprit Dada s'y maintient comme le vestige, désormais privé de substance, d'une critique dont le radicalisme outrancier n'est plus de mise. Même s'il y fait la promotion de ses propres créations musicales — comme *Garage*, composé sur un texte de Philippe Soupault —, Mesens adopte une position en retrait. Compositeur, pianiste, critique, éditeur et conférencier, il collabore à *Musique Magazine*, une revue commerciale qui deviendra *Music* et dont il assume la fonction de rédacteur en chef depuis octobre 1925. À ce poste — qu'il occupera jusqu'en avril 1927 —, il n'affiche aucunement sa sensibilité dadaïste. Parallèlement, son ambition de compositeur semble suivre une courbe rentrante. Convaincu que la notoriété passe par le scandale, il a adopté la trajectoire qui fut celle, en 1913, d'Igor Stravinsky ou, en 1917, d'Erik Satie. Son sens de la provocation n'a toutefois pas servi une œuvre de la même portée. Dépourvue d'innovation et d'audace, celle-ci n'a pas retenu l'attention de la critique. Pas même pour alimenter un début de polémique. L'œuvre de Mesens a, jusque-là, été à un tel point ignorée que le propagandiste dadaïste s'est cru obligé d'en rajouter dans la provocation pour exister. Provocation qui reste extérieure à l'exercice de composition et qui requiert l'organisation de conférences préalables à l'exécution de ses œuvres à l'instar de celles du Groupe des Six dont l'originalité commence singulièrement à dater. Ainsi, lors de la performance organisée le 18 mars 1926 par

La Lanterne sourde, la passivité de la salle n'aura d'égal que la virulence d'une critique ulcérée par le ton péremptoire et l'arrogance de Mesens. Les jugements négatifs relayés par 7 *Arts*, *Le Thyrse* et *La Revue musicale belge* pèseront lourd sur son abandon de toute ambition musicale.

Magritte livrera dans le premier numéro de *Marie* deux épigrammes hermétiques : « Il faut encore scier un barreau à l'échelle » et : « Avez-vous toujours la même épaule ? » Pour le second, il exécute un dessin à l'encre dans le style des publicités qu'il réalise alors pour la revue *Le Centaure*. Le motif est clairement inspiré des apparitions fantomatiques d'Irma Vamp et de Fantômas qui fascinent Magritte depuis son adolescence et auxquelles il consacre alors peintures et textes. À la même période — et jusqu'en janvier 1927 —, il intègre ses recherches dans le domaine du collage à quatre des cinq illustrations publiées dans la revue *Music* de Mesens. Multipliant les techniques, il participe frénétiquement à l'activité propagandiste de ses comparses écrivains. Avec jubilation, il met son crayon — mais aussi sa plume, son pinceau ou sa brosse — au service d'initiatives qui mêlent création et provocation.

Par sa tonalité, *Marie* marque une transition vers le surréalisme favorisée par le rapprochement avec la bande de *Correspondance*. Comme s'il était arrivé au terme de la somme des négations qui soient supportables, le dadaïsme de Mesens finit par se nier lui-même pour laisser la place à de nouvelles formes d'action.

La scène va rapprocher les deux factions que de communes détestations contribueront à souder. À la fin de l'été 1925, les membres de *Correspondance* mettent en chantier une séance de poésie, de musique et de théâtre, régie par les principes et méthodes qui ont présidé à la parution de leurs vingt-quatre tracts. L'événement, qui relève plus du happening que de l'interprétation scénique, prend pour cible les ambitions « modernistes » de la scène contemporaine. Il est fixé au 2 février 1926 à dix-sept heures au Théâtre Mercelis, une petite salle de spectacles bruxelloise sans prétention. L'invitation — dont la mention « strictement personnelle » permettra l'exclusion d'indésirables à l'instar de Hermann Closson — annonce un concert suivi d'un spectacle[18]. Après un avertissement, la première partie se composera de mélodies et de chansons, suivie par l'exécution de *Trois Inventions pour orgue*. Ces compositions, d'apparence moderne, jouées sur un petit orgue de Barbarie ne sont en fait que trois partitions de carton perforé montées à l'envers, l'aigu passé en grave et tous les intervalles inversés. Si les partitions avaient été correctement introduites, le public aurait immédiatement reconnu *La Fille de Madame Angeot*,

*Les Cloches de Corneville* et... l'hymne national belge, *La Brabançonne*. Comme le signale Robert Wangermée, l'opération n'allait pas de soi et demandait une mise au point minutieuse. La structure rythmique étant respectée, la musique entendue gardait une apparente cohérence et pouvait évoquer certaines pièces polytonales contemporaines. Ainsi Souris et Hooreman avaient-ils transposé au registre musical la pratique du pastiche-plagiat développée par Nougé. Celle-ci présida à l'exécution de la seconde partie du spectacle baptisée *Le Dessous des cartes*. Cinq ans après sa création au théâtre des Champs-Élysées, « l'œuvre » détourne l'argument du ballet collectif *Les Mariés de la tour Eiffel*\* qui avait, à l'époque, provoqué le chahut des dadaïstes[19].

Antiartistique et provocatrice — tout au moins en ce qui concerne le détournement de l'hymne national —, la performance traduit une certaine sensibilité dadaïste qui dut plaire à Mesens et à Magritte. Même si Nougé récuse cette relation à Dada qu'il réprouve, l'événement participe de plain-pied de ce rejet de la culture et de l'art comme valeur bourgeoise, de la valorisation du non-professionnalisme, du refus de toute hiérarchie des genres, d'un rejet radical des conventions éthiques ou esthétiques. Comme Dada, *Correspondance* manie ironie et dérision, ne dédaigne ni l'insulte ni la violence, aspire à perturber le public en prenant le contre-pied des valeurs entendues, le pro-

---

\* Le ballet collectif écrit par Georges Auric, Arthur Honegger, Darius Milhaud, Francis Poulenc et Germaine Tailleferre sur un livret de Jean Cocteau. Il fut représenté pour la première fois à Paris au théâtre des Champs-Élysées, en 1921.

voque avec éclat dans l'espoir d'une réaction de préférence virulente. Comme Dada, *Correspondance* privilégie la vie à l'art. Seul Nougé, à l'instar de Breton, stigmatisera le nihilisme ludique, sinon puéril, qui caractérise Dada tout en dénonçant une certaine incohérence teintée d'hypocrisie dans la valorisation, tout artistique, de l'antiœuvre. De même, une fois passée l'originalité de la démarche dadaïste qui, de scandale en provocation, visait à réveiller les consciences, Breton dénoncera la pratique du scandale pour le scandale et exigera un investissement plus profond, imposant le retour à l'activité poétique et artistique en tant que telle.

Si le concert-spectacle du 2 février 1926 reprend à son compte une pratique dadaïste sans doute obsolète à Paris, il constitue une première pour Bruxelles et jette, comme l'a montré Robert Wangermée[20], les fondements d'un regroupement, par la provocation, de ce qui formera bientôt le groupe surréaliste bruxellois.

Le rapprochement des deux cercles se fera dans le cadre hautement dadaïste des provocations publiques et autres chahuts. L'occasion en sera donnée lors de la création par le théâtre du Groupe libre de *Tam-Tam* de Géo Norge — pseudonyme de Georges Mogin qui a publié en 1923 son premier recueil intitulé *27 poèmes incertains*. La compagnie a été fondée en 1925 par Norge et Raymond Rouleau que rejoint rapidement Tania Balachova avec l'intention de présenter à Bruxelles des créations d'avant-garde qui vont de Herwarth Walden à Karel Čapek en passant par les moins modernistes

Max Deauville ou Jean Cocteau. « Polypoème scénique à cinq voix », l'œuvre se veut moderne en empruntant certains de ses effets à un surréalisme que d'aucuns qualifieraient d'édulcoré. Aux yeux de Nougé, elle témoigne de ce que James Ensor, quarante ans plus tôt, aurait qualifié de « suffisance matamoresque ». Prétention qui requiert l'intervention tapageuse de *Correspondance* et de ses nouveaux alliés. La cible est d'autant plus sensible qu'elle implique une troupe théâtrale fraîchement fondée qui se veut le laboratoire de l'art jeune dans toutes les formes de son expression. Ainsi, pour *Tam-Tam*, les décors ont été commandés à Marcel-Louis Baugniet, un des représentants de l'abstraction construite défendue par *7 Arts,* tandis que l'affiche est due à… René Magritte. Ce dernier n'en est pas à son coup d'essai. Un an plus tôt, en octobre 1925, il avait réalisé les décors de *Rien qu'un homme* de Max Deauville et de *Glaube*, pièce en un acte, composée en 1920 par Herwarth Walden, l'animateur d'art berlinois fondateur, en 1910, de la revue *Der Sturm*. L'œuvre avait été traduite par un jeune poète qui appartient au cercle réuni autour de Hermann Closson et avec lequel Magritte se lie d'amitié : Marcel Lecomte. D'après Flouquet, la pièce n'avait été sauvée du naufrage que grâce aux décors de Magritte.

Magritte ne semble pas avoir été gêné par le caractère incongru de sa position lorsque Nougé lui a proposé, ainsi qu'à Mesens, de signer le tract dans l'esprit de *Correspondance* qu'il a rédigé et qui porte déjà les signatures de Souris, de Goemans et de Hooreman ainsi que celles, non autorisées, de Paul Van Ostaijen et d'Éric de Haulleville.

Au tract succède le chahut, orchestré le 6 octobre 1926, lors de la représentation de *Tam-Tam* au casino de Saint-Josse, un cinéma de la chaussée de Louvain, à Bruxelles. Dans une lettre adressée à Hooreman, Nougé décrira l'action : « [...] pas un coup de *Tam-Tam* ne passa la rampe. Imagine une manière de vacarme et d'agitation ininterrompue, colloques, poings levés, acteurs passant de la scène à la salle, de la salle à la scène, et tu n'auras de l'événement qu'une faible image[21]. »

## LE GROUPE SURRÉALISTE BRUXELLOIS

Entretemps *Correspondance* — ainsi que l'annonce une carte de visite envoyée le 10 septembre 1926 — « a pris congé de *Correspondance* » pour former le groupe surréaliste bruxellois. Dénomination que Pierre Bourgeois reprend dans *7 Arts* pour dénoncer les agitateurs du 6 octobre.

À *Tam-Tam* succédera, le 3 novembre de la même année, la claque organisée pour empêcher la lecture dialoguée et mimée des inévitables *Mariés de la tour Eiffel*. Fort de l'expérience acquise, le groupe, entraîné par Nougé, se révèle d'autant plus violent que la salle les prend à partie en tentant de mettre un terme au chahut organisé. Tant et si bien que, suite à l'intervention de la police,

Mesens et quelques autres se verront dresser un procès-verbal.

À nouveau, l'action a été précédée par un tract sobrement intitulé *Mariés de la tour Eiffel*, signé par Nougé, Goemans, Souris, Mesens et Magritte, rejoints par le Liégeois Hubert Dubois. La cible ne surprend pas. Avec sa propension à vouloir incarner une modernité bon teint qu'il n'exprime que sous sa forme la plus superficielle, Cocteau est un abonné des chahuts dadaïstes et surréalistes. Le Groupe libre fait à nouveau les frais de la plume acide de Nougé qui perçoit la troupe comme une faction d'opportunistes visant moins la défense de la modernité que la recherche d'un succès commercial. Mode et modernité sont scindées sans ménagement.

À travers ces actions, Nougé et ce qui forme désormais un groupe surréaliste entendent faire place nette pour incarner, par leur radicalisme et leur intransigeance, la seule option moderniste viable d'un point de vue critique : une modernité dégagée des impératifs propres à l'avant-garde et tout entière inscrite dans une exigence critique érigée en absolu. Le positionnement tire moins sa légitimité d'une œuvre que de la somme des procès intentés à Norge, à Cocteau et au jeune Groupe libre.

L'esprit de corps du mouvement surréaliste s'est forgé au gré de ces actions subversives menées contre de fausses valeurs modernistes. Il s'agit désormais de fédérer l'ensemble sur un projet positif commun. Dès les premiers mois de 1927, la parution d'une publication fait figure de nécessité. Au début du mois d'octobre 1926, Mesens avait proposé à Nougé d'accueillir *Correspondance* dans *Marie,* avec la liberté d'y apporter et de retrancher ce que bon lui semble. Se méfiant de Mesens, Nougé a beaucoup tergiversé. Après s'être concerté avec Souris, il a accepté l'offre. À *Marie* succède ainsi *Adieu à Marie* qui, sans jamais mentionner le terme, constitue la première publication « surréaliste » du groupe désormais mené par Nougé.

La provocation n'est plus dans le propos chez Mesens, mais dans l'image qui, ramenée à un diptyque — « Comme ils l'entendent », « Comme nous l'entendons » —, réduit la notion de dialectique à la confrontation d'usage de deux coups-de-poing américains se faisant face, l'un en page de gauche, l'autre en page de droite... menace qui fait écho à l'affirmation de Goemans : « Seuls détenteurs de la justice et de la vérité, nous n'entendons pas que l'on nous dépossède. » L'esprit de corps est désormais armé.

Le groupe surréaliste bruxellois jouit d'une position dominante qu'*Adieu à Marie* consacre sans nuances. Le ton affiché par Magritte a, lui aussi, évolué. Aux aphorismes absurdes qui caractérisaient ses incursions littéraires sous le signe de Dada succède désormais une exploration méthodique de la peinture qu'il met en place.

D'un point de vue artistique, Magritte s'engage dans une voie radicalement nouvelle dominée par la pratique du collage. En témoigne l'exposition présentée en avril 1927, à la galerie Le Centaure, qui présentera, à côté d'une cinquantaine de peintures (dont trois sont des collages sur toile), une douzaine de papiers collés qui démontrent l'importance que revêt aux yeux de Magritte ce nouveau moyen d'expression qui l'occupera jusqu'à son déménagement pour Paris en septembre de la même année. Élément central de la rhétorique moderniste, le collage apparaît comme le fruit d'un travail d'invention en série. Il appartient à la culture publicitaire du peintre qui l'introduira d'ailleurs dans plusieurs projets commerciaux. La pratique du découpage, inhérente à tout collage, s'y distingue de la fragmentation cubiste. Il ne s'agit pas de faire éclater l'objet pour en réinventer la forme, mais bien d'en détailler le contour de manière autonome. L'opération vise un double but : d'une part, dégager l'objet de son contexte fonctionnel et, d'autre part, le projeter dans un environnement en rupture « avec les habitudes mentales » usuelles. Le collage constitue donc un laboratoire privilégié pour la formulation de l'image poétique. L'influence de Max Ernst s'y révèle déterminante. Magritte en rendra compte en 1938 dans *La Ligne de vie* lorsqu'il associera la pratique du collage — telle que Max Ernst la mit en œuvre dans sa collaboration avec Éluard pour le recueil *Répéti-*

*tions* de 1922 — à « l'effet bouleversant » d'une image qui n'impose plus à l'artiste une démonstration de sincérité et de sentiment. Rejetant la fonction traditionnelle de l'image peinte, Magritte en récuse les outils : dessin, pinceau et couleur. Les ciseaux et la colle donnent corps à un imaginaire fondé sur la sélection et le réemploi : travail de la réserve critique par la découpe et du détournement poétique par le collage. Ainsi l'image peut-elle « se passer de tout ce qui donne son prestige à la peinture traditionnelle[22] », conclut Magritte en des termes qui laissent présager la complicité qui l'unira à Nougé, lui-même adepte du collage comme agent de l'effacement de l'artiste au bénéfice de l'objet.

La découverte de Max Ernst, qui exposera régulièrement à Bruxelles, détermine le recours au papier collé. Magritte partage avec ce dernier la conception du collage comme lieu d'une « rencontre fortuite ou produite de manière artificielle entre deux ou plusieurs réalités distinctes sur un plan qui n'y semble pas approprié — et l'étincelle de poésie, qui surgit du rapprochement de ces réalités[23] ». L'efficacité poétique requiert un sentiment d'unité qui impose l'élimination de l'effet technique. Devenu invisible, ce dessin par découpage réinvestit la notion de trompe-l'œil en le dotant d'une fulgurance singulière.

Cette technique permet à Magritte d'explorer un univers qui lui est cher : celui de la musique populaire. Pour mener à bien son travail, il a recours à des partitions ou, plus exactement, à la partition de la comédie musicale *The Girl of Gottenberg* de

George Grosmith Jr et L.E. Berman créée à Londres en 1907. Sans constituer une référence ni même une citation, la partition fonctionne comme un texte ramené à sa seule dimension visible qui, à tout moment, pourrait se recomposer en sonorité. Avec son installation à Paris, Magritte abandonnera cette recherche qu'il ne reprendra qu'occasionnellement à partir de 1959 pour quelques « moments musicaux ».

La musique occupe une place centrale dans l'activité du peintre. Le 25 juillet 1925, à l'occasion du « Gala des choses en vogue » que la créatrice de mode Norine organise dans la salle des Ambassadeurs du Kursaal d'Ostende, est exécutée la chanson *Norine blues*, composée par Paul Magritte sur des paroles d'un certain René Georges dont le pseudonyme est facilement identifiable. À nouveau, le texte répond à la logique du collage puisque Magritte s'est contenté d'assembler les noms des luxueuses tenues qui scandent le défilé. Ce blues sera créé par la chanteuse Evelyne Brélia dont Magritte vient de réaliser le portrait et qui, la première, a fait l'acquisition d'une de ses toiles.
Éditée par l'Office musical avec une couverture exécutée par René Magritte, l'œuvre est sous-titrée « Les jolies robes aux jolis noms ». D'inspiration Art déco, le traitement des formes participe de cette modernité à la mode faite de silhouettes élégantes, de rythmes jazz, de danse déjetées et de couleurs chatoyantes qui conservent le souvenir des expériences plastiques de l'abstraction.

La complicité qui lie Magritte à Norine constitue un élément déterminant de l'évolution du peintre. Figure majeure de la création de mode bruxelloise, Norine offre à Magritte l'occasion de se rapprocher de son mari Paul-Gustave Van Hecke. Écrivain, imprésario, marchand d'art, animateur de revue et agitateur d'art[24], celui que tout le monde appelle alors Pégé se fait le propagateur d'une modernité qui se cherche. Le couple compte parmi les amis intimes de ELT Mesens qui leur a fait rencontrer Magritte. Celui-ci réalisera pour Norine de nombreuses compositions à la gouache qui seront publiées dans des revues comme *Sélection*, *Le Centaure*, *Les Cahiers de Belgique* ou *Variétés*.

## UN CONTRAT ET UNE TRIBUNE

Au début de l'année 1926, les Magritte s'installent à Laeken, au 113 de la rue Steyls. Le contrat — apparemment verbal — qu'il a conclu avec P.-G. Van Hecke lui garantit l'achat de sa production pour part ou pour totalité en contrepartie d'un salaire mensuel de 2 500 francs belges de l'époque (équivalent actuel de quelque deux mille euros). En s'attachant de la sorte un artiste totalement inconnu dont l'œuvre n'est qu'à ses premiers pas, Van Hecke prend un risque non négligeable dans lequel il faut voir le témoignage de son enthousiasme franc et sans réserve. Bien que sans galerie attitrée, ce soutien s'avère décisif car il ouvre au peintre les portes de *Sélection*, revue importante qui contribuera à la diffusion internationale de son œuvre.

À partir de l'automne, la galerie Le Centaure[25] participera pour moitié aux coûts de programmation de *Sélection*. Elle assumera dès lors une part directe de la promotion de l'œuvre de Magritte sous le contrôle attentif de Camille Goemans, qui y travaille.

Installée au 62 avenue Louise dans un quartier élégant de la capitale, cette galerie avait été fondée par Walter Schwarzenberg, fils du directeur de la librairie et maison d'édition d'estampes Dietrich qui avait connu le succès à la fin du siècle précédent. Afin d'étendre ses activités, Schwarzenberg s'était associé à la galerie Charlet. Il avait alors exposé Dufy, Utrillo, Friesz, Lhote, Chagall, Zadkine, Van Dongen ou encore Foujita. Le surréalisme y prendra une place plus importante ainsi qu'en témoigne l'exposition organisée en 1927 qui réunira De Chirico, Ernst et Magritte[26]. Pourtant, la peinture de ce dernier ne plaira jamais réellement à Schwarzenberg qui se bornera à « exploiter » l'œuvre que son partenaire Van Hecke a amenée dans son escarcelle.

Comme pour *Sélection*, la galerie se double d'une revue éponyme qu'édite le critique Georges Marlier. Celle-ci reprend le modèle, désormais classique, de *L'Art moderne,* revue d'avant-garde publiée entre 1880 et 1914 et qui relaya les innovations artistiques présentées à Bruxelles par le Cercle des Vingt puis par le salon annuel de la

Libre Esthétique. Dans le prolongement de ce modèle, *Sélection* et *Le Centaure* ambitionnent de dresser un panorama complet des arts d'avant-garde dans leurs diverses formes d'expression.

Au début de 1929, la part de Van Hecke sera reprise par *Le Centaure* puis, à l'été, en totalité par Goemans. Pour quelques mois seulement. Dès novembre, la crise ruinera le marché d'art belge et français privant Magritte d'une sécurité financière qu'il ne recouvrera que bien plus tard. Pour ainsi dire, à la fin de sa vie.

L'obtention de ce contrat conduit Magritte à produire avec frénésie. Durant ces quatre années de confort matériel, il produira quelque deux cent quatre-vingts huiles sur toile dont soixante-dix peintures pour la seule période qui va de janvier 1926 à avril 1927, date de son exposition au Centaure ; vingt-cinq de mars à son départ pour Paris à la mi-septembre ; trente-cinq dans les trois premiers mois de son séjour parisien ; plus de cent en 1928 et une quarantaine en 1929 et pour les deux premiers mois de 1930, date à laquelle son contrat est annulé. Près d'un quart de toute sa production picturale a vu le jour dans ce contexte favorable. En marchand sans doute frustré de ne pas gérer l'œuvre, Mesens considérera que Magritte a produit à la fois trop et trop grand sans toujours témoigner d'une maîtrise technique suffisante[27].

Durant l'été 1926, le peintre honore une commande sans doute à mettre au crédit de ses liens avec Norine : le catalogue de la saison 1926-1927 du fourreur Samuel & C[ie28]. Il exécute une série de planches libres qui seront liées par un cordon vert. Chaque planche constitue un instantané d'un défilé de mode pictural et poétique. Chaque manteau est mis en scène selon un principe qui permet à Magritte de recycler certains thèmes surgis de son imaginaire pictural. À commencer par le bilboquet qui s'offre en métaphore du corps féminin. Chaque composition est travaillée selon une poétique dont la peinture a jeté les bases : théâtralisation de la représentation, dédoublement des figures et inscription du tableau dans le tableau y sont prétextes à multiplier les points de vue en brouillant les évidences. L'ensemble traduit le même éblouissement pour un luxe qui masque néanmoins un vide central fondamental. Les images que crée Magritte dénotent peut-être de l'influence de la revue *La Dernière mode* et de son rédacteur Stéphane Mallarmé, à mettre au crédit de ses amis poètes. La modernité et son ambition révolutionnaire ont reflué dans l'effet de mode qui s'intègre ici à une rhétorique Art déco. Le recours au texte n'induit nulle distanciation. Jouant sur la typographie, Magritte livre le nom des manteaux ainsi qu'un court commentaire qui souligne le luxe et la volupté du produit vanté. Dans son essai *L'Acti-*

*vité surréaliste en Belgique*, Mariën en attribuera la rédaction à Camille Goemans[29].

Tout en poursuivant ses travaux commerciaux, fidèle à ses complicités dadaïstes Magritte réalise plusieurs illustrations. En janvier 1926, il a réalisé le frontispice de l'ouvrage satirique de Paul Van Ostaijen *Het Bordeel van Ika Loch* publié par la revue anversoise *De Driehoek*.

Cette agitation a trouvé sa conclusion en octobre-novembre 1926 avec les trois textes collectifs qui, au sortir du chahut de *Tam-Tam* et de la claque des *Mariés de la tour Eiffel*, annoncent la constitution d'un groupe surréaliste belge dont le noyau est formé par Goemans, Magritte, Mesens, Nougé, ainsi que le compositeur André Souris. Les anciennes alliances se prolongent. Avec elles s'imposent des personnalités aussi singulières que Geert Van Bruaene qui présentera en 1926 le peintre naïf Edmond de Crom dans sa galerie La Vierge poupine. Magritte signera l'introduction du catalogue.

Ce changement témoigne de l'ascendant que Nougé exerce désormais sur le groupe et, bientôt, sur Magritte qui éprouve une certaine difficulté à trouver sa place dans ce qui n'est plus un duo, mais un groupe au sein duquel Mesens et lui sont minoritaires et doivent, sans doute, assumer certaines déclarations anciennes vis-à-vis desquelles ils apparaissent désormais en porte à faux. À creuser les archives, à lire les correspondances, on sent que la personnalité de Magritte ainsi que son parcours — sa collaboration au Groupe libre, sa présence aux expositions d'avant-garde, sa peinture clairement inscrite dans l'abstraction, sa relation à Van Hecke et à sa galerie — le rendent suspect au regard de certains complices de *Correspondance*. Ainsi, en août 1926, Paul Hooreman n'a pas cité Magritte dans un article du *Bulletin de la vie artistique*, publié à Paris, dans lequel il soulignait la capacité de la seule peinture surréaliste de « conférer aux apparences une vertu d'étonnement, de prêter aux objets une cinquième dimension, subconsciente, surréelle, magique : plus simplement, de détourner l'œuvre de la nécessité[30] ».

De même, dans une lettre datée du 19 septembre 1926 qu'il adresse à Van Hecke, Goemans rechigne à accorder le qualificatif de « surréaliste » à Magritte dans le cadre de l'article que la revue *Sélection* l'a invité à rédiger. Magritte n'est pas reconnu comme surréaliste par ceux qui forment ce « groupe absolument fermé[31] » et auxquels, précise l'auteur, il serait contre-productif de vouloir forcer la main. Si Goemans fait surtout allusion à l'éventuelle réaction de Breton — lequel tiendra Magritte longtemps en lisière du mouvement —, il ne cherche pas à croiser le fer avec ce dernier alors que *Correspondance* avait régulièrement attaqué les positions parisiennes, à propos de l'automatisme psychique pur notamment. Au contraire, dans ses lettres[32], Goemans mettra les surréalistes parisiens en garde contre *Sélection* et contre Van Hecke qui prétendraient définir ce qu'est l'esprit surréaliste. Par ses interventions, il contribuera largement à l'abandon du projet de numéro spécial que *Sélection* compte consacrer au surréalisme.

La situation de Magritte et sa complicité avec Van Hecke contribuèrent à renforcer la suspicion des anciens de *Correspondance* auxquels Nougé avait imposé la nécessité d'un effacement personnel dans le refus de toute position esthétique : une galerie, une tribune et un contrat constitueront sans doute aux yeux de ces intégristes du refus littéraire les stigmates d'une volonté de faire œuvre qui avait déjà conduit à l'élimination de Marcel Lecomte et entraînera bientôt celle d'André Souris.

Étrangement, l'affirmation de Magritte « peintre surréaliste » viendra de l'extérieur du groupe dans un geste de reconnaissance critique qui sera le fait d'un Paul-Gustave Van Hecke, insensible au rigorisme dogmatique des Parisiens. Il sera immédiatement relayé par Nougé, qui trouve dans l'œuvre de Magritte un contrepoids au formalisme caractéristique des avant-gardes et une démarche hors de toute préoccupation esthétique. Nous sommes alors en mars 1927.


PÉGÉ


En février-mars 1927, avec *Adieu à Marie*, Nougé s'impose à la tête du groupe surréaliste bruxellois. Magritte y limitera sa contribution à un texte bref, intitulé *Vous*, énonçant, pour la première fois, sous une forme littéraire ses conceptions en matière de

peinture. À l'agitation dadaïste succède une profondeur intellectuelle qui témoigne non seulement
du chemin parcouru, mais aussi de l'ascendant
intellectuel qu'exerce Nougé sur le peintre. Ce dernier incarne cette figure du « maître » auquel
Magritte déniait toute autorité dans son adolescence. Il sera son professeur de poétique, son
mentor philosophique, et c'est auprès de lui que
Magritte complétera sa formation intellectuelle
interrompue après le suicide de sa mère. De son
côté, Nougé sera fasciné par la capacité du peintre
à transformer l'idée — par essence verbale — en
une image dont la spontanéité garantit l'irréductibilité : une représentation que le lisible serait incapable de transposer en discours sans en fermer
l'horizon et sans en figer la vision. Puissance du
surgissement qui fait du peintre un démiurge
étranger aux débats esthétiques réservés aux seuls
fins lettrés. Nougé admirera d'autant plus Magritte
que, sur le plan intellectuel, il en fera sa création.
Lorsque le peintre s'émancipera de la figure, auto-
ritaire et intolérante du poète, celui-ci s'enfermera
dans une jalousie maladive qui culminera en haine.

De manière inattendue, *Adieu à Marie* révèle un
Magritte singulièrement cultivé qui puise dans les
*Pensées* de Pascal la formule : « La peinture attire
votre admiration par la ressemblance des choses
dont vous n'admirez pas les originaux\*. » Dans cet
espace où l'illusion mimétique fait l'objet d'une

---

\* R. Magritte, « Vous » [1927] in *Écrits complets, op. cit.*, p. 37. Référénce directe à
la pensée de Pascal : « Quelle vanité que la peinture, qui attire l'admiration par la
ressemblance des choses, dont on n'admire point les originaux. » Pascal, *Pensées*, II,
134 (1), Paris, Bordas (Classiques Garnier), 1991.

critique méthodique, le peintre pressent une somme de potentialités qui l'écarte d'une définition de la peinture comme pratique : « Le mot "peinture" est laid. L'on pense à la lourdeur, parfois à la prétention. Des tableaux existent et vous séduisent, mais ils ne sont pas des peintures. Ils ont deux vies, ou plutôt, ils n'en ont pas[33]. »

Sans pour autant récuser l'exigence de l'image comme représentation, Magritte rejette les effets techniques et les splendeurs d'un métier qu'il feindra d'ignorer. À ses yeux, le mystère ne réside pas dans la réalisation mais dans le résultat : l'image entendue comme idée rendue visible. L'image bouleversante sera trompe-l'œil pour se faire « trompe-l'esprit » : « La réussite d'une œuvre semble bien peu dépendre de son point de départ, des ennuis de l'exécution. Le tableau terminé est une surprise et son auteur en est le premier surpris. L'on veut atteindre un effet toujours plus saisissant, imprévu[34]. »

L'affirmation fixe un but pour lequel le peintre puise dans son expérience publicitaire à travers le thème de la surprise qu'une toile de 1928 mettra en scène sous le titre *La Lectrice soumise* qui assume la part de manipulation dont le surréalisme entend jouer à l'endroit du lecteur ou du spectateur. Pour Magritte, cette esthétique participe à la persuasion publicitaire qui nourrira désormais ce qu'il nomme « l'art de peindre ». La recherche de l'effet domine une quête que le peintre n'évoque qu'en conclusion de son texte : « [...] résister, lire tranquillement le secret ».

Voulant donner à son œuvre une dimension philosophique, Magritte insiste sur l'obligation de ressemblance qui détermine sa recherche : « Peindre l'image d'une pensée qui ressemble au monde : ressembler étant un acte spontané de la pensée et non un rapport de similitude raisonnable ou délirant[35]. » La rupture avec l'abstraction est consommée. S'il date de 1960, ce credo renvoie à une conviction qui, dès 1927, eût pu se résumer par la formule : « Ce qu'il faut peindre, c'est l'image de la ressemblance — si la pensée doit devenir visible dans le monde[36]. »

## LE PEINTRE DE LA PENSÉE ABSTRAITE

L'œuvre que développe Magritte apparaît encore hors de tout contexte esthétique. Alors que Goemans rechigne à la considérer comme surréaliste, elle échappe aux discours tant du groupe parisien que de celui réuni à Bruxelles autour de Nougé. C'est dans ce contexte que Van Hecke prend la main.

En mars 1927, la revue *Sélection* publie un premier article consacré au peintre : « René Magritte : peintre de la pensée abstraite ». Rédigé par P.-G. Van Hecke et accompagné de seize reproductions en pleine page, le texte situe Magritte dans une veine qu'il définit comme « la pensée abstraite », à défaut de pouvoir la qualifier de « surréaliste ». Hostile à toute forme de diktat et à la confiscation d'un terme aussi générique, Van Hecke entend situer Magritte dans une dialectique qui va d'une peinture de « la pensée directe » — qu'il assimile à l'expressionnisme — à cet art de « la pensée abstraite » qui désignerait le surréalisme. En conclusion, il rend un hommage appuyé à Magritte dont il distingue déjà la démarche fondée sur la « froide raison » en même temps qu'une recherche de la magie du réel qu'il associe — avant même que Magritte n'en reprenne le terme — à l'opacité inhérente au « Mystère ». Pour Van Hecke, Magritte réunit le « bel absurde » et l'« implacable essentiel » dans une forme dont l'évidence aura force de raison tout en garantissant au spectateur une « réserve d'émotion[37] ».

Préparée par l'article de Van Hecke, une exposition des œuvres de Magritte se tiendra, du 23 avril au 3 mai 1927, à la galerie Le Centaure. Elle mettra en scène une cinquantaine de toiles réalisées depuis le début de l'année précédente, ainsi que douze papiers collés. Van Hecke et Nougé en préfacent le catalogue. Ce dernier offre ainsi au peintre son premier essai.

Exécuté en 1926 *Le Jockey perdu* occupe une place décisive dans l'accrochage. Présenté dans une vitrine, il porte symboliquement le numéro 1. L'œuvre initie un thème vers lequel Magritte reviendra régulièrement. L'image résiste à l'interprétation. De profil, un jockey, probablement tiré d'une photographie de presse, tente de traverser une forêt mystérieuse faite d'arbres-quilles. Jouant d'un transformisme qu'il pratique alors abondamment, le peintre multiplie les références au bois : tourné pour l'objet, sauvage dans les branches, poncé pour le sol en trompe l'œil. De part et d'autre de la saynète, des rideaux de scène soulignent la théâtralité de la composition. En quelques traits de pinceau, Magritte concentre l'attention du spectateur sur l'évidence d'une matière que le collage annule en ramenant le tout à l'écriture musicale. Abstraite, celle-ci induit un rythme intérieur que la théâtralité de la composition met en scène. Allié à la musique, l'exercice du collage fait de l'image un processus mental par lequel le réel s'orchestre en représentation.

La presse se révélera unanimement négative. À commencer par les anciens camarades qui assimilent la démarche de Magritte à un symptôme de décadence enraciné dans un héritage symboliste qu'ils ont en horreur. Dans le compte rendu qu'il rédige pour 7 *Arts*, Flouquet stigmatise « le snobisme de la pourriture, le malaise de l'idée de néant, approché sans conviction profonde par un artiste armé d'un brillant, mais non suffisant scepticisme[38] ». Les autres articles ne sonnent pas plus positivement. Tous mettent en évidence le caractère « morne et figé », dominé par un « gris froid », d'un univers jugé morbide. L'argument n'est pas faux et rend compte du climat de tension psychologique qui caractérise l'œuvre de Magritte à l'époque. La morbidité généralement mise en relief par la critique n'est que le reflet de la somme des refoulements qui affleurent à la surface du tableau. Retour qui se glisse sous le masque inquiétant de Fantômas ou dans les prétextes d'un cinéma touché par la grâce de l'effroi.

À la sortie de l'exposition du Centaure, Magritte rencontre Louis Scutenaire, un jeune poète alors étudiant en droit à l'Université libre de Bruxelles avec lequel il noue des liens étroits. Scutenaire est entré en contact avec Nougé et Goemans dans l'intention de leur présenter ses « chansonnettes ». À la lecture de ces poèmes peu conventionnels, tous deux penseront qu'il s'agit d'une plaisanterie orchestrée par l'autre jusqu'à ce qu'ils fassent connaissance de celui qui deviendra bientôt Scut et qui s'affirmera comme un des compagnons de route les plus actifs du groupe surréaliste.

Ce ralliement compense partiellement plusieurs défections. À commencer par celle des Liégeois Dubois et Mambour — que Van Hecke a régulièrement associés à Magritte dans sa perspective d'un art de « la pensée abstraite » — dont la participation fut éphémère, ainsi que celle de Paul Hooreman qui, aux côtés de Souris, avait incarné le pôle musical de *Correspondance*.

SAMUEL 2

Magritte entame plusieurs projets avec Nougé qui accompagne pas à pas son évolution et dont les textes contribuent à en orienter la progression. Présentées à l'automne 1927, les planches du second catalogue annuel des fourreurs S. Samuel & Cie ont été réalisées durant l'été avant que Nougé n'en compose les textes. Il ne s'agit plus d'un album sommairement relié, mais d'un opuscule qui met en scène de manière sophistiquée des dispositifs visuels et typographiques qui renvoient directement à l'œuvre peint[39]. Le travail de Magritte a évolué sous l'effet des papiers collés. L'artiste a procédé de la même manière pour les seize œuvres qui seront reproduites. Deux bénéficieront de la couleur rendant ainsi compte de la richesse du travail original. Techniquement, Magritte est parti de collages qu'il a ensuite rehaussés à la gouache et parfois à l'encre et au fusain. Les textes ne sont plus intégrés à l'image, mais occupent la page qui fait face au modèle. Ils en sont à la fois le titre, l'ekphrâsis (la description détaillée) et la dérive poétique. Prologue et épilogue donnent à ce défilé onirique une puissance théâtrale singulière. Reprenant les recherches qui l'ont mené à *La Lumière des pôles* (1926-1927), à *L'Homme du large* (1927) ou au *Sens de la nuit* (1927), Magritte met en scène la femme dans un espace indéterminé où elle semble errer, vague et sans but, comme dépouillée de volonté. Dépersonnalisation et vide central se conjuguent pareillement dans ces stéréotypes au service de la mode qui, paradoxalement, donnent à celle-ci une gravité métaphysique que seul Mallarmé soupçonna. La structure narrative ne relève plus de la mise en scène, mais du commentaire qui se dégage en constellation du modèle. Magritte lui-même apparaît dans ces compositions. Yeux clos, son visage photographié flotte, à demi coupé par le cadrage, à droite du modèle *Novelty*. En regard, le texte de Nougé prend une dimension singulière, comme s'il s'agissait de fixer la sensation née de la vision de cette femme sans tête couverte d'une peau de gazelle. Nougé en reprend l'argument pour *Star* : « Elle invente le monde en toute sécurité. Ses rêves la protègent aussi bien qu'un manteau. » Depuis « l'innocence du sommeil » pour *Matinal* à « ce que l'on devine [et qui] est peut-être ce qu'elle pense » avec *Novelty*, rêve et pensée reviennent comme des leitmotive d'inspiration surréaliste. Mis en scène par Magritte, le manteau, motif qui hante alors sa production, se mue en écran qui protège un vide central. Néant ou figure de bois, le manteau se déploie sur un arrière-plan éclaté. L'image renonce à être descriptive alors que Nougé conclut : « Ainsi vêtue, elle se passe d'explication », anticipant un rejet de l'interprétation que le peintre reprendra à son compte. Pour ces travaux, Magritte subvertit le message publicitaire classique. L'objet n'est plus représenté pour ce qu'il susciterait comme désir de possession mais pour ce qu'il incarne comme interrogation portée sur la condition humaine. Fidèle au principe défendu par Nougé, il dégage la création artistique de ses moyens d'expression traditionnels pour les projeter dans la vie.

Les liens qui unissent Magritte à Nougé n'ont cessé de se resserrer au fil de l'année 1927. Leur amitié s'est doublée d'une complicité artistique qui détermine en profondeur le chemin pris par l'œuvre. À une certaine violence psychique incontrôlée, dont l'œuvre se faisait le creuset, succède un travail de déconstruction méthodique qui ramène les soubresauts de l'inconscient à une question de langage à partir de laquelle se dénoue le réel. Plus que l'œuvre poétique, c'est la pensée de Nougé qui reprend, structure, réorganise et, finalement, réoriente les principaux thèmes chers à Magritte. Au contact du poète, le peintre esquisse de nouveaux horizons pour une œuvre qui, sans renoncer à l'efficacité propre à l'image poétique, gagne en profondeur philosophique. En atteste la correspondance échangée qui prend, une fois Magritte installé à Paris, une forme d'urgence qu'exacerbe la distance. Souvent enrichies de dessins, certaines missives attestent d'un foisonnement intellectuel qui, du peintre au poète, et du poète au peintre, aspire à transgresser les limites des pratiques artistiques réduites à leurs moyens spécifiques : le poète pense image et le peintre donne au texte sa présence visible. Accélération de l'échange qui aspire à la fusion des moyens. Au fil des lettres, Nougé rattrape souvent de sa plume les avancées que Magritte vit comme autant de surprises. Il recolonise par la pensée ce que l'image livre dans un surgissement. Il revient aussi sur le chemin parcouru pour en creuser le sens et en préciser les nuances. Couvrant, par ce mouvement même, de nouveaux horizons insoupçonnés.

Ainsi, en novembre 1927, Nougé donne du collage une lecture qui en renouvelle l'approche. Il écrit à Magritte :

Ce qui me touche particulièrement, c'est la fonction que vous assignez à ces morceaux de papier découpé, objet inexplicable qui sert à cacher, en fait à suggérer plus fortement que par l'image tout ce qu'il dissimule, car l'on ne peut admettre qu'il ne dissimule rien. Cela, mon cher ami, me paraît le signe d'une orientation nouvelle qui ne peut manquer de vous ramener à nouveau dans l'inconnu ou, si vous préférez, dans l'imprévisible. Je serais fort étonné si vous ne faisiez bientôt d'importantes découvertes[40].

Les lettres échangées explorent les possibilités offertes par les papiers collés sur un plan moins technique que poétique. La pensée de Nougé s'articule à partir du thème de la dissimulation que Magritte reprendra à son compte. À travers le collage, le poète entend user « convenablement de ces éléments visibles dont il convient de cerner l'invisible et qui lui donneront en quelque sorte le ton, la vigueur et la mesure[41] ». Il s'agit donc d'une méthode qui opère par « calcul » pour déconstruire la logique qui sous-tendait l'évidence. « Ensuite commence l'aventure qui doit nous compromettre comme elle compromet ceux à qui nous nous adressons », conclut le poète. L'image-écran — Nougé développe une longue métaphore du mur qui reviendra sous de nombreuses formes dans la peinture de son complice — est utile pour ceux qui savent en déjouer les pièges : « Les images sont excellentes pour l'esprit, à condition de savoir s'en défendre », affirme-t-il. Par le collage, Nougé pressent que Magritte a non seulement déconstruit l'image, mais qu'il l'a piégée et que celle-ci volera bientôt en éclats. À travers la collaboration qui se noue, le poète confirme au peintre le dépassement du souci commun de « *représenter* quelque spectacle que nous croyons exister en dehors de nous ou quelque pensée, quelque sentiment dont nous croyons constater en nous l'existence[42] ».

La collaboration avec Nougé se poursuit sur le mode ironique avec les illustrations pour *Clarisse Juranville : Quelques écrits quelques dessins*. Ces onze poèmes et cinq dessins inédits sont faussement attribués à Clarisse Juranville, obscur auteur d'un manuel de conjugaison « enseignée par la pratique[43] ». Ils transposent à la sphère artistique la technique du pastiche-détournement jusque-là exploité à des fins polémiques. Dans une lettre à Nougé, Magritte parle de « pensée poétique[44] » au grand plaisir du poète. Tous deux colorent ainsi l'expérience menée pour le fourreur Samuel d'un esprit de dérision qui lie jubilation et critique. Parodiant l'ouvrage, ils creusent l'écart qui sépare le langage fixé sur un plan théorique et la langue mobile comme la vie. Magritte et Nougé transforment l'exercice programmatique en une parodie qui n'était, peut-être, pas absente du défilé de mode. Ici aussi, les deux comparses s'en prennent au sens en niant aux phrases qu'ils retiennent tout caractère explicatif. Le rejet du principe de causalité rompt l'unité de la pensée et interdit au verbe de se faire lumière. Comme il ne peut y avoir d'explication, il ne peut être question d'illustration. Magritte s'y emploie avec sérieux. Toujours soucieux de l'exécution de ses projets, il déplorera pour ce recueil comme pour le *Catalogue Samuel* la piètre qualité de l'impression[45]. Le dessin dévide sur la surface de l'image un épais trait noir qui parcourt quelques collages de 1927 comme *Le Goût de l'invisible* ou *Le Ciel meurtrier*. On sent dans le mouvement franc du pinceau gorgé d'encre un indicible plaisir qui nie la portée conceptuelle à laquelle, seule, s'apparenterait la démarche. Un trait de caractère s'esquisse qui reviendra en 1947 avec des accents « vaches ».

La complicité qui unit Nougé à Magritte relève d'une intimité qui, parfois, reste difficile à définir. La forte personnalité du poète en même temps que la profondeur de sa pensée ont conduit nombre de critiques à en faire la « tête » d'un duo dont Magritte, qui a arrêté sa scolarité à l'âge de quatorze ans, ne serait que la « main ». L'image d'un exécutant inféodé au projet développé par Nougé sera encore renforcée — par un effet de compensation qui aime donner raison à celui qui échoue plutôt qu'à celui qui réussit — par le fait qu'à l'effacement de soi professé par le poète — allant jusqu'à refuser de publier — répondra le succès grandissant de l'œuvre du peintre à la fin des années 1950. Ce que d'aucuns percevront comme une injustice pèsera sur l'appréciation du « génie » du peintre. Pourtant, en 1927, leur complicité prend des formes multiples démontrant la qualité de leurs échanges. Ainsi, Nougé compose-t-il une suite de cinq textes, où la violence le dispute à l'érotisme, en partant d'œuvres de Magritte comme *L'Assassin menacé* ou *Jeune Fille mangeant un oiseau*. Le poète — comme le peintre lui-même le fit à quelques occasions — déduit de l'image un récit qui en creuse la signification et en révèle l'esprit, sans nécessairement se limiter à n'être qu'une simple transposition.

## COMPAGNONS DE DÉROUTE

La relation qui unit surréalisme et communisme mêle convictions personnelles et opportunisme collectif. Dès la formation du groupe, une partie de l'action menée par Breton et les siens a visé à l'élimination de toute autre forme artistique qui puisse revendiquer une quelconque légitimité révolutionnaire à côté du Parti. Pourtant, après une courte période de pluralisme artistique — largement tributaire des conceptions de Lénine et de Trotski —, le parti communiste a tenu à définir, de son point de vue exclusif, le sens de l'action révolutionnaire dans la création artistique. Anarchisants et peu sensibles à la conscience prolétarienne, les surréalistes ont vite paru suspects. Entre Breton et les cadres du Parti, le dialogue a rapidement viré à l'affrontement. Pour le poète, les principes artistiques fondent l'engagement révolutionnaire. Ils ne peuvent donc être soumis à la froide raison dialectique avancée par l'intelligentsia communiste pour instrumentaliser et asservir une création que Breton ne veut concevoir que libre et indépendante.

Pour Nougé — qui, en décembre 1919, a joué un rôle dans la création du Groupe communiste de Belgique —, l'engagement en politique relève d'une esthétique de la conspiration permanente. Sans s'être jamais reconnu dans une quelconque stratégie de pouvoir, il voit dans la politique un champ de bataille incessant contre l'ordre établi et la morale bourgeoise. Les jeux d'influence dans lesquels se sont lancés les surréalistes français l'intéressent d'autant moins qu'il a éprouvé, dès l'origine, la capacité du Parti à éliminer toute pensée divergente. Les débats propres au communisme ont imprimé sa marque sur lui et guideront nombre de ses prises de position quant au devenir politique du surréalisme : le rapport à Moscou a anticipé celui qui lie Bruxelles à Paris et le positionnement entre réflexion théorique et action révolutionnaire constitue une des questions centrales de l'histoire du surréalisme. Adepte de l'effacement de soi, Nougé considère que le principe de « distance » est la condition même d'une liberté de penser à laquelle il n'entend rien sacrifier. Si elle reste la mère de ses engagements et la matrice de ses enthousiasmes, la cause communiste passe désormais au second plan. Seul l'engagement artistique compte.

D'autant qu'à Bruxelles le débat sur le caractère révolutionnaire de l'art est étouffé par des querelles de personnes. L'exposition de Magritte au Centaure n'a pas offert aux communistes le point de convergence attendu. Les colonnes du *Drapeau rouge*, organe officiel du Parti, en témoignent dans leur compte rendu de la manifestation : « Présentée par M. P.-G. Van Hecke, poète, et par M. P. Nougé, poète — que de littérateurs autour de cet inverti de la peinture ! L'exposition Magritte sue toutes les sueurs d'un modernisme qui n'en peut plus... Et vous, M. Nougé — car il nous plaît de vous situer, une fois pour toutes, dans ce cénacle de faiseurs — de quelle prose alambiquée et gluante caressez-vous les "inventions" de M. Magritte[46] ? » Sous pseudonyme, l'auteur de l'article n'est autre que Charles Counhaye, un ancien de 7 Arts qui n'a pas digéré le changement d'orientation de son ancien compagnon de route et dont les aigreurs se sont transformées en expression de la ligne officielle du Parti.

Cette animosité nourrie de haines recuites explique la distance que les surréalistes bruxellois maintiennent à l'égard du parti communiste alors que leurs homologues parisiens cherchent à tout prix à s'en rapprocher. Dès septembre 1925, le tract de Nougé et Goemans, baptisé *À propos d'un manifeste*, signalait déjà une réserve indiquant la distance idéologique qui séparait Bruxelles de Paris.

1927 cristallisera cette divergence fondamentale d'appréciation. Alors que Breton préconise l'adhésion, Nougé oppose un refus catégorique de lier l'aventure surréaliste à « l'avenir de la révolution sociale ». Aux yeux de ce dernier, la tentative serait d'autant plus vaine qu'elle se heurterait à la logique de fer du Parti qui ne tolère aucune activité parallèle. Pour Nougé, « l'esprit de révolte [...] incite à d'autres tâches[47] ». À savoir « opposer aux redoutables inventions matérielles les inventions terribles de l'esprit ». Insoumis, Nougé entraîne à sa suite ses comparses bruxellois dans un même refus de la dictature du Parti[48]. Et ce alors que

Breton et les siens y aspirent sans réserve, comme s'il s'agissait de la condition même de leur reconnaissance. Deux stratégies répondant à des objectifs inconciliables et relevant de personnalités antinomiques s'opposent. Aux Belges qui leur demandent de s'abstenir, Breton répond par la brochure *Au grand jour* dont une des cinq lettres ouvertes s'adresse directement à Nougé et à Goemans. Pour les Français, afficher son adhésion au Parti apparaît comme une nécessité « estimant avant tout que ne pas le faire pouvait impliquer de [leur] part une réserve qui n'y était point, une arrière-pensée profitable [aux] seuls ennemis [du PC] (qui sont les pires d'entre les nôtres)[49] ». Pour les signataires d'*Au grand jour*, les surréalistes bruxellois se contentent de créer des objets bouleversants qui, évoluant entre pastiches et plagiats, se sont écartés de la création[50].

Les Belges tiendront leur ligne qui trouve dans les textes de Nougé l'essentiel de sa justification. En 1928, dans *La Grande Question*, le poète rendra compte de sa position en des termes qu'un Magritte reprendra à son compte :

Je ne crois pas aux systèmes politiques.

Je ne leur donne mon adhésion à aucune métaphysique ni à aucune religion. Je n'ai ni conviction ni foi définies.

Je ne découvre en moi de constant, de certain, donc d'essentiel comme la vie que je dois bien m'accorder — que cette obscure nécessité d'agir qui cherche inlassablement sa justification et son objet. Et pour cette recherche que je ne puis éluder, il faut immédiatement reconnaître que je ne puis compter que sur moi[51].

Cette assomption du sujet conditionne l'exigence d'effacement de soi imposée par Nougé. Avec la même force et la même motivation que la mise en cause de la représentation impose à la peinture cette évidence qui laisse à penser que seule l'objectivité de la raison gère. Pourtant, malgré l'unité de la pensée, un écart se creuse entre Nougé et Magritte. Si pour celui-là l'écriture s'impose à la marge de la vie sociale jusqu'à s'y substituer, celui-ci trouve dans la peinture son seul viatique. Il ne peut dès lors se départir d'un certain commerce que Nougé ne tolérera qu'en fonction des difficultés et des échecs rencontrés par le peintre. L'exigence d'effacement de soi sur laquelle Nougé a développé ses positions antilittéraires et antiartistiques ne résistera pas à la reconnaissance progressive de Magritte par un marché d'art régi par les seuls principes capitalistes. La communion d'esprit se conclura quarante ans plus tard sur un rejet mutuel aggravé par les circonstances de la vie. Délaissé et usé, Nougé ne pardonnera pas à Magritte une reconnaissance qu'il aura tout fait pour ne jamais connaître. Celle-ci signera à la fois son échec personnel et, à ses yeux, la trahison du peintre de leurs idéaux de jeunesse auxquels il avait, pour sa part, tout sacrifié.

À partir de 1927, la non-adhésion au PC constitue une position de principe qui sera régulièrement remise en question au gré des initiatives parisiennes. La stratégie que poursuivent les surréalistes français connaît une évolution significative. Il ne s'agit plus de lier surréalisme et communisme en une même perspective qui assurerait à l'engagement artistique la légitimité de l'action révolutionnaire. C'est de l'intérieur qu'il s'agit de faire pression sur les décisions du Parti pour que celles-ci intègrent les positions surréalistes. En 1927, Breton, Éluard, Aragon et Pierre Unik adhèrent au Parti où ils retrouvent Benjamin Péret rallié un an plus tôt. Alors que le PC est en pleine stalinisation, les surréalistes pensent avoir leur carte à jouer sinon leur mot à dire. Délaissant les questions politiques — et fermant, dès lors, les yeux sur la dérive totalitaire du stalinisme —, ils entendent se « spécialiser » dans les questions artistiques qui qualifient un surréalisme désormais au service de la révolution. Hostiles à ce point de vue, les Belges fermeront la porte à toute collaboration[52]. Attitude qui ne favorisera pas plus l'intégration de Magritte que celle de Goemans dans le cénacle parisien.

PARIS-BRUXELLES

En 1924, alors qu'il s'orientait vers l'affiche publicitaire, Magritte avait exploré les possibilités qu'aurait pu lui offrir Paris. C'est désormais la peinture qui le conduit à délaisser Bruxelles et son caractère provincial pour décrocher cette reconnaissance qui, cinquante ans plus tôt, avait déjà poussé Félicien Rops à renoncer à Namur, puis à Bruxelles, pour jouir d'une reconnaissance que seule peut offrir la Ville lumière. L'expérience n'est pas toujours aussi heureuse. Une trentaine d'années avant Magritte, James Ensor avait tenté sa chance en vain, malgré le réseau des amis de Félicien Rops qui fut à l'origine de son exposition à La Plume. Échec qui n'a pas effrayé Magritte, manifestement assez sûr de lui pour gagner Paris, le 10 septembre 1927. Magritte et Georgette y ont été précédés par Goemans qui s'y est établi au printemps comme marchand d'art. En marge du contrat qui le lie à Van Hecke, Magritte a confié une part de sa production à Goemans qui espère diffuser son œuvre à Paris. Est-ce pour résister à la dynamique de groupe qu'impose Breton, pour garantir à Georgette la proximité d'amis comme les Fumières ou pour se préserver de relations sociales que sa correspondance de 1924 présentait comme impitoyables que le peintre opte pour la banlieue est de Paris et loue le 101 avenue de Rosny au Perreux-sur-Marne ? Magritte s'inquiète de l'isolement qu'impose à Georgette cette nouvelle vie. Avant de partir, il va proposer aux Nonkels, un couple de voisins bruxellois, de prendre avec eux leur fille Jacqueline afin qu'elle tienne compagnie à Georgette. Ne pouvant avoir d'enfant, celle-ci va s'attacher à la jeune fille qui fait aussi office de sœur cadette et de confidente.

Jacqueline Nonkels sera de toutes les excursions et de toutes les aventures. On la retrouvera s'amusant avec Georgette sur des Photomaton ou prenant la pose pour certaines compositions de Magritte. Le départ pour Paris témoigne d'un tournant dans la vie du couple au moment précis où celui-ci apprend qu'il n'aura jamais de descendance. Par un jeu de substitution caractéristique, un nouveau personnage fait son apparition sur quelques photographies prises au Perreux, le long de la Marne. Poil noir, œil luisant, Jackie fait son apparition dans les bras de Magritte entouré de Paul et de Georgette. Ce loulou de Poméranie est le premier d'une série. Au bout de la trajectoire qui forme la vie de Magritte apparaîtra un autre loulou, blanc celui-là, qui colonisera l'œuvre sous le titre du *Civilisateur* et fera l'objet d'un projet singulier que relatera Irène Hamoir :

> Magritte habitait à Jette. Il avait des loulous de Poméranie. Il en a eu au moins trois de couleurs différentes. Un jour, je me suis trouvée là avec Nougé. Le chien venait de mourir et il l'avait fait naturaliser. Il en avait fait [faire] une descente de lit par un empailleur. Comme quelqu'un faisait une remarque, Magritte a argumenté en disant : « Ah mais, c'est parce que je l'aimais bien. Quand Georgette mourra, je la ferai aussi empailler et je la mettrai à côté de mon lit ! » Ça avait beaucoup fait rire Nougé[53].

À la fin du mois de septembre, une fois installé, Magritte se remet à peindre et réalise plus de trente toiles en deux mois et demi. Ses premiers tableaux-mots voient le jour dans le sillage de la correspondance échangée avec Paul Nougé. Par l'intermédiaire de Goemans, il entre en contact avec Miró, Dalí, Ernst et Arp. De nouvelles perspectives s'offrent à lui.

Le 22 octobre, Van Hecke ouvre au 43 de la chaussée de Charleroi une galerie baptisée L'Époque. S'il vit désormais à Paris, Magritte n'a pas déserté Bruxelles. Placée sous la direction de ELT Mesens, cette galerie s'investira dans la présentation de l'avant-garde internationale avec, notamment, des expositions personnelles de Klee, Kandinsky, Arp ou De Chirico. Organisée en mars 1928, cette dernière sera l'occasion d'une passe d'armes entre Mesens et Nougé qui condamne l'exploitation contre leur gré de textes anciens d'Aragon, d'Éluard ou de Breton.

Peu après l'ouverture de la galerie, une présentation spéciale comprend deux tableaux de Magritte *Les Habitants du fleuve* et *Entracte*. Le 7 janvier 1928, L'Époque organisera pour deux semaines une exposition qui comprendra vingt-trois peintures exécutées en 1927, parmi lesquelles dominent les petits formats. Rédigée par Nougé, la préface du catalogue est cosignée par Gaston Dehoy, Marc Eemans, Goemans, Lecomte, Mesens, Nougé, Scutenaire et Souris qui forment désormais le groupe surréaliste belge fédéré autour de leur « complice » peintre. Un même désir de vivre une aventure collective les anime. Tous partagent un même dégoût pour la « veulerie de toutes les habitudes[54] » et en particulier pour celles qui déterminent l'esprit bourgeois. Magritte crée à Paris une peinture dont les exégètes et les défenseurs sont à Bruxelles et qui reste invisible dans la capitale française. Entre les deux, Camille Goemans fait office d'agent de liaison. Le texte publié dans le catalogue de L'Époque rend compte de l'intégration, désormais sans réserve, de Magritte au cœur du groupe surréaliste qui disposera bientôt d'une nouvelle tribune.

La reconnaissance de Magritte comme « complice » est révélatrice d'un changement d'optique de la part de Nougé qui reconnaît une place à l'activité artistique. Parallèlement, à l'instar de ce qui a été opéré à Paris depuis 1924, il s'agit d'affirmer la cohérence du groupe belge en mettant en lumière un projet qui va de la peinture à la musique en passant par la littérature. Nougé le signale dans une feuille d'annonce publiée dans les derniers mois de 1927 :

Le langage, les couleurs, les sons et les formes, mains impures qui en abusent ne sauraient faire douter du destin mystérieux et solennel auquel ne manquera pas de le vouer l'esprit qui les ploiera quelque jour à ses fins infinies.

Forts d'une telle certitude, incapables de faillir au sentiment qu'ils ont pris de leur tâche, mais circonspects, ne fondant sur leurs moyens et leurs ressources qu'à la mesure d'un engagement sans retour, quelques hommes s'appliquent de par le monde[55].

Nougé envisage de publier chez Henriquez, qui vient d'éditer *Clarisse Juranville*, une revue intitulée *Cependant*. Ce sera, finalement, *Distances*.

Entre février et avril 1928, cette revue mensuelle, fondée par Nougé et Goemans et dont le siège social est à Paris à l'adresse de Goemans — « 22, rue de Tourlac » où séjournent aussi Ernst et Miró —, voit paraître ses trois premiers numéros. Le nom même de la revue s'inscrit dans la perspective des idées développées dans la correspondance que s'échangent Nougé et Magritte : sentiment d'opérer à distance des pratiques conventionnelles et, peut-être aussi, dans le réel éloignement d'un axe qui, de Bruxelles à Paris, a conduit à la dispersion physique du groupe surréaliste bruxellois.

Magritte fournit deux textes pour le numéro initial. Il s'agit de deux courts fragments du *Théâtre au plein cœur de la vie* ainsi qu'un ensemble d'images analogue à *La Clef des songes*, toile peinte en 1930. Lexique imagé où la relation entre la figure dessinée à grand renfort d'illusionnisme et sa légende semble définitivement brouillée au point d'interdire toute communication. Suivra en mars un texte intitulé *Notes sur Fantômas* accompagné d'un dessin mettant en scène le « Roi du crime ». Le numéro d'avril comporte un texte daté du 2 avril 1928 et un dessin pour le tableau qui deviendra *Les Jours gigantesques* et que Nougé a baptisé *L'Aube désarmée*.

La quatrième livraison ne verra jamais le jour en raison de mésententes survenues entre Mesens et Goemans. Ce dernier se désolidarisera de la revue en février 1929, mettant de ce fait fin à l'aventure. Déjà éclaté entre Paris et Bruxelles, le groupe surréaliste bruxellois est désormais privé de tribune. Les projets se multiplient néanmoins. Dans une lettre qu'il adresse à Nougé le 9 février 1929[56], Goemans fait état du désir caressé par Magritte de fonder une nouvelle revue dont le concept a été esquissé dans une lettre à Marcel Lecomte. Il s'agit en fait de la première apparition d'un programme sur lequel Magritte reviendra tout au long de sa vie : fonder une revue « postale » — à la façon de *Correspondance* — dont « chaque publication serait envoyée sous enveloppe à la manière d'une lettre et n'aurait pas l'apparence d'un livre[57] ». Pour l'envoi, les feuilles seront pliées en quatre et postées sous enveloppe. À l'intention de Lecomte, Magritte réalise quelques projets de mise en page. Peu onéreuse, flexible, facilement mobilisable, l'initiative connaîtra, sous le titre *Le Sens propre*, une première concrétisation liée à la collaboration menée par Magritte et Goemans en 1929.

Dans la rencontre qui unit peinture et écriture, Goemans a, par sa proximité même, pris le relais de Nougé pour une nouvelle réalisation qui part de l'image bouleversante pour composer une trame narrative qui réoriente la représentation. Le poète s'inspirera des toiles de Magritte pour composer des poèmes qui, quoique destinés idéalement à un livre[58], seront publiés en feuillets volants. Entre le 16 février et le 16 mars 1929, cinq livraisons formeront *Le Sens propre*[59]. Sous la reproduction de *Jeune Fille mangeant un oiseau* est reproduit en guise de numéro initial le poème de Goemans « La Statue errante » :

D'un long regard aveugle elle heurte l'espace, et, seule de la terre, elle tend son miroir...
Voit-elle à ses yeux morts, usés à ne rien voir, battre et se

fendre la blancheur où elle passe, et glissant à ses pieds, cette ombre qui se meut parmi ses mouvements comme une aile de feu ; voit-elle ce regard qui se mêle avec elle, et la suit, inquiet et jaloux de savoir cette apparence sourde au monde se mouvoir, déprise, indifférente à sa grâce mortelle ?

On la voit, cependant, de tout son corps peser dans l'entaille profonde où sa prouesse lente recouvre à chaque pas la trace d'un baiser, vivant de se sentir à tout moment vivante[60].

Le poème n'illustre jamais l'image qu'il accompagne et dont, contre toute apparence, il procède. Goemans le confirme lorsqu'il confie à Éluard, en date du 16 mars 1929, qu'il déplore le fait que « [le sens de ces poèmes] serait perdu s'ils venaient à être séparés des tableaux avec lesquels ils paraissent*[61] ». Près de trente ans plus tard, Goemans reviendra sur sa complicité avec le peintre en donnant une nouvelle lecture de ses textes. Assimilant ses poèmes au travail du titre tel qu'il était mené par Magritte et par ses « complices », Goemans transpose le principe de correspondance qui unit écriture et peinture dans une forme de pensée dialoguée :

Il me semble que ces feuillets auraient tout aussi bien pu s'intituler : Réponse, ce titre qui couvrit un numéro de revue unique que je publiai, aussitôt après la dernière guerre, avec quelques amis. Mais réponse, moins au tableau lui-même, qu'à ce qui nous vaut son existence et qui commande son efficacité[62].

Avant d'aboutir au *Sens propre*, la complicité littéraire qui lie Goemans et Magritte a pris corps

---

* À Roger Allard, il précise : « Aucun de ces textes ne vaut rien à mes yeux sans la reproduction qui l'accompagne. » (C. Goemans, « La Statue vivante », in *Œuvres, op. cit.*, p. 248-249).

dans les premiers mois de 1928 lorsque l'un et l'autre ont entamé la rédaction d'une nouvelle intitulée *Les Couleurs de la nuit*. En avril, Magritte signale à Nougé son désir de l'éditer dans le quatrième numéro de *Distances*, à condition que Goemans trouve le temps de l'achever[63]. Le texte restera longtemps inabouti. Goemans le confirme à Nougé en date du 23 juillet[64]. Quelques mois plus tard, les lettres que s'échangent Magritte, de passage à Bruxelles, et Goemans, resté à Paris, témoignent d'un travail soutenu en vue de conclure[65]. Un an plus tard alors que *Distances* a disparu, Goemans en soumettra le manuscrit à Breton afin de l'intégrer au numéro spécial que *Variétés* consacre au surréalisme. Vu la longueur de ce texte, Breton écartera la proposition[66]. En réponse, Goemans lui écrit :

Il n'y a vraiment pas lieu d'être désolé, mon cher ami. Je suppose qu'il se trouvera bien d'autres circonstances où nous pourrons nous engager ensemble. Il va de soi que ni Magritte ni moi-même, nous ne supporterions que vous ayez, de notre fait, des frais supplémentaires. D'autre part, ce texte, comme vous pouvez le penser, est aussi bon à détruire qu'il l'était à publier. Il nous a rendu déjà, à peu près, tout le service que nous lui demandions, et c'était là le mérite bien particulier, et pour nous extraordinaire, qu'il avait[67].

Au-delà de la formule de politesse non dénuée de componction, la finalité du projet peut surprendre. Est-ce pour sauver la face que Goemans en minimise la portée alors que le rejet du texte aura pour conséquence sa disparition du sommaire de *Variétés* ? En 1956, dans la conférence qu'il consacrera à Magritte, il reviendra sur l'aventure, avouant que la nouvelle fut composée avec « de moins en moins de conviction au fur et à mesure qu'[elle] progressait ». Et d'en conclure : « Je ne regrette pas, pour ma part, que Breton ait égaré le manuscrit[68]. » Tel ne fut pourtant pas le cas. La version finale, reléguée par Breton, restera dans les archives de P.-G. Van Hecke qui les confiera à Émile Langui. Le manuscrit de vingt-cinq pages, soigneusement recopié dans un cahier d'écolier de toile rouge, correspond à la description qu'en donne Breton dans sa lettre à Goemans. Il ne réapparaîtra qu'en 2008[69]. Le texte ne restera pas pour autant intégralement inédit. Magritte et Goemans travaillant chacun de leur côté, les états du texte sont constitués d'ensembles distincts qui ont connu leur maturation propre. Ainsi, Marcel Mariën trouvera dans les papiers de Paul Nougé un fragment de sept feuillets de la seule main de Magritte, abondamment annoté. Présenté comme une « troisième version[70] », il sera publié en fac-similé en 1978 avant d'être intégré aux *Écrits* du peintre[71].

Au-delà de ce texte à quatre mains avec Goemans et du soutien apporté par Nougé dans la rédaction, le texte témoigne de l'ambition littéraire de Magritte. Celle-ci surprendrait si elle était isolée. En ces années de surréalisme, le peintre ne cantonne pas sa conception de l'écriture à des notes et à des aphorismes à portée théorique. Il puise dans la littérature un univers imaginaire qui conditionne largement la dimension narrative de sa peinture et qui, en retour, fait de ce que la peinture tait l'argument d'un propos littéraire. Marqué par la littérature populaire, le peintre, s'en inspire pour déployer un monde marqué par l'absurde et le non-sens. Un monde étrange régi par des principes désormais inconnus qui saisissent la conscience et la frappent de stupeur.

L'écriture offre peut-être aussi un refuge à l'artiste dont l'intégration au sein du groupe surréaliste ne s'effectue pas avec facilité. Goemans en rend compte dans une lettre qu'il adresse à Nougé :

> Breton est un secret comme toujours, et le commerce que l'on peut avoir avec lui n'altère jamais, ni ne peut modifier l'image que nous nous étions faite de son caractère et de ses intentions. En fait, c'est dans ma pensée que je retrouve le mieux ces divers personnages et quelques instants de méditation me servent mieux que leur conversation. Je vis donc un peu en marge, et sans doute, ils s'en aperçoivent. Cette attitude ne laisse certainement pas de les froisser un peu. [...] Il faudrait, pour leur plaisir, se laisser absorber. Je m'en sens de plus en plus incapable. Ce que je tentais il y a deux ans me paraît impossible aujourd'hui. Voilà pour les surréalistes[72].

La situation de Magritte témoigne d'une marginalisation plus grande encore. Déjà en octobre 1927, contrairement à Goemans et à Nougé, il ne figurait pas parmi les signataires du tract *Permettez !*, de même qu'il n'était aucunement repris dans *La Révolution surréaliste* parmi les artistes pressentis pour être exposés à la Galerie surréaliste. Au grand dam de Goemans qui s'en plaindra auprès de Nougé[73]. Au printemps, Magritte n'est plus impliqué dans deux manifestations surréalistes d'envergure : la publication du livre de Breton *Le Surréalisme et la Peinture* et l'exposition à la galerie Au sacre du Printemps.

## LE SURRÉALISME EN 1929

Confiné à sa banlieue, à la marge de la mouvance surréaliste parisienne, Magritte poursuit inlassablement sa recherche. Tout au long de 1928, il resserre sa facture, affirme la précision mimétique de la représentation — Goemans parlera même d'une « facture infiniment plus soignée[74] » — afin de faire de l'illusion la condition même d'une critique de la réalité. Cette transformation s'avère particulièrement sensible dans le rendu des objets — valise, tuba, fusil, table, chaise… — qui prennent une place de plus en plus centrale dans la poétique du peintre. Le changement de facture s'accompagne d'un ralentissement de la production. Peu à peu, Magritte éclaircit sa palette et joue d'une touche plus fluide.

Si Paris semble sourd, Bruxelles œuvre à la reconnaissance du surréalisme et met Magritte au premier plan de l'avant-garde bruxelloise. Sous la direction de Van Hecke, *Variétés* s'intéresse d'autant plus à l'activité surréaliste que la revue s'attache à tous les secteurs de l'actualité culturelle même si, en coordination avec la galerie L'Époque que gère Mesens, les arts plastiques occupent une place prépondérante. En juin 1929, sous une couverture qui reprend le thème des *Amants* que Magritte a décliné en peinture durant les derniers mois de 1928[75], *Variétés* offre une tribune au surréalisme tel qu'il se présente cette année-là. Le numéro fait le point sur le débat qui lie surréalisme et communisme. En février, Breton et Aragon avaient adressé, par l'intermédiaire de Raymond Queneau, une lettre-questionnaire à quelque soixante-quinze adhérents et sympathisants de la nébuleuse surréaliste dans laquelle ils demandaient de choisir entre une action individuelle et une action collective dont les modalités devraient être précisées. Adressée à chacun des intervenants des trois livraisons de *Distances*, la lettre est accompagnée d'une invitation impérative à prendre part à une séance durant laquelle, après lecture des réponses reçues, des actions surréalistes — au sein du parti communiste ou en dehors — seront débattues.

Voulant mettre de l'ordre dans la mouvance surréaliste, Breton inclut les Belges en les sommant de prendre part à ce qui, peu ou prou, ressemblera à un procès. Son intention est simple : exclure ceux qui exploitent à titre individuel la méthode surréaliste à des fins strictement subjectives ou anarchisantes.

La réunion prendra la forme d'un tribunal convoqué au Bar du Château, à Paris, le 6 mars 1929. Magritte et Goemans, qui vivent alors à Paris, sont présents. Mesens fera le déplacement. Absents, Nougé et Souris avaient envoyé une réponse écrite. Mesens est le seul à se rallier sans réserve aux attentes de Breton. Souris, Goemans et Magritte acceptent du bout des lèvres un principe que Magritte détourne en poétique : « L'action commune pour-

rait avoir un prestige redoutable. Elle ferait entendre davantage ce que *Poésie*, par exemple, peut
laisser entendre[76]. » Nougé, quant à lui, a biaisé le
propos. Laissant dans l'ombre la question posée,
il s'attache à définir le principe de « discrétion
active » qui lui donne l'occasion d'une subtile critique de Breton lui-même. »

Grâce à l'intervention de Mesens, l'ensemble de
l'enquête menée par Breton et du débat qui en
découlera sera publié — sous le titre « À suivre.
Petite contribution au dossier de certains intellectuels à tendance révolutionnaire (Paris 1929) » —
dans un numéro spécial, hors abonnement, de
*Variétés* sous le titre *Variétés, Le surréalisme en 1929.*

## MUSIQUE EN TÊTE

Les amitiés nouées en Belgique offrent à Magritte
l'occasion de présenter ses recherches récentes. Le
20 janvier 1929, grâce au soutien de Pierre Crowet,
un jeune avocat dont il avait fait la rencontre lors
de manifestations organisées au début des années
1920 par La Lanterne sourde, il bénéficie d'une
exposition d'une journée à la salle de la Bourse de
Charleroi. Et cela, à l'occasion d'un récital de
musique moderne placé sous la direction d'André
Souris[77]. Grâce à l'intervention de Mesens, dix-
huit peintures de Magritte, exécutées entre 1926
et 1928, sont présentées au public dont *Les Jours
gigantesques* et *La Catapulte du désert.* En ouver-

ture du concert, Paul Nougé donne une conférence qui souligne l'importance de l'expérience musicale dans la démarche poursuivie par le Groupe surréaliste bruxellois. Cette introduction — dont le texte ne sera édité à Bruxelles qu'en 1946[78] — prend le contre-pied de Breton ou de De Chirico tous deux hostiles à la création musicale. Aux yeux de Nougé, la musique est dangereuse car son empire est sans limites. Échappant au langage parlé, immatérielle, et donc irréductible à une image, elle échappe au pouvoir de la raison. Nougé assigne à la musique la capacité de réaliser pleinement le projet bouleversant auquel s'identifie le surréalisme. Une musique encore à inventer qui sera capable d'« inventer des sentiments, et peut-être, des sentiments fondamentaux, comparables en puissance à l'amour ou à la haine[79] », annonce-t-il.

Littérature, peinture et musique se rejoignent ainsi dans une performance qui ne cherche plus la polémique ni le scandale mais inaugure un horizon artistique nouveau dominé par « l'objet bouleversant » dont, écrira Souris, « la puissance secrète s'insinue pour jamais et travaille le cœur même de ceux qui s'en approchent, et qui en sont dignes[80] ».

Les quelque trois cents auditeurs-spectateurs resteront aussi désemparés que la critique qui fera, dès lors, assaut de sévérité. Notamment à l'endroit de Magritte dont les œuvres forment un environnement jugé hermétique. Le critique du *Rappel* affichera sa perplexité : « Un catalogue étant venu à notre secours, nous devons avouer naïvement qu'il augmentait notre ignorance au lieu de la diminuer. Il serait préférable, à notre sens, de lire le catalogue et de ne pas regarder les tableaux[81]. »

## CRISE ET KRACH

Dès les premiers mois de l'année 1929, la crispation de l'économie fait sentir ses premiers effets sur un commerce d'art fragile. En reprenant la part de la galerie L'Époque, Le Centaure hérite du contrat qui liait Van Hecke à Magritte. L'Époque cessera ses activités en avril. Jean Milo, directeur adjoint du Centaure, remplacera Mesens qui se lancera dans le négoce sous son nom. En décembre 1930, il ouvrira sa propre galerie à Bruxelles, rue de la Pépinière. Celle-ci n'aura qu'une existence éphémère durant laquelle Mesens présentera l'œuvre de Arp, Eemans, Ernst, Magritte, Miró et Man Ray. Engagé, au printemps 1931, comme secrétaire du Palais des beaux-arts, Mesens fermera sa galerie, soldant ainsi une aventure financièrement hasardeuse.

En juillet 1929, Le Centaure — que le surréalisme n'a jamais enthousiasmé et qui traverse des difficultés financières aiguës — met fin au contrat qui lie la galerie à Magritte*. Son stock de toiles

---

* Il est aussi possible que, conformément à ce qu'il déclare dans une lettre adressée à Marcel Lecomte en date du 13 juillet 1929 (citée in D. Sylvester (Éd), *René Magritte. Catalogue raisonné, op. cit.*, I, p. 103), Magritte ait mis un terme au contrat qui le lie à une galerie que son œuvre indiffère. Et cela sans doute sous la pression d'une promesse de Goemans de reprendre le contrat (C. Goemans, *Lettre à Janlet*, 17 septembre 1929, Houston, The Menil Foundation, Archives Sylvester).

s'avère dangereusement important : sur les deux cent vingt-cinq peintures livrées dans le cadre de son contrat, plus de deux cents sont restées invendues. L'ensemble demeurera intact jusqu'à la liquidation de la galerie en octobre 1932. Aucune œuvre de Magritte ne figurera dans la vente organisée les 17, 19, 24 et 25 octobre 1932. Mesens reprendra l'ensemble pour 5 000 francs belges[82]. Privé du salaire que lui versait la galerie, Magritte cherche dans la précipitation une solution alternative. Il croit la trouver en Goemans qui envisage d'ouvrir une galerie à Paris. Fort de la vente des œuvres de Magritte qui lui avaient été confiées, Goemans accède à la requête du peintre et le prend sous contrat. Soulagé quant à ses revenus, Magritte espère que cette solution lui offrira aussi la possibilité d'exposer à Paris pour bénéficier, enfin, d'une reconnaissance qui tarde.

Alors qu'à Bruxelles le jeu des galeries se complique, à Paris l'intégration de Magritte dans les cénacles surréalistes progresse. Soutenu par Goemans et Nougé, peut-être aussi par Miró, Magritte attire enfin l'attention de Breton. Celui-ci fera l'acquisition d'œuvres de 1928 comme *La Loi de la pesanteur*, *La Légende des guitares*, *Querelle des universaux* ainsi que *Le Parfum de l'abîme*[83].

Au printemps, grâce à Goemans, Magritte rencontre Dalí de passage à Paris pour le tournage d'*Un chien andalou*. Le Catalan est intrigué par l'œuvre d'un artiste qu'il considérera comme un des plus « mystérieusement équivoques ». À tel point qu'invité à dîner par Miró en compagnie d'une certaine Marguerite il prendra celle-ci pour Magritte et se dira prêt à en tomber amoureux quelle qu'en soit l'hypothétique beauté[84]. Chroniqueur pour un journal de Barcelone *La Publicitat*, Dalí rendra compte à plusieurs reprises de l'œuvre de Magritte, devenant de la sorte un des premiers exégètes de *La Trahison des images* qui répond d'abord à *Ceci est la couleur de mes rêves* de Miró.

Au mois d'août 1929, à l'instigation de Dalí, les Magritte louent un appartement à Cadaquès qu'ils partagent avec Goemans et sa compagne, Yvonne Bernard. Gala et Paul Éluard s'installeront dans un hôtel, non loin de la résidence d'été de la famille Dalí. Il est prévu que Miró et Buñuel leur rendent visite. Un été surréaliste en Catalogne se prépare.

## LA FOLIE CADAQUÈS

Au-delà des frasques de Dalí, qu'amplifiera la rencontre de Gala immédiatement transformée en assomption passionnelle, sa peinture, portée par une technique méticuleuse qui frise le délire visuel, impressionne Magritte qui trouve dans l'hyperréalisme de la facture cet impératif d'évidence qui conditionne sa recherche de l'image poétique. Avec cette vue de mer, faussement classique, où les nuages ont pris la forme d'une chaise, d'un tuba et d'un torse de femme, *Le Temps menaçant* rend compte de l'ascendant du Catalan. Magritte peint aussi *L'Arbre de la science* et *La Naissance des fleurs* qu'il offrira à la sœur de Dalí. Dans ses souvenirs[85], celle-ci ne mentionne pas la visite des amis belges durant l'été 1929. Tout au plus fait-elle allusion à l'arrivée de Parisiens qui contribuèrent à corrompre la naturelle extravagance de son frère, ainsi qu'à affoler sa peinture désormais « compromise » par le surréalisme. Et de citer *Le Jeu lugubre*, toile à laquelle Dalí travailla durant cet été, comme symptôme de ce déclin moral.

Ce voyage donne à Magritte l'occasion de découvrir Paul Éluard avec lequel il noue une profonde et durable amitié. Éluard réunira un ensemble important d'œuvres de Magritte auquel il consacrera différents textes et poèmes. Durant ce séjour, Éluard et Goemans, conscients des conditions nécessaires à une réussite parisienne, tenteront de convaincre Magritte de se défaire de cet épais accent wallon qu'il se plaît à l'occasion encore à accentuer par anticonformisme.

À la rentrée, Goemans ouvre au 49 rue de Seine la galerie dans laquelle Magritte place toutes ses espérances. La première exposition présente ses artistes sous contrat : Arp, Dalí, Tanguy et Magritte. Trois autres expositions seulement verront le jour : Arp, en novembre, suivi par Dalí et, en 1930, une manifestation consacrée au collage organisée avec Aragon. Malgré le soutien financier d'un Hollandais nommé Rott, la situation de Goemans reste précaire : la crise s'aggrave. De nombreuses œuvres restent sans acheteur et son partenaire ne connaît rien au négoce de tableaux. Dans ce paysage contrasté, l'exposition Dalí constitue un succès inespéré qui fera d'autant plus rêver Magritte. Toutes les œuvres ont été vendues avant le vernissage. La manifestation bénéficie en outre d'une belle couverture critique. Ce triomphe permettra à Goemans de surmonter pour un temps ses difficultés. Quoique rares, les œuvres se vendent bien et cher. Dans une lettre à Pierre Janlet, Goemans décrit de manière détaillée la spéculation dont la peinture de Dalí fait l'objet* et qui a dû pousser Magritte à analyser celle-ci de plus près.

Le numéro 12 de *La Révolution surréaliste* paraît le 15 décembre. Quatre contributions de Magritte y figurent comme autant de preuves de son intégration, lente mais réussie, dans le cénacle de Breton. À côté de sa réponse à l'enquête « Quelle sorte d'espoir mettez-vous dans l'amour ? », on découvre un photomontage *Paris en 1930* où des vaches paissent paisiblement devant l'Opéra de Paris. La mise en page, incorporant *La Femme cachée* encadrée par les Photomaton des membres du groupe surréaliste, reprend la présentation choisie en 1924 pour le premier numéro de la revue : vingt-neuf portraits encadrant le portrait central de Germaine Berton. En bas de page, figurait la

---

* « Ce succès m'effraie un peu dans le sens que je ne sais pas très bien comment il me sera possible de concilier les devoirs de l'amitié avec les mesures commerciales qui s'imposent pour l'instant. Je puis vous affirmer qu'un tableau de Dalí, de dimensions quelconques, vaudra dix mille francs avant la fin de cette saison, sans que nous ayons même à intervenir. Une toile que j'ai eu la mauvaise idée de vendre avant les vacances a été rachetée ces jours-ci pour le double du prix que je l'avais vendue. Et je m'attends à d'autres surprises. » (C. Goemans, *Lettre à Janlet*, 17 septembre 1929, Houston, The Menil Foundation, Archives Sylvester).

citation de Baudelaire faisant de la femme « l'être qui projette la plus grande ombre ou la plus grande lumière dans nos rêves ». En écho, les portraits des principaux représentants du mouvement encadrent maintenant la représentation de *La Femme cachée* : un nu qui au milieu du tableau vient se substituer au mot « femme » de la phrase qui, devant la figure, déclare « je ne vois pas la », et derrière, complète « cachée dans la forêt ». Magritte met aussi en œuvre un principe qu'il développe dans le même numéro au fil de son texte le plus connu : *Les Mots et les Images*. Celui-ci constitue une des contributions majeures à l'art du XXᵉ siècle. La série de propositions que livre le peintre éclaire les œuvres de la série des « tableaux-alphabets » entamée au même moment. Magritte y dresse son inventaire des relations qui unissent texte et image. Il circonscrit un rapport de correspondance qui aboutira — avec *La Trahison des images* de 1929 — à la négation de toute équivalence possible entre lisible et visible. Non que le langage soit opaque et qu'il interdise toute évidence à la représentation. Au contraire, c'est sa transparence même — cette qualité mimétique autour de laquelle sa peinture s'est resserrée depuis 1928 et à laquelle la démarche de Dalí a apporté sa confirmation — qui conduit Magritte à lier indéfectiblement communication et mensonge.

L'ensemble du texte s'est constitué méthodiquement. Magritte semble avoir caressé très tôt le projet d'un essai à portée théorique qui ferait la synthèse de son cheminement entre peinture et écriture : cheminement largement tributaire des échanges avec

Nougé. La possibilité de passer d'un registre à l'autre est d'emblée légitimée par une formule qui veut que « les mots sont de la même substance que les images ». Magritte expérimentera l'équivalence dans les deux sens : en créant des tableaux où les figures sont remplacées par des mots et d'autres où les mots sont inscrits dans des toiles qui en font des objets représentés. Dix-huit idées clés sont ainsi développées. Dans certains cas, l'affirmation ne trouve véritablement sa dimension révolutionnaire qu'à l'épreuve de l'image. C'est le cas de la première figure avec une feuille d'arbre arbitrairement dénommée canon. La portée poétique réside dans le détournement de l'évidence. Dans d'autres cas, l'image se défait de son rôle d'illustration pour incarner la chose en soi lorsque le peintre affirme : « Il y a des objets qui se passent de nom. » Expérience qui renvoie à une représentation de la femme moins « cachée » que pleinement assumée dans l'irréductibilité de sa présence. Il arrive aussi que l'image constitue le lieu de formulation théorique. Il est intéressant de noter que dans ce cas — il s'agit des avant-dernière et dernière propositions — Magritte ancre son propos dans une lecture affinée du discours des avant-gardes. Lorsqu'il affirme que « les noms écrits dans un tableau désignent des choses précises et les images des choses vagues[86] », il stigmatise l'aspiration à l'informel d'une abstraction gagnée par le geste. Le mot prend alors une dimension mimétique même si, plus haut, Magritte évoquait la possibilité de recouvrir arbitrairement n'importe quelle forme de n'importe quel mot. Mais cette même illusion de réalité perd toute figurativité lorsqu'elle est confrontée à l'objet saisi dans son objectivité froide. Au statisme du langage parlé — incarné ici par les mots « canon » ou « brouillard » — répond l'écart qui oppose la tache soumise à des pulsions intérieures à l'objectivité non moins illusoire du rendu photographique.

Depuis 1928, l'intérêt de Magritte s'est porté sur la signification de la représentation mimétique. Il en affirme dans ce texte majeur le côté conventionnel — « Tout tend à faire penser qu'il y a peu de relation entre un objet et ce qui le représente[87] » — en prélude à la dénégation radicale qu'incarnera *La Trahison des images*. Ramené à l'évidence visuelle — la figure de la pipe qui brouille l'assertion *Ceci n'est pas une pipe* —, le propos tend à souligner l'unité de substance de l'objet représenté en peinture avec sa représentation écrite — le mot « pipe » dans cette graphie qui se fera aussi matiériste —, même si les deux niveaux de réalité sont juxtaposés à l'instar d'un collage que relie l'un à l'autre le « Ceci » qui condamne tant le visible que le lisible. Magritte pense-t-il à Nougé lorsqu'il fait précéder cette affirmation de celle qui veut qu'un « objet fait supposer qu'il y en a un autre derrière » ? Le dessin d'un mur — motif qui reviendra régulièrement dans l'œuvre sous des formes multiples — renvoie peut-être à la lettre que Nougé lui avait adressée en novembre 1927 et à son long développement sur le mur comme écran et comme masque d'un au-delà qui promet « surprise » et « terreur inconnue ». Et Nougé, prémonitoire, de faire un vœu : « Le mieux que nous puissions nous souhaiter, c'est de découvrir derrière le mur abattu, plus loin, d'autres murailles dont nous ignorons la texture et la résistance et qui vont exiger de notre malice des engins nouveaux qu'il nous faudra inventer de toutes pièces[88]. »

## ENLISEMENT ET DÉCONVENUE

La déclinaison de principes que Magritte livre dans son texte *Les Mots et les Images* suit pas à pas la progression de l'œuvre depuis son arrivée à Paris. Alors que, grâce à l'invention des « tableaux-mots », il a fini par s'imposer peu à peu au sein de la coterie réunie autour de Breton, un événement va précipiter sa relégation. Le 14 décembre, lors d'une réunion chez Breton, Magritte et ce dernier s'affrontent à propos d'une croix que Georgette portait au cou. Alors que Breton lui demande de retirer cet « objet », celle-ci préfère s'en aller suivie immédiatement par son mari[89]. L'événement sera relaté par Luis Buñuel qui assistait à la soirée. Jacqueline Nonkels s'en fera aussi l'écho régulier. Bien qu'il professe un anticléricalisme qui renvoie à ses années de jeunesse et, sans doute, à la figure paternelle disparue depuis peu, Magritte montre où vont ses attachements. Quelle que soit la fascination qu'André Breton exerce sur lui — tant par le verbe haut que par l'intensité de la pensée —, Magritte préfère suivre cette femme à laquelle il est lié par une passion intense. À l'esprit de corps, il préfère cet espoir mis dans l'amour que seule une femme, ainsi qu'il l'a écrit dans sa « Réponse à l'Enquête sur l'Amour », transformera en réalité.

Au-delà de son opposition à Breton — acte pour le moins téméraire —, l'anecdote vaut pour ce qu'elle révèle de la relation qui lie le peintre à cette femme dont le corps se fait *Tentation de l'impossible* pour incarner l'« éternel féminin ». Dans sa nudité, la femme imposée comme la face solaire ayant dissipé les tourmentes d'un psychisme qui, depuis la mort de sa mère, donnait le ton à l'homme comme à l'œuvre. Si, depuis 1924, l'action conjointe de Georgette et de la peinture a donné à Magritte un certain équilibre, la femme synthétise désormais un idéal par lequel son corps comme objet — question bientôt au cœur de la recherche — est sublimé en promesse d'avenir.

La brouille durera deux ans. Breton ne fera pas mention de Magritte dans son *Second Manifeste*. L'artiste sera également exclu de la déclaration de solidarité comportant vingt et une signatures — dont celles de Goemans et de Nougé — qui sera insérée au *Manifeste*. Il ne réapparaîtra dans l'organisation parisienne qu'en mai 1933, dans les pages des deux derniers numéros du *Surréalisme au service de la Révolution*.

Ce conflit le marginalise et l'isole doublement : psychologiquement, dans son statut de Belge provincial et, physiquement, dans sa banlieue du Perreux. Pourtant, Magritte peint dans les premiers mois de 1930 plusieurs œuvres majeures. Il exécute deux grandes toiles, *Au seuil de la liberté* et

*L'Annonciation*, en vue de l'exposition à la galerie Goemans, désormais programmée pour le mois de mars. Elle ne verra jamais le jour. Tout à sa jubilation créatrice, Magritte produit ses premières œuvres au motif fragmenté comme *L'Évidence éternelle*.

La rupture avec Breton a pour effet que le peintre ne peut plus compter que sur ses seuls « complices » belges. Ainsi, la préface de Paul Éluard n'étant plus de mise, il se tourne à nouveau vers Nougé. Ne disposant pas de photographies de ses œuvres récentes, il informe le poète de l'évolution de ses recherches dans des lettres rehaussées de croquis détaillés[90]. Nougé y répond favorablement et s'informe auprès de Goemans des conditions de cette manifestation qu'il ne voit pas comme « une "exposition" au sens commun du terme[91] ».

L'événement, qui devait, enfin, révéler Magritte à Paris, a été reporté pour laisser place à une exposition de collages et de papiers collés que Goemans organise en collaboration avec Aragon. Elle occupera les cimaises de sa galerie du 28 mars au 12 avril 1930. En préface du catalogue, Aragon publie son texte, désormais célèbre, *La Peinture au défi* dans lequel il expédie Magritte sans plus d'attention. Gouaches et collages constituent pour Aragon autant de moyens d'éprouver la peinture. Liant en une même perspective cubisme, dada et surréalisme, l'exposition offre toutefois à Magritte l'occasion de transposer la relation écriture-peinture sur le plan du collage. Aujourd'hui perdue, l'unique œuvre qu'il y expose n'est connue que par une reproduction publiée — en témoignage de solidarité ? — par Goemans dans le catalogue. Magritte y applique un principe, énoncé dans *Les Mots et les Images*, qui veut qu'une « forme quelconque peut remplacer l'image d'un objet ». Découpées dans du carton d'emballage, trois figures arrondies dans le style des reliefs de Hans Arp occupent la deuxième ligne d'un texte qui dit que « les … naissent en hiver[92] ». Fidèle à sa passion pour la musique populaire, Magritte reprend ici le titre d'une chanson à la mode. Le mot « hirondelles » vient donc, spontanément et naturellement, se superposer aux trois figures abstraites !

# L'art du problème

Les jours sombres s'amoncellent. En avril 1930, alors que le marché de l'art s'effondre en Europe, Yvonne Bernard, sa maîtresse, quitte Goemans pour Rott, son partenaire financier. La rupture précipite la chute de la galerie que Goemans ferme avant de quitter Paris. Après avoir été hébergé un moment par les Magritte, il reviendra s'établir à Bruxelles pour y trouver un emploi de directeur adjoint à l'Office belgo-luxembourgeois du tourisme[1]. Le projet d'exposition que Magritte caressait s'évanouit en même temps que le contrat qui lui assurait un salaire mensuel. La correspondance que le peintre entretient avec ses amis restés à Bruxelles révèle un Magritte inquiet. Isolé, sans ressources, il renonce à la peinture et, comme en 1924, se met en chasse d'un emploi dans la publicité. La survie du couple dépend alors entièrement des livres que Magritte revend chez des bouquinistes parisiens et de l'aide matérielle apportée par le père de Georgette. Une lettre de mai 1930, adressée à Nougé, rend compte de son dénuement.

Ma situation n'est pas très facile pour le moment. Depuis mon retour ici, je cherche un emploi sans rien trouver. Je compte retourner à Bruxelles, définitivement, si à la fin de ce mois les démarches que j'ai faites n'aboutissent pas. Il le faudra, car je ne puis compter sur personne ici pour m'aider.

Mais en attendant, pensez-vous que j'aurais quelque chance en me présentant comme dessinateur de publicité, employé si possible, dans un grand magasin, le Bon Marché ou l'Innovation ? Je crois que vous connaissez des personnes susceptibles de vous renseigner à ce sujet ? Vous me rendriez un grand service, si vous vouliez penser à cela[2].

Le 5 juin, informé par Goemans et Nougé des difficultés que traverse Magritte, Mesens prend contact avec le peintre et lui propose de racheter en bloc l'ensemble des œuvres dont il disposerait encore[3]. Cinq jours plus tard, le peintre répond positivement à cette offre inespérée et décrit l'ensemble des œuvres qu'il a conservées. Les lettres qu'il envoie à Mesens révèlent que de nombreux tableaux exécutés depuis l'installation à Paris sont restés sans titre. Ainsi, ce qui deviendra *L'Évidence éternelle* est alors décrit comme un « corps de femme formé par 5 petits tableaux[4] ». Magritte et Mesens parviendront à s'entendre. Ce dernier rachètera l'ensemble — soit huit tableaux et trois « toiles découpées » — pour une somme supérieure à ce qu'en espérait Magritte.

Les quelque 11 000 francs belges de l'époque réunis permettront au couple de quitter Paris en juillet pour s'installer rue Esseghem, à Jette, dans la banlieue bruxelloise. Le retour en Belgique ne résonne pas comme le triomphe que Magritte avait espéré à son départ, moins de trois ans plus tôt. Les faibles moyens dont disposent Magritte et sa compagne leur imposent de vivre avec une parcimonie dont il ne se défera pas avant les années 1960. Il s'agit d'abord de trouver un toit. Sans enthousiasme, Magritte optera pour Jette, une commune populaire de la périphérie ouest où il trouvera un rez-de-chaussée en location. Il veut ainsi faire plaisir à Georgette qui se rapproche de sa sœur Léontine. Le quartier est pourtant désolant. La maison fait face à une prairie bientôt rattrapée par l'urbanisation. Avec leurs gazomètres et leurs ponts lépreux, les environs sont sinistres. Magritte se plaindra plus d'une fois de la laideur des rues entourées de palissades souillées et comme mises en cage. En 1942, Scutenaire livrera une description précise du logis qui sera le théâtre d'une création abondante :

[Magritte] y est locataire d'un rez-de-chaussée qui se compose de sept pièces si l'on compte le corridor en partie commun à tous les locataires de l'immeuble.

Le salon donne sur la rue, il est gracieusement meublé dans un style XVIII<sup>e</sup> que relève un gros piano noir aux dents blanches, un piano moderne et sans queue.

L'atmosphère de la chambre à coucher, bleu verdâtre à rappels rouges et noirs, est celle de certains tableaux que l'on connaît de lui. La fenêtre a vue sur le jardin.

Un hall privé, minuscule, renferme le porte-manteaux et un rayonnage supportant des romans policiers.

Dans la salle à manger, Magritte peint, se nourrit, reçoit ses visiteurs, mène la vie quotidienne. De cet endroit, l'on apercevait jadis la volière pleine d'oiseaux : depuis oiseaux envolés, leur habitacle a servi de bois de chauffage.

À la suite s'ouvre la cuisine, petite, dans laquelle donnent la salle de bains et les vatères. Le jardin n'est pas très grand et un hangar-atelier le termine qui est un véritable capharnaüm.

Capharnaüm aussi la mansarde-grenier où le peintre entrepose les déchets de sa vie et suspend des guirlandes : céleris et oignons que son potager lui a fournis[5].

La salle à manger de la maison se prête mal à l'exercice de la peinture. Magritte y travaillera vingt-quatre ans durant, donnant naissance à quelques-unes de ses images poétiques les plus connues. Scutenaire poursuit la visite :

J'ai négligé, à tort, en racontant tout à l'heure son installation professionnelle dans un angle de la salle de famille, de dire que la sobriété de cette installation — si on peut la considérer comme exemple et indice moraux — ne laisse pas d'occasionner à l'artiste quelques ennuis.

Les dimensions de la pièce étant médiocres, il est empêtré, il est cerné par la table, la porte et le poêle. À l'une il se cogne, l'autre le rissole et le battant qui s'ouvre aux allées et venues, lui frappant le bras, dévie le pinceau.

Par la haute fenêtre, le soleil vient le faire suer ou, tombant d'aplomb sur la toile, la change en miroir dont les reflets aveuglent. Et quand le soleil se cache ou se couche, le travailleur y voit à peine car la lumière est maladroitement distribuée.

[...]

Et l'on peut croire qu'aux raisons profondes qu'il a d'en vouloir à la peinture, ces aléas matériels ne prêtent pas une aide négligeable[6].

Les conditions de vie sont parfois précaires. Dans l'atelier à l'arrière de la maison, Magritte a installé un studio de fortune où il développera ses activités de dessinateur publicitaire sous le nom de Studio Dongo. Cette obligation commerciale entraîne une réduction de sa production picturale jusqu'en 1934 : moins de cinquante toiles et une douzaine de gouaches. Production restreinte mais néanmoins décisive. Évoluant désormais en marge du marché de l'art, Magritte peut continuer ses recherches librement. Sans aucune pression ni du milieu surréaliste parisien, ni du marché en tributaire de la demande, Magritte peut poursuivre l'exploration méthodique de son univers imaginaire. Pourtant, les illusions qui avaient nourri le départ pour Paris se sont évanouies. Magritte doute à présent, sinon de son œuvre, tout du moins de cette reconnaissance qui ne pouvait venir que de Paris. Après avoir battu en retraite, le peintre va se replier au milieu de ses complices qui forment une garde rapprochée dont il est de plus en plus le centre de gravité. Ces amitiés, bientôt renforcées de nouvelles adhésions, protégeront Magritte d'un doute destructeur. Elles le porteront de l'avant malgré la crise et la rupture avec Breton. Elles concourront à affirmer l'autonomie de l'œuvre et l'indépendance de l'homme à l'égard d'un milieu qui l'a rejeté et auquel il ne pardonnera jamais. De retour à Bruxelles, Magritte assumera le provincialisme — la référence récurrente à Pascal ira en ce sens — qui définit sa situation à la fois au cœur de l'esthétique surréaliste et à la marge de sa vie sociale.

Mais il faut vivre ! Et assurer à Georgette ce mode de vie qui semble constituer la condition d'épanouissement de leur couple. Magritte revient donc à ce qu'il appelle ses « travaux imbéciles » et relance une activité publicitaire dont il croyait s'être définitivement défait.

La correspondance atteste d'un enthousiasme pour le moins émoussé pour cet univers. Magritte ne fait plus de l'affiche un emblème de modernité, mais le théâtre privilégié de la norme faite nombre. Évoquant, en 1931, à l'adresse de Nougé un travail dont l'effet, remarquable, lui semblait « du même ordre qu'un tableau réussi », il déplore qu'il faille « absolument des choses médiocres pour le public[7] ». La publicité ne constitue plus un élément de son imaginaire, mais un viatique sur lequel il ne peut faire l'impasse.

## EXPOSER ENCORE

Peu à peu, Magritte reprend pied dans un milieu bruxellois qu'il n'a jamais vraiment déserté. Sans lui offrir les conditions financières qu'il avait connues avec Van Hecke ou Goemans, Mesens prend le relais de ce dernier. C'est lui qui, en ces temps incertains, se fait le défenseur et le propagandiste de son œuvre. Mesens est convaincu que c'est depuis Bruxelles que la réputation du peintre se bâtira. Et d'abord à partir d'expositions qui le situent dans le contexte le plus large possible. Magritte adhère à l'idée et rallie diverses associations. Ainsi, du 17 au 28 janvier 1931, il participe à l'exposition « L'Art vivant en Belgique, 1910-1930 » qui se tient à la galerie Giroux de Bruxelles. La manifestation inaugure les activités de la société L'Art vivant qui a pour but de promouvoir l'art contemporain. Deux mois plus tard, il exposera au sein de cette même galerie dans le cadre d'une exposition réunissant des artistes wallons.

Le 9 février 1931, s'ouvre la première exposition personnelle de Magritte à Bruxelles depuis son retour de Paris. Elle est organisée par ELT Mesens à la salle Giso, rue d'Arenberg, que son propriétaire, Ewold van Tonderen, a mise à sa disposition[8]. Dans le showroom de ce magasin de décoration intérieure inauguré en 1925 (et qui fermera en 1936), Mesens organise une fête en l'honneur de Magritte et de son œuvre. L'exposition constitue une forme de happening surréaliste qui lie musique — composée par Mesens lui-même — et peinture dans une mise en scène commune. Il se livre à une mystification théâtrale en tirant parti des éléments décoratifs à sa disposition. Et notamment des éclairages qui font la spécialité de la maison. Ainsi, hors catalogue, *L'Assassin menacé* est présenté en vitrine avec à ses pieds un tapis d'ampoules lumineuses blanches[9].

Spectaculaire, le vernissage se fera de nuit. Seize toiles sont exposées dont les deux tiers sont la propriété de Mesens. Nougé réalise le catalogue de manière intégrale, donnant même un titre aux œuvres rapportées de Paris. Une seule illustration rehausse la plaquette : Cami Stone, photographe d'avant-garde, met en scène *L'Évidence éternelle* dans le capharnaüm d'une buanderie. Nougé compose l'avertissement ainsi qu'un petit texte intitulé *Les Grands Voyages*[10]. Alors que la crise économique frappe durement, l'avertissement traduit la conviction marxiste et souligne la portée révolutionnaire d'une œuvre qui apparaît à Nougé comme un modèle de subversion à l'égard d'une société qui n'est « plus très sûre d'elle-même[11] ». Aux yeux du poète, l'œuvre de Magritte renouvelle la conception de l'objet ramenée à la banalité de l'existence quotidienne. L'imagination en action de Magritte transforme irrémédiablement le regard que l'homme porte sur la réalité. Le banal sublimé a définitivement aboli la catégorie de l'ordinaire et l'objet se fait le révélateur d'une nouvelle relation au réel. En mettant ainsi en question la condition même de l'objet, ce texte de Nougé anticipe l'évolution de l'œuvre de Magritte.

À en croire la presse, l'événement sera haut en couleur. Après une entrée sombre éclairée par une unique et immense bougie, une cinquantaine d'invités sont introduits par deux laquais vêtus de rouge, visage peint en vert et cheveux poudrés. Un double métronome donne le rythme. Arrivé au bar, on boira whisky et gin en attendant la suite des festivités. Quatre phonographes donnent simultanément une marche militaire, une valse, des airs de Stravinsky... À une heure du matin, la salle s'éclaire progressivement, laissant apparaître seize œuvres de Magritte. Le concert cacophonique cède la place au *New York* de José Padilla — pièce musicale immortalisée, à l'automne 1928, par l'orchestre d'Adolfo Carabelli — qu'égrène jusqu'au petit matin un orgue de Barbarie. Et la salle d'exposition de se muer en dancing où Magritte, au dire des témoins, semble s'en être donné à cœur joie.

Festive et empreinte tant de références à l'Amérique que du souvenir des spectacles de *Correspondance*, l'exposition de la salle Giso précède de quelques mois celle qui, en avril-mai, se tiendra, dans le cadre de « L'Art vivant en Europe », au Palais des beaux-arts de Bruxelles. Magritte y fait ainsi sa première apparition. Créé au sortir de la guerre pour accueillir toutes les formes de création dans un esprit d'universalisme, ce lieu culturel n'a suscité que scepticisme et animosité de la part des surréalistes réunis autour de Nougé. Dès l'inauguration du vaste complexe réalisé par Victor Horta, les séides de *Correspondance* ont stigmatisé ce qui, à leurs yeux, relevait d'une académisation de la création vivante[12]. La crise aura raison des éructations. En 1931, Mesens, qui avait tant stigmatisé l'institution musicale, rejoint le Palais des beaux-arts en qualité de secrétaire de la Société auxiliaire des expositions. En charge de l'ensemble de la programmation dans le domaine des arts plastiques, celle-ci tire les moyens nécessaires à sa politique d'une salle des ventes spécialisée dans l'objet d'art. L'exposition est organisée conjointement par L'Art vivant et la Société auxiliaire des expositions du palais, dirigée par Claude Spaak, romancier et auteur dramatique qui deviendra un important collectionneur de Magritte ainsi que de Paul Delvaux. Dans sa fonction, Spaak se dote d'un adjoint efficace en la personne de Robert Giron qui, à l'instar de Pierre Janlet, alors jeune directeur général du Palais des beaux-arts, compte parmi les défenseurs de l'œuvre de Magritte. Giron a suivi les cours de l'Académie et a connu des débuts comme peintre expressionniste aux côtés de Delvaux. En 1932, il prendra la direction de la Société des expositions. Magritte retrouvera régulièrement les cimaises du Palais des beaux-arts. Ainsi, du 19 décembre 1931 au 6 janvier 1932, une nouvelle exposition est organisée par L'Art vivant. Elle présente vingt-sept toiles et trois gouaches de Magritte réalisées entre 1926 et 1931. Le peintre expose pour l'occasion aux côtés de René Guiette et de David-Olivier Picard.

Après l'échec parisien, le Palais des beaux-arts se transforme pour Magritte en une tribune d'autant plus précieuse que le lieu fédère une bourgeoisie libérale qui, par l'intermédiaire de Spaak, fera appel à lui comme portraitiste. L'action de ce dernier induira aussi un développement de la pratique de la variante qui vise à satisfaire ce milieu attaché à une modernité dégagée de l'outrance. Mesens jugera indignes de Magritte tant les répliques que les portraits de circonstance[13]. Et ce, tant du point de vue de la qualité de ces reprises que de l'annexion de l'œuvre par cette bourgeoisie honnie des surréalistes. Étrangement, Nougé restera muet sur le sujet. L'activité commerciale anticipe les tensions qui se manifesteront au sein du groupe bruxellois lorsque, à la fin des années 1950, s'amorcera la reconnaissance internationale de Magritte.

## L'AFFAIRE ARAGON

L'année 1932 est marquée par ce qu'il convient d'appeler « L'Affaire Aragon ». Celle-ci se développe avec en toile de fond une rupture entre le surréalisme mené par Breton et la tentation communiste qui anime Aragon, en quête d'une indépendance et d'une autorité que seul le Parti peut lui garantir. Après le congrès de Kharkov de novembre 1930, auquel prirent part Aragon et Georges Sadoul au titre de représentants du surréalisme, « L'Affaire Aragon » consacrera la rupture entre staliniens et surréalistes. À Kharkov, Aragon, pour plaire à ses nouveaux camarades, a fait l'éloge de la littérature prolétarienne avant de multiplier les déclarations contradictoires. Dans la foulée, les surréalistes ne sont pas conviés à la création de l'Association des écrivains et des artistes révolutionnaires. Le PC tente alors de faire imploser le groupe pour isoler André Breton et favoriser les ralliements individuels : celui d'Aragon, auréolé de son père « Front rouge », suivi par Georges Sadoul et Pierre Unik sera le plus visible. Le 10 mars 1932, la rupture sera consommée.

« L'Affaire Aragon » révèle d'autres tensions au sein du surréalisme. Entre Paris et Bruxelles. Le 16 janvier, Aragon est inculpé pour « excitation de militaire à la désobéissance et provocation au meurtre dans un but de propagande anarchiste[14] ». La justice réagit ainsi à la parution, six mois plus tôt, du poème « Front rouge » dans la revue moscovite *Littérature de la révolution mondiale*. Saisi en novembre 1931 par la police, le numéro est interdit au moment où Aragon intègre le poème au recueil *Persécuté Persécuteur* que publient les Éditions surréalistes et que diffuse José Corti. Les surréalistes se mobilisent. Même s'il porte peu d'intérêt au poème lui-même, Breton prend la défense d'Aragon menacé d'une peine de prison de cinq ans. À ses yeux, la liberté poétique ne peut être évaluée à l'aune des « formes d'expression exacte de la pensée ». Il rédige donc un tract que cosignent Maxime Alexandre, René Char, René Crevel, Paul Éluard, Georges Makine, Pierre de Massot, Benjamin Péret, Georges Sadoul, Yves Tanguy, André Thirion et Pierre Unik. Breton recueille ensuite quelque trois cents signatures de soutien. Les Belges sont absents. L'appel de Breton se heurte à la conception que défend Nougé. Celui-ci rédige en réponse le tract *La Poésie transfigurée* que Magritte cosigne. Contrairement aux Français qui réclament la relaxe d'Aragon, Nougé revendique la pleine responsabilité de l'écrivain. Celle-ci constitue aux yeux des surréalistes belges une reconnaissance de l'efficacité du contenu poétique. Condamné pour ses écrits, Aragon deviendrait ainsi l'auteur d'une poésie qui n'aurait pas été neutralisée par les conventions formelles : une poésie qui, à ce prix seulement, pourrait se prétendre pleinement révolutionnaire. En mars, Breton

1 René Magritte, 1965. Photo Duane Michals.	¹

« L'art de peindre est un art de penser,
dont l'existence souligne l'importance du rôle
tenu dans la vie par les yeux du corps humain ;
le sens de la vue étant en effet le seul
qui soit intéressé par un tableau. »

**2** Les parents de Magritte, Léopold Magritte et Régina Bertinchamps, à Lessines, en 1898.
Bruxelles, Musées royaux des Beaux-Arts de Belgique / Archives de l'art contemporain en Belgique.

3

**3** Paul, Raymond et René Magritte en 1905.
Bruxelles, Musées royaux des Beaux-Arts de Belgique / Archives de l'art contemporain en Belgique.

**4** René Magritte et Georgette Berger en 1921.
Bruxelles, Musées royaux des Beaux-Arts de Belgique / Archives de l'art contemporain en Belgique.

4

**5** *Portrait de Pierre Bourgeois*, tempera sur toile, 1920.
Bruxelles, ministère de la Communauté française de Belgique.

5

**6** Photo du groupe 7 Arts à l'occasion du mariage de René Magritte et Georgette Berger, le 28 juin 1922 : René Magritte, ELT Mesens, Victor Servranckx, Pierre-Louis Flouquet, Pierre Bourgeois, Georgette Magritte, Pierre Broodcoorens et Henriette Flouquet.
Bruxelles, Musées royaux des Beaux-Arts de Belgique / Archives de l'art contemporain en Belgique.

« Être surréaliste c'est bannir de l'esprit le "déjà-vu" et rechercher le pas encore vu. »

6

« Il n'y a pas de choix : pas d'art sans vie. »

7 *L'Homme du large*, huile sur toile, 1927.
Bruxelles, Musées royaux des Beaux-Arts de Belgique.

**8** *Les Rêveries du promeneur solitaire*, huile sur toile, 1926.
Coll. part.

**9** *Le Rendez-vous de chasse*, 1934 : ELT Mesens, René Magritte, Louis Scutenaire, André Souris, Paul Nougé, Irène Hamoir, Marthe Beauvoisin-Nougé et Georgette Magritte.
Bruxelles, Musées royaux des Beaux-Arts de Belgique / Archives de l'art contemporain en Belgique.

« *Le surréalisme, c'est la connaissance immédiate du réel.* »

9

**10** *La Réponse imprévue*, huile sur toile, 1933.
Bruxelles, Musées royaux des Beaux-Arts de Belgique.

10

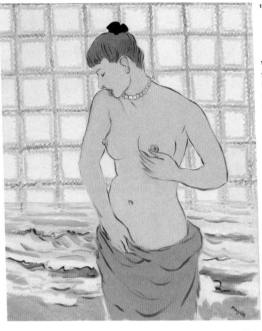

11 *Le Galet*, huile
sur toile, 1948.
Bruxelles, Musées
royaux des Beaux-Arts
de Belgique.

« *Mon seul
désir est de
m'enrichir
de nouvelles
pensées
exaltantes.* »

12 René Magritte
et Alexandre
Iolas, le 16
décembre 1965.
Photo de Steve
Shapiro pour *Life*.
Bruxelles, Musées
royaux des Beaux-Arts
de Belgique / Archives
de l'art contemporain
en Belgique.

13 *Les Valeurs personnelles*, huile sur toile, 1952.
San Francisco, Museum of Modern Art.

René Magritte et Marcel Broodthaers à Bruxelles en 1967.
Photo de Maria Gilissen.
Bruxelles, Musées royaux des Beaux-Arts de Belgique / Archives de l'art contemporain en Belgique.

15 *L'Empire des lumières*, huile sur toile, 1954.
Bruxelles, Musées royaux des Beaux-Arts de Belgique.

« *Il ne faut pas craindre la lumière du soleil
sous prétexte qu'elle n'a presque toujours servi
qu'à éclairer un monde misérable.* »

répondra indirectement dans *Misère de la poésie* aux conceptions défendues par Nougé.

Aux yeux de Breton, l'action judiciaire menée contre la poésie établit moins la légitimité de l'intellectuel engagé qu'elle n'attente à l'esprit par essence libre. Comme il l'indique à propos de « Front rouge » devenu prétexte, le poème « échappe, de par sa nature, à la réalité même de son contenu ». Qualifié de « poétiquement régressif », le texte d'Aragon doit être jugé selon « autre chose que la somme de tout ce que l'analyse des éléments définis qu'il met en œuvre permettrait d'y découvrir[15] ». Se détachant d'Aragon en mettant au premier plan l'exigence artistique contre l'engagement politique, Breton jette les bases des idées qu'il développera, quelques mois plus tard, dans *Les Vases communicants* puis, en 1935, dans *Position politique du Surréalisme*.

## L'OBJET DU CINÉMA

S'il signe le tract de Nougé sur les pas duquel il modèle son engagement politique, Magritte s'intéresse à d'autres questions. Amateur de cinéma populaire, il reprend au printemps 1932 ses recherches dans le domaine cinématographique. Il collabore avec Nougé à la réalisation de deux courts-métrages que Mariën publiera sous le seul nom de Nougé[16]. En 1929, Magritte avait écrit le scénario d'un premier court-métrage, intitulé *Fleurs meurtries*[17]. Mis en scène par Robert Livet, ce film, tourné en « caméra subjective », place le spectateur au cœur d'une pensée en train de se constituer face à l'objet. Magritte cinéaste applique au pied de la lettre le principe premier du *Premier Manifeste* de Breton. Il le reprendra pour les expériences qu'il mène avec Nougé à l'occasion de ces deux films de 1932, hélas détruits. Quelques années plus tard — en 1936, d'après Henri Storck ; en 1938-1939, selon David Sylvester —, il écrira un scénario pour son film *L'Idée fixe* qui renverra explicitement à son univers pictural[18].

Tout en payant leur obole au *Chien andalou* de Buñuel qui détermine le genre, ces essais filmiques synthétisent l'action — pour autant que ce terme soit juste — des tableaux peints par Magritte depuis 1926 : incertitude de la nuit, état somnambulique, jeux de miroirs et d'impasses, réflexion sur la virtualité de l'image peinte. Magritte et Nougé tirent parti d'objets énigmatiques comme un gant noir tombé sur une table selon une mise en scène qui évoque un collage de 1926. Avec leur structure narrative énigmatique, ces films ont peut-être influencé l'évolution du peintre dans sa relation à l'objet dont il s'agit, désormais, moins de déconstruire la relation au langage que de le mettre en situation pour en réveiller la signification poétique enfouie.

C'est à cet objectif que Magritte travaille à l'aube des années 1930. Coupé des cercles parisiens, dans l'isolement d'un cénacle bruxellois de plus en plus hostile aux avant-gardes et à leurs mots d'ordre, il poursuit de manière méthodique sa révision de la peinture dans sa fonction de représentation. Le sens brouillé des saynètes composées avec Nougé l'a peut-être orienté vers une culture du mystère qui alimentera sa conception de la peinture comme interrogation. Interrogation qui transpose dans le registre de la peinture le regard subjectif auquel Magritte, selon Dors et Rapin, a assimilé le mouvement de la caméra. Du cinéma à la peinture, l'artiste entend cerner les mécanismes de la pensée.

## LIQUIDATION

Magritte progresse dans sa recherche sans plus tenir compte d'un marché de l'art dont l'effondrement est total. S'il n'y avait eu le Palais des beaux-arts, dont l'activité touche autant le marché que l'organisation d'expositions, la faillite des grandes galeries aurait privé le surréalisme de toute visibilité. Cette situation apparaît d'autant plus pesante qu'à l'inverse de l'expressionnisme le surréalisme ne bénéficie nullement en Belgique de la mobilisation en faveur d'un renouveau de l'art « national ». Au contraire, il apparaît comme le symptôme même de cet individualisme et de cette « liberté [...] qui paralyse les artistes[19] », selon la formule du critique Georges Marlier qui, dès 1933, s'imposera comme une référence avec le lancement de *La Revue réactionnaire* de Robert Poulet. Aspirant à l'émergence d'un nouvel humanisme — qui évoluera durant la Seconde Guerre mondiale entre collaboration active et repli sur soi animiste —, cette réaction s'en prend au cosmopolitisme d'avant-gardes déshumanisées et à l'action de marchands acquis « à la défense de la peinture surréaliste[20] ». Aux yeux de ces critiques réactionnaires, celle-ci fait figure d'académisme de gauche dont la fin prochaine sera mise au crédit de la révolte des « artistes véritables » dans « leur quête d'une discipline libératrice[21] ».

Les 17, 19, 24 et 25 octobre, le stock accumulé par la galerie Le Centaure est mis en vente au Palais des beaux-arts de Bruxelles. Dans un texte publié en 1972, Claude Spaak relatera l'événement :

Une vente publique allait disperser le stock du « Centaure ». Y figuraient soixante-dix tableaux [en réalité plus de 150] de notre ami, qui ne trouveraient aucun amateur. Désastre en perspective.

Le liquidateur me proposa l'ensemble. Mais il s'agissait de réunir sans délai dix mille francs, une somme à l'époque. J'appelai Édouard Mesens. Nous tînmes conseil. Vides hélas, nos poches bâillaient d'impuissance. Mais nous avions pères et mères généreux, même s'ils nous jugeaient fous...

En revanche, quel trésor réuni dans la salle du Palais des beaux-arts ! Sans cadre, roulés parfois, il y avait là *Le Dormeur téméraire*, *La Rencontre*, *L'Homme du large*, *La Sortie de l'école*, *L'Automate*, *L'Histoire centrale*, *Le Groupe silencieux* et d'autres, que d'autres merveilles ! Il faisait nuit, une seule lampe éclairait, et c'était un musée consacré à ce peintre exceptionnel, dont nous aurons été les seuls visiteurs[22].

Avec Le Centaure, Mesens et Spaak font l'acquisition d'une première partie des quelque deux cents œuvres réalisées dans les années 1926-1929. Leur stock s'enrichira encore à l'occasion de la liquidation de la collection Van Hecke organisée, en mai 1933, par Jean Milo. Aucune des seize œuvres encore en possession de Van Hecke ne figure dans cette vente. Le 3 novembre 1932, Mesens a acheté *Le Musée d'une nuit* de 1927 et *Le Paysage secret* de 1928. Il fit probablement l'acquisition des seize toiles qui restaient au début de l'année suivante puisque plusieurs seront prêtées à l'exposition du Palais des beaux-arts. Si cette acquisition permet désormais de rendre visible la production parisienne de l'artiste, elle le protège surtout de la mise sur le marché de l'ensemble de sa production, qui aurait conduit à un effondrement de sa cote et à la ruine probable de sa carrière.

## LA MATHÉMATIQUE DES CHOSES

Magritte peut donc poursuivre sa recherche centrée sur le surgissement de l'image poétique à partir de l'objet transfiguré. Il va progressivement réorienter la dimension mimétique pour faire de la peinture une forme d'interrogation du langage dans sa fonction de représentation. La peinture devient le théâtre d'un questionnement par lequel l'image résout visuellement des problèmes posés selon une méthode qui n'est pas si éloignée de la logique publicitaire[23]. Peinte en 1932, en même temps que *La Réponse imprévue*, la toile baptisée *Les*

*Affinités électives* offre l'occasion d'expliciter cette démarche :

> Il existe une affinité secrète entre certaines images ; elle vaut également par les objets que les images représentent. En voici la démonstration. Nous connaissons l'oiseau dans une cage ; l'intérêt s'éveille davantage si l'oiseau est remplacé par un poisson ou par un soulier ; mais si ces images sont curieuses, elles sont malheureusement accidentelles, arbitraires. Il est possible d'obtenir une image nouvelle qui résistera à l'examen par ce qu'elle a de définitif, de juste. C'est l'image qui montre un œuf dans une cage[24].

À travers ce principe, Magritte situe le sens de l'image dans le dépassement dialectique de l'objet selon une poétique esquissée par Nougé dès *Les Grands Voyages*, sa préface à l'exposition de la salle Giso de 1931. Le regard veut aller au-delà de l'évidence jusqu'à atteindre un point mystérieux qui rendrait perceptible une raison d'être, une cause première, une logique fondamentale aussi indiscutable qu'une vérité enfouie au plus profond de l'humanité : une évidence que la conscience même occulterait et que l'image aurait, dès lors, pour tâche de révéler. C'est dans cette optique que Magritte peint ensuite *La Condition humaine* qui joue sur le problème de la fenêtre comme emblème de l'acte de peindre : c'est-à-dire de révéler ce que simultanément l'image, comme surface, occulte. Magritte développe ainsi un répertoire de questions initié avec le problème de l'œuf et celui de la porte. La conférence qu'il donne à Londres en 1937 éclaire la signification de cette dernière :

Occupons-nous maintenant du battant de la porte : celui-ci peut s'ouvrir sur un paysage vu à l'envers ou bien le paysage peut-être peint sur le battant. Mais essayons quelque chose de moins gratuit : à côté du battant de la porte, faisons un trou dans le mur, trou qui est aussi une issue, une porte. Perfectionnons encore cette rencontre en réduisant les deux objets à un seul : le trou se place tout naturellement dans le battant de la porte. Et par ce trou nous verrons l'obscurité ; cette dernière image paraît à nouveau s'enrichir si l'on éclaire la chose invisible cachée par l'obscurité car notre regard veut toujours aller plus loin et voir enfin l'objet, la raison de notre existence[25].

Le peintre se dégage d'une étrangeté jusque-là cultivée dans la proximité des poètes pour donner une inflexion mathématique à une œuvre qui se veut le fruit d'une logique par laquelle l'image prend une valeur philosophique de plus en plus appuyée. Il est moins question de déconstruire le langage que d'exhumer de chaque objet (mais cela, Magritte le reconnaît, ne fonctionnera pas avec n'importe quel objet) un sens originel qui ne surgirait qu'à travers son questionnement. La solution réside moins dans la chose en soi que dans le déploiement de la pensée face à cet objet. Ainsi que le montrent les échanges de lettres, la démarche dialectique de Magritte a partie liée avec une réflexion fondamentale portée sur ce recours à la rhétorique qu'il affectionnera sa vie durant. Au centre de sa poétique, le peintre place la notion de métaphore dont André Souris rend compte dans une lettre adressée à Nougé le 25 avril 1932 :

René imagine que l'emploi de la métaphore dans le langage répond peut-être à un désir profond de changer l'ordre habi-

tuel des choses. Dire « un ciel d'or » ou un « ciel de sang »
équivaudrait à souhaiter qu'il en soit réellement ainsi et même à
le croire pour un instant[26].

Magritte transpose en image ce choix de prendre au pied de la lettre l'expression métaphorique
avec d'autant plus de jubilation que celle-ci traduit une sagesse populaire que rien ne conteste
à force d'être répétée. L'usage érode l'effet de
surprise et entraîne l'oubli du sens premier. Qu'un
homme puisse être un « aigle » — *Le Présent* de
1937 — ou que « les arbres montent jusqu'au ciel »
— *Les Grandes Espérances* de 1940 — n'étonne
pas plus que de se « faire sonner les cloches » en
se faisant tirer l'oreille — *La Leçon de musique* de
1965.

Dans cette perspective, le surgissement de l'image
poétique révolutionne la représentation conventionnelle des choses. Dès lors, menaçant l'ordre
conventionnel — ne dit-on pas « l'ordre des choses » ? —, la métaphore, ramenée à sa nécessité
originelle, doit susciter inquiétude et surprise
alors que, réduite à un « artifice du langage » —
« soupape de sûreté et passe-temps des exégètes », précise Souris —, le langage l'a fait ren-
trer dans le rang. La démarche de Magritte
tiendra donc dans l'oblitération de ce « retour à
l'ordre ». Et Souris de se faire l'interprète du
secret dessein du peintre : « Si je peins un ciel de
sang, il en est réellement ainsi. Il n'y a plus de
métaphore[27]. »

Magritte abonde en ce sens. À Souris, il fait
part non seulement de l'évidence de ce désir qui

anime la métaphore, mais de sa force poétique en regard de l'objet quotidien :

> Par la suite, j'ai pensé aussi que si l'on admet l'existence réelle de ce désir secret qui justifie l'emploi de la métaphore, on comprend aussi pourquoi un objet indifférent situé dans un isolement peu familier nous touche : le désir secret souhaite un changement dans l'ordre des choses, et la vue d'un nouvel ordre (l'isolement) le contente... Le sort d'un objet duquel nous nous désintéressions nous inquiète tout à coup[28]...

Cette poétique du désir métaphorique transforme la nature de l'évidence. Celle-ci n'est plus strictement tributaire de la qualité d'un regard, mais d'une décomposition de la sensation qui nourrit le rapport de l'homme à l'objet singulier.

En 1938, *La Ligne de vie* reviendra sur le problème à partir d'un souvenir bouleversant. L'œuf qui, dans la cage, a remplacé l'oiseau endormi met en lumière une affinité de laquelle Magritte déduit « un nouveau secret poétique étonnant[29] ». Une méthode s'impose : chercher des objets dont certains éléments spécifiques, sinon « prédestinés », mis en relation feraient surgir une signification que la conscience aurait perdu de vue. Et de lier cette notion de « poésie évidente » à une forme d'introspection philosophique :

> Cet élément à découvrir, cette chose entre toutes attachée obscurément à chaque objet, j'avais acquis au cours de mes recherches la certitude que je la connaissais toujours d'avance, mais que cette connaissance était comme perdue au fond de ma pensée.

Comme ces recherches ne pouvaient donner pour chaque objet qu'une seule réponse exacte, mes investigations ressemblaient à la poursuite de la solution d'un problème dont j'avais trois données : l'objet, la chose attachée à lui dans l'ombre de ma conscience et la lumière où cette chose devait parvenir[30].

Cette esthétique du « problème » — l'œuf et l'oiseau, l'eau et le parapluie, la maison, le fusil... — et de la « solution » évidente constitue désormais le fil conducteur de l'œuvre. Magritte n'en dérogera plus pour le fond. Après celui de la porte en 1932 ou de la fenêtre avec *La Condition humaine**, il peut s'attaquer à nombre de problèmes : celui du feu avec *L'Échelle de feu* de 1934***, de la locomotive mise en scène dans *La Durée poignardée****, de la maison au cœur de *L'Éloge de la dialectique*****, de l'arbre traité de façon métonymique dans *La Géante*****, de la

---

* « Le problème de la fenêtre donna *La Condition humaine*. Je plaçai devant une fenêtre vue de l'intérieur d'une chambre un tableau représentant exactement la partie de paysage masquée par ce tableau. L'arbre représenté sur ce tableau cachait donc l'arbre situé derrière lui, hors de la chambre. Il se trouvait, pour le spectateur, à la fois à l'intérieur de la chambre sur le tableau et à la fois, par la pensée, à l'extérieur dans le paysage réel. C'est ainsi que nous voyons le monde, nous le voyons à l'extérieur de nous-mêmes et cependant nous n'en avons qu'une représentation en nous. » R. Magritte, *La Ligne de vie, op. cit.*, p. 47.
** « *L'Échelle de feu* me donna le privilège de connaître le sentiment qu'eurent les premiers hommes qui firent naître la flamme par le choc de deux morceaux de pierre. À mon tour, d'un morceau de papier, d'un œuf et d'une clef, j'ai fait jaillir le feu. » *Ibid.*
*** « Pour la locomotive, je la fis surgir du foyer d'une cheminée de salle à manger au lieu de l'habituel tuyau de poêle. Cette métamorphose s'appelle *La Durée poignardée.* » *Ibid.*
**** « Pour la maison, je fis voir par la fenêtre ouverte, dans la façade d'une maison, une chambre contenant elle-même la maison. C'est *L'Éloge de la dialectique.* » *Ibid.*
***** « L'arbre comme l'objet de problème devint une grande feuille dont la tige était un tronc plantant ses racines directement dans le sol. Je l'appelai, en souvenir d'un poème de Baudelaire, *La Géante.* » *Ibid.*, p. 48.

lumière, du soleil\* ou encore de la mer consacrée en *Invention collective*\*\*.

Au fil des années, la peinture de Magritte se transforme en un jeu collectif qu'un André Breton observera avec intérêt. Le rapport à l'objet oriente le questionnement. Celui-ci vise, selon les termes de Marcel Mariën, « l'enrichissement pathétique des objets de la vie courante, les plus familiers, quelle que fût leur taille, du verre d'eau à la chaîne de montagnes, de l'œuf au ciel étoilé ». Et d'en détailler l'expérience :

Paul Colinet [...] avait révélé dans les poèmes que je montrais, ces deux vers :
*Et la pluie fine*
*Qui tombe sans arrêt sur un ventre nu.*
Magritte réagit en posant tout de go le problème de la pluie, c'est-à-dire le projet d'un tableau qui montrât la solution idéale, celle de l'objet sur quoi la pluie eût à tomber[31].

Le 20 mai 1937, Magritte communiquera à Breton la solution au problème de la pluie qu'il recherchait depuis quelque temps déjà :

La solution une fois découverte paraît encore une fois d'une simplicité peut-être inquiétante. La voici : c'est un paysage de

---

\* Pour le soleil, j'ai trouvé comme réponse : un tombeau. Sur le sol se trouve une pierre funéraire et le soleil éclaire le ciel, la terre et la tombe. Cette réponse est actuelle et deviendra peut-être insuffisante dans le futur. En effet, en prenant le soleil comme point de départ du voyage que nous faisons, en prenant le soleil comme étant notre origine, il ne nous est pas possible actuellement d'envisager pour ce voyage un terme plus lointain que la mort. Il s'agit d'une certitude actuelle et le titre de ce tableau, *L'Au-delà*, fait retrouver à ce mot un contenu affectif. » R. Magritte, *La Ligne de vie, op. cit.*, p. 48.

\*\* « *L'Invention collective* est la réponse au problème de la mer : je couchai sur la plage une sirène dont la partie supérieure du corps est celle d'un poisson et l'inférieure est faite du ventre et des jambes d'une femme. » *Ibid.*, p. 47.

la campagne, un panorama assez vaste. Il pleut à verse et de grands nuages (plus grands que les maisons et les arbres) rampent sur le sol[32].

En 1952, le numéro inaugural de *La Carte d'après nature* lui offrira l'occasion de synthétiser sa pensée telle qu'elle s'est développée depuis les derniers mois de 1932.

Je pense à de nouvelles recherches, grâce à l'idée que j'avais de ce qui pouvait rendre valables certains tableaux. Leur réalisation dépendait de l'exactitude des solutions apportées à des problèmes posés de la manière suivante : un objet, un sujet quelconque pris comme question, il s'agissait de trouver comme réponse un autre objet, attaché secrètement au premier par des liens assez complexes pour servir de vérification de la réponse. Si la réponse s'imposait, évidente, la réunion des deux objets était saisissante[33].

RETOUR À BRETON

L'évidence des images qui naissent en 1932 sous le signe du questionnement a cette spontanéité bouleversante que Nougé appelait de ses vœux. Elle confère à l'œuvre de Magritte une puissance qui ne laissera pas André Breton insensible. Profitant de l'envoi par le poète de son recueil *Les Vases communicants*, Magritte lui répond au début de janvier 1933 pour le remercier. Tout en se distinguant des positions prises quant au rêve — Magritte a manifestement lu l'ouvrage avant d'adresser sa lettre —, il saisit la main tendue et esquisse en quelques phrases les grandes lignes de sa démarche nouvelle. Pour rendre le propos plus explicite, il joint à son envoi deux petites gouaches en noir et blanc des *Affinités électives* et de *La Réponse imprévue*. Comme si, pressé, il avait tenu à lui envoyer deux instantanés de son œuvre sans avoir recours à la photographie. Comme si, pour prendre Max Ernst au mot, il avait voulu lui offrir deux « cartes postales d'un rêve peintes à la main[34] ». Breton sera séduit sinon fasciné. Au-delà de la querelle passée, il entame une correspondance avec le peintre pour mieux comprendre ce que ce dernier a mis en chantier.

En avril 1933, en signe de réconciliation, Breton convie Magritte à participer au lancement de sa nouvelle revue baptisée *Le Surréalisme au service de la Révolution*. Les numéros 5 et 6, sortis le 15 mai à Paris, comprendront des reproductions d'œuvres de Magritte et, dans le numéro du 15 mai, un texte en six chapitres de Nougé qui est présenté comme l'embryon de l'ouvrage qu'il prépare pour les éditions Nicolas Flamel dirigées par Mesens et qui ne paraîtra qu'en 1942 sous le titre *Les Images défendues*. Magritte est également invité à participer à la grande exposition collective qui se tiendra en juin, à la galerie Pierre Colle*, ainsi qu'en octobre, au sixième Salon des surindépendants auquel les surréalistes participent en tant que groupe.

* *Exposition surréaliste : sculptures-objets-peintures-dessins*, Paris, galerie Pierre Colle, 7-13 juin 1933. Magritte y expose *Le Musée d'une nuit* ainsi que *Grelots roses, ciels en lambeaux*.

Du 27 mai au 7 juin, Magritte bénéficie de sa première exposition personnelle au Palais des beaux-arts de Bruxelles. Avec quarante-neuf toiles jamais montrées datant des années 1926-1929, l'accent est mis sur la période parisienne. Considérant peut-être sa recherche nouvelle comme insuffisamment aboutie, le peintre n'expose que huit tableaux postérieurs à 1930. L'essentiel des œuvres présentées provient de la vente du Centaure et de celle de la collection Van Hecke.

Pourtant, la manifestation de même que le texte de Nougé publié dans le catalogue témoignent de l'originalité de la démarche dans laquelle Magritte s'est engagé. Deux moulages en plâtre peints, intitulés *L'Avenir des statues*, l'inscrivent dans l'évolution générale du mouvement surréaliste désormais attaché à l'exploration des potentialités de l'objet[35]. Magritte utilise des moulages de plâtre : une copie de la *Vénus de Milo* et un masque mortuaire de Napoléon qui avait déjà nourri son imaginaire pictural pour des œuvres comme *La Forêt* de 1927. L'objet n'est plus l'outil d'une projection, mais le support direct d'un travail de la couleur qui les déréalise pour en bouleverser la charge émotionnelle liée à leur qualité de *memorabilia*. En colorant le plâtre de la *Vénus de Milo* — qui en 1936 trouvera son titre spécifique : *Les Menottes de cuivre* —, Magritte transforme le témoignage de l'idéal classique en un drapeau coloré qui, comme l'écrit Nougé, « change en liège l'authentique marbre de Milo[36] ». De même, le visage de la mort se mue en ciel ou en forêt.

Le corps féminin témoigne de la progression de la réflexion du peintre depuis *Les Jours gigantesques* de 1928 et *L'Évidence éternelle* de 1930. Exécuté au printemps 1934 et révélé, en mai, aux cimaises du Palais des beaux-arts de Bruxelles dans le cadre de l'exposition *Minotaure*, *Le Viol* mène à sa conclusion la poétique mise en œuvre pour révéler la dimension psychique d'un regard *nécessairement* masculin porté sur la femme. La trouvaille qui donne à la représentation son efficacité relève du principe de ressemblance « qui existe dans la disposition des organes du visage et dans celle des organes du corps d'une femme[37] ». À la métaphore du viol incarné par *Les Jours gigantesques* répond ce traitement métonymique qui ramène à l'unité d'une forme fantasmée les fragments détaillés du corps érigé en « évidence éternelle ». D'une œuvre à l'autre, le peintre a évolué dans la voie problématologique pour dévoiler une réalité refoulée. Dans *La Ligne de vie*, il situe l'œuvre au-delà de son titre comme la réponse à la question de la femme[38].

Dans la lettre qu'il adresse à Breton en date du 20 mai 1937, Magritte lie sa poétique du questionnement à « la recherche d'une métaphore » et insiste sur le fait qu'une toile comme *Le Viol* doit jouir aussi « d'une vertu qui [lui] soit propre*[39] ». Effaçant l'artifice de langage porté par la méta-

---

* On rapprochera cette inquiétude de l'évocation du travail de la métaphore fait par André Souris en 1932.

phore, le peintre révèle une réalité psychique dont l'immédiateté — celle-là même qui conditionne l'efficacité publicitaire vantée à Breton* — garantit la vérité.

L'œuvre ébranlera le poète, venu à Bruxelles le 1er juin pour prononcer une conférence dans le cadre de l'exposition *Minotaure*. Intitulée « Qu'est-ce que le surréalisme ? », elle paraîtra en juillet sous forme de livre avec, en couverture, le dessin du *Viol*. Fasciné, Breton émet le souhait de consacrer à cette œuvre emblématique un texte pour lequel il demandera au peintre une documentation comprenant descriptions d'œuvres et photos récentes[40] qui éclairent cette problématologie par l'image que Magritte lui a exposée durant son séjour à Bruxelles. La notion d'« évidence éternelle » constitue une forme de résolution dont la force paraît comparable à celle de « L'Équation de l'objet perdu » publiée dans *Documents 34*. Le projet n'aboutira pourtant pas.

## VIOLETTE

Magritte, Scutenaire et Mesens font la connaissance de Paul Colinet, un jeune écrivain et poète avec lequel ils se lient d'amitié. En date du 20 août

* « J'espère que ce projet de couverture vous plaira, déclare Magritte en date du 22 juin 1934, je crois aussi que d'un point de vue publicitaire c'est excellent. Une image semblable doit ne pas passer inaperçue dans un étalage de librairie. » R. Magritte, *Lettre à André Breton*, 22 juin 1934, Houston, The Menil Foundation (Archives Sylvester).

1933, Colinet se livre avec Magritte et Lecomte à ses premiers « jeux » surréalistes[41] bientôt suivis de « cadavres exquis » sans qu'il faille y voir un abandon à l'automatisme psychique pour toujours suspect aux yeux de Nougé. S'il figure au nombre des complices du *Rendez-vous de chasse*, photographie du groupe intégrée par Nougé dans *Documents 34*, il ne signera pas les tracts de 1935 (*Du Temps que les surréalistes avaient raison* et *Le Couteau dans la plaie*), ni ne cautionnera un an plus tard l'excommunication de Souris. Après avoir participé à l'exposition de La Louvière en 1935, il publiera, en 1936, un recueil de poèmes dont le plus célèbre reste *Marie Trombone Chapeau Buse*, mis en musique par Paul Magritte, avec un dessin de couverture de René Magritte.

Celui-ci reste attaché à ce type de travail en collaboration. Il réalise ainsi l'illustration de *Femme complète* de ELT Mesens et participe, avec celle baptisée *L'Impromptu de Versailles*, au volume collectif *Violette Nozières* publié en décembre 1933 par Mesens à l'instigation de Paul Éluard.

Au-delà du fait divers qui a éclaté en août 1933 et de la personnalité de la jeune parricide, « L'Affaire Nozières » a enflammé l'opinion publique. La droite y a vu le symptôme d'une jeunesse dévoyée. Selon elle, le « monstre à jupon », pour reprendre une expression de la presse, atteste l'effondrement moral qui menace les fondements de la société. Pour la gauche, la criminelle fait d'abord figure de victime. Son amant est camelot du roi et Aragon, dans les colonnes de *L'Humanité*, voit dans le patriarcat le réel coupable du drame. L'accusation d'inceste que la jeune femme lance contre ce père qu'elle a empoisonné trouve un écho singulier dans les cercles surréalistes. Alors que la presse et l'opinion publique rechignent à parler d'inceste et de viol, Breton, Éluard et leurs amis puisent dans ce fait divers matière à une plongée dans les turpitudes inconscientes de la sexualité bourgeoise. Cette Violette qui « a rêvé de défaire / A défait / L'Affreux nœud de serpents des liens du sang[42] » devient l'emblème de la mise à mal de la filiation et du lien social. Ange noir d'une société en crise, elle cristallise la critique viscérale de l'ordre bourgeois, de la famille et de la morale. Dans le volume qu'Éluard coordonne et qui paraît en Belgique par crainte de la censure et des poursuites judiciaires, le ton se veut résolument violent et cru pour signifier la transgression du double tabou dont a été victime la jeune femme : viol et inceste. Mesens en témoigne en des termes qui annoncent certaines images magrittiennes :

Nous ne sommes hélas pas nombreux
Violette
Mais nous ferons cortège à nos ombres
Pour effrayer tes justiciers
Au tribunal du corps humain
Je condamnerai les hommes au chapeau melon
À porter des chapeaux de plomb[43].


Si Victor Brauner — qui réalise la couverture du volume — fait de l'inceste un principe de con-

fusion troublante entre le corps féminin, nu et dis-
tendu, et celui du père dont les attributs sexuels
lui défigurent le visage, le dessin exécuté par
Magritte donne à l'acte une portée plus sociale et
politique : vêtue de blanc, la jeune fille est assise
sur les genoux de son père, figure noire et inquiétante, qui glisse une main sous sa jupe. Au premier plan, une silhouette monumentale, en manteau et haut-de-forme, observe silencieusement :
l'inceste est consommé sous le regard complice de la
Justice.

Singulièrement mesuré, le ton donne à la critique une puissance qui tranche avec une provocation dadaïste désormais obsolète. Magritte livre
pour l'occasion une image qui s'enracine dans sa
perception de la sexualité comme pulsion. Perceptible depuis *Les Jours gigantesques* de 1928, ce
discours se double à présent d'une critique
sociale clairement articulée. Il laisse aussi poindre
un intérêt renouvelé pour le nu classique lié à
l'idéal féminin.

## L'ACTION IMMÉDIATE

Magritte est l'un des principaux collaborateurs
du numéro spécial de la revue bruxelloise trimes-
trielle *Documents 34*, baptisé *Intervention surréaliste*, paru en juin et dont Mesens assume la fonction
de rédacteur en chef. Il s'agit, en effet, d'initier

une action collective pour endiguer la vague fasciste qui, après avoir amené Hitler au pouvoir en Allemagne, menace la France d'une insurrection brune. À côté d'Éluard, Breton, Péret, Dalí, Crevel et Tzara forment la contribution française à cette revue qui s'impose comme une des tribunes essentielles du surréalisme. En ouverture du numéro, le tract *L'Action immédiate*, signé par Magritte, Mesens, Nougé, Scutenaire et Souris, affirme la possibilité d'une action révolutionnaire qui ne soit pas tributaire du seul communisme. Enrichi de reproductions de Magritte, le texte se défie des modèles prolétariens et leur oppose la poésie bouleversante de Lautréamont et de Rimbaud, « la propagation de l'histoire scandaleuse des religions », l'assomption créatrice dans l'anonymat ainsi que le contact direct avec un monde ouvrier « particulièrement abandonné des militants du parti communiste ». Autant d'actions concrètes qui, aux yeux des signataires, contribueront à mettre fin à un monde honni. Nougé assume avec jubilation son désir de subversion généralisée, bien éloigné de la tentation unanimiste du Front populaire auquel Breton prépare son ralliement.

Dans le même numéro de *Documents 34*, Magritte livre un texte qui, en quelques paragraphes, précise une poétique dont le fondement se fait résolument philosophique. « Le Fil d'Ariane » définit l'espace de la création comme celui de l'esprit pour lequel le fait poétique, seul, méritera le qualificatif de réel.

Mais *tenant pour réel* le fait poétique, si l'on essaie d'en découvrir le sens, voici une orientation nouvelle qui nous éloigne aussitôt de cette région stérile que l'esprit s'épuise à féconder. L'objet de la poésie deviendrait une connaissance des secrets de l'univers qui nous permettrait d'agir sur les éléments. Des opérations magiques deviendraient possibles. Elles satisferaient réellement ce désir profondément humain du merveilleux, que l'on a trompé par des miracles et à qui l'on doit tout récemment encore le succès de sordides apparitions[44].

La quête du merveilleux vers laquelle tend la peinture de Magritte se distingue des subterfuges du religieux que Nougé vient de récuser en mars 1934 avec sa *Lettre à un dominicain esthète*[45] que Magritte avait signée. Le mystère poétique doit rester vierge de toute instrumentalisation confessionnelle. « Le Fil d'Ariane » y revient : « La réalité de l'élément qui nous livre son secret est bien le lieu d'où il ne faut s'écarter à aucun prix, c'est un point de repère[46]. »

## MAGIE NOIRE

En février-mars 1934, Magritte prend part à une grande exposition internationale au Palais des beaux-arts de Bruxelles intitulée *Le Nu dans l'art vivant* organisée par L'Art vivant et la Société auxiliaire des expositions du Palais des beaux-arts. La manifestation réunit une centaine de peintures et de sculptures d'artistes des XIXe et XXe siècles. Cette participation pose la question de la figure classique dans l'œuvre du peintre. Si le nu participe de l'œuvre dès ses débuts, il trouve au milieu des années 1930 une signification nouvelle en nouant un dialogue inattendu avec l'idéal classique. La femme reste un objet de projection fantasmatique dont témoigne *La Géante*, de 1931, transposition du poème de Nougé qui lui-même offre une variation du sonnet de Baudelaire. Au-delà du motif de l'hypertrophie des objets qui anime Magritte, cette *Géante* induit une nouvelle relation au corps féminin au travers duquel se déploie une aspiration à l'idéal qui est à la fois rapport à la forme et au sens.

Une aspiration au classicisme se fait jour qui entraînera, parallèlement, un intérêt nouveau pour le corps fragmenté de la statuaire antique. Exécutée en 1927, *La Statue volante* cultive l'ambivalence psychique des toiles de l'époque. Peint dans une nuance pastel de roses[47], la sculpture se métamorphose en chair comme s'il s'agissait d'emprunter le chemin inverse de celui des grisailles de la tradition flamande. Vers 1932-1933, Magritte reprend le tableau pour, entre autres choses, en faire ressortir la référence à l'Antique, sans doute tributaire des recherches menées sur les moulages de plâtre. En 1932, des toiles comme *La Belle Nuit* ou *Quand l'heure sonnera* font usage du même motif qui, peu après, reviendra pour résoudre le problème de la lumière. La formulation même du questionnement, telle que la livre *La Ligne de vie*, mérite qu'on s'y arrête :

> Pour la lumière, j'ai pensé que si elle a le pouvoir de rendre visibles les objets, son existence n'est manifeste qu'à la condition que les objets la reçoivent. Sans la matière, la lumière est invisible. Ceci me semble rendu évident dans *La Lumière des coïncidences* où un objet quelconque, un torse de femme, est éclairé par une bougie. Il semble ici que l'objet éclairé donne lui-même la vie à la lumière[48].

Au-delà des mots — la banalité du torse ici affirmée semble contredite par la présence obsédante du motif dans l'œuvre du peintre —, Magritte souligne la prédominance de la matière sur la forme dans sa réflexion sur la lumière. De là cette fascination pour la froideur marmoréenne de l'antique qui, tout en se faisant le révélateur de la lumière, ouvre la voie à une réflexion sur la femme comme éternel féminin au sens où Goethe l'entendait dans son second *Faust* : assomption du désir qui ouvre à l'homme la voie de la transcendance.

Cet idéal trouvera sa formulation essentielle dans *La Magie noire*, exposée en mai 1934, peu après sa création, à l'occasion de l'exposition *Minotaure* organisée au Palais des beaux-arts de Bruxelles. Le rapprochement avec *Le Viol*, exécuté au même moment, interpelle. Comme l'indique Nougé, cette œuvre — qui répond, rappelons-le, au problème de la femme — « nous inquiète, nous insulte ou nous violente pour réveiller le spectateur et l'amener à "plus de conscience"[49] ». À l'opposé, *La Magie noire* aspire au même résultat en suscitant l'émerveillement. Le corps féminin s'y fait envoûtant et induit une aspiration à la paix et à l'amour. Thèmes qui trouveront une signification nouvelle au sortir de la Seconde Guerre mondiale dans le cadre d'un surréalisme que le peintre veut solaire.

Ainsi, *La Magie noire* traduit la secrète alchimie qui conduit à « transformer la chair de la femme en ciel[50] », selon une poétique déjà explorée pour les plâtres peints. La référence à la magie noire n'ouvre pas ici la voie à l'exploration d'un surnaturel qui échapperait aux conditions du présent, mais à cette capacité, revendiquée par Magritte, au cœur même de son art du questionnement, de faire de chaque instant le théâtre d'un surgissement imprévisible. Comme il le soulignera plus tard, « chaque moment manifeste le mystère absolu du présent[51] ». Nougé traduit cet état d'esprit lorsqu'il évoque la « révélation objective » à laquelle invite l'œuvre :

La lumière est si pure et si présente que le corps se donne à la couleur du ciel et se dérobe à nos yeux comme la nuit la plus sombre.

Ce n'est cependant que le transparent sortilège du réel, et non un miracle.

Soudain, surgie des lointains de l'image ou de nous-mêmes, on peut entendre une sorte d'avertissement solennel[52].

Le motif reste attaché au principe de mutation des matières qui transforme tantôt la chair en ciel, tantôt la pierre en carnation, en jouant du merveilleux des métamorphoses. De granit ou de sang, aux yeux grands ouverts sur le vide ou clos sur une vie intérieure qui se refuse, la femme s'investit de cet azur poétique qui en fait la résolution ultime de la question de la vie. Magritte renoue ici avec les réponses formulées pour l'« Enquête sur l'Amour » publiée le 15 décembre 1929 dans la douzième livraison de *La Révolution surréaliste*. Pour le peintre, seule la femme est en mesure de donner une réalité à l'espoir mis dans l'amour. Et de préciser que « le passage de l'idée d'amour au fait d'aimer est l'événement où un être apparu dans la réalité impose son existence de telle manière qu'il se fait aimer et suivre dans la lumière ou dans les ténèbres[53] ».

L'aspiration classique dont témoigne Magritte lorsqu'il rend hommage à l'éternel féminin semble avoir rencontré davantage de succès que l'art du problème qu'il cultive depuis le début des années 1930. À voir ses nombreuses variantes, le motif prendra une place centrale dans sa production. *La Magie noire* définit une ouverture au merveilleux que Magritte théorisera inlassablement. Au grand dam de Nougé qui ne partage que modérément un engouement qui rapproche alors le peintre de Paul Éluard\*. Réfractaire à cette notion de mystère — « le culte du mystère n'est pas notre fort, un mystère ne vaut qu'à la mesure de la révolte qu'il suscite » —, Nougé fait néanmoins de cette somme

---

\* À l'automne 1935, Paul Éluard publiera dans le numéro 5-6 des *Cahiers d'Art* le poème « René Magritte » accompagné d'un texte et de deux peintures de Magritte. On retrouvera ce poème, auquel le poète travaille depuis 1933, dans le recueil *Les Yeux fertiles*, paru en 1936, puis dans une traduction anglaise due à Man Ray dans le catalogue de l'exposition à la Julien Levy Gallery de New York. Magritte témoignera en 1962 de leur proximité, déclarant qu'Éluard « était capable d'évoquer la réalité non séparée de son mystère — ce mystère qui ne relève d'aucune doctrine. Ce mystère à quoi rien ne peut être comparé, et sans lequel aucune pensée ni aucun monde ne serait possible. » (J. Walravens, *Rencontre avec Magritte*, in *Écrits complets, op. cit.*, p. 536.)

de commentaires poétiques un moyen de trans-
cender les limites du langage : « Les images parfois nous aident à réduire le prestige des mots[54] »,
conclut-il.

## PROXIMITÉ D'ÉLUARD

Contrairement à Breton, Paul Éluard ne s'est
jamais défié de Magritte. Dès l'installation de
celui-ci à Paris en 1927, il a été séduit par une
œuvre originale dont l'évolution retient son attention. Durant l'été 1929 passé à Cadaquès, tout en
voyant Gala se détacher de lui pour Dalí, il a pro-
digué à Magritte quelques conseils en vue d'accélérer
son intégration au cénacle parisien, en commen-
çant par se défaire d'un accent wallon peu prisé
par André Breton. Preuve de cet intérêt, les toiles
qu'Éluard possède : du *Paysage en feu* de 1928 à
*L'Échelle de feu* de 1934 en passant par *Le Temps
menaçant* qui conserve le souvenir de l'été fécond
passé à Cadaquès. Plus tard, il fera aussi l'acquisition de *La Représentation* de 1937 et de *La Parade*
de 1940. Éluard a même compté au nombre des
« titreurs d'élite », selon la belle formule de Pierre
Alechinsky, puisqu'on lui doit *La Voix des airs* en
1928, *Baigneuse du clair au sombre* en 1937 et
*Vue d'en haut*, en 1947.

En 1933, le poète met en chantier un premier
texte consacré à Magritte qui paraîtra, en septembre 1935, dans le numéro 5-6 des *Cahiers d'Art*

accompagné d'un court essai de Magritte et de reproductions de *L'Alphabet des circonstances* et du *Mouvement perpétuel*. Le poème, qu'il définit dans une lettre à Nougé comme une « critique de la peinture [opérée] par la critique de la poésie », constitue une sorte de collage de mots clés qui renvoient aux toiles du peintre. Au fil des vers, Éluard égrène les sensations éprouvées face à des images poétiques qui le bouleversent.

Éluard s'enthousiasme pour l'art du problème initié par Magritte. En 1934, il acquiert la solution au problème du feu (*L'Échelle de feu*) avant de lui soumettre un projet de tableau qui réglerait la question du portemanteau. Dans une lettre qu'il adresse au peintre à l'automne 1937, il décrit le projet :

> Dans un couloir, près de la porte, un grand crucifix chargé d'un Christ tête basse. Et partout, au haut de la croix, au bout des branches, aux clous des mains et des pieds, sur la tête du Christ, des chapeaux, des casquettes accrochés. À côté du crucifix, un porte-parapluie très ordinaire avec un seul parapluie dedans. J'aimerais le voir réalisé « soigneusement », comme tu es capable de le faire, au moins en dessin[55].

Magritte ne semble pas avoir donné de suite au motif proposé. Ainsi que le signale Irène Hamoir, Magritte « n'acceptait aucune idée de tableau. Il voulait bien discuter d'une idée que vous apportiez, mais c'était pour le plaisir de la discussion et c'était toujours pour dire ensuite que ça n'allait pas[56] ».

Le rapprochement avec Paul Éluard dénote une inflexion dans l'œuvre de Magritte en même temps qu'il révèle une plus grande proximité avec le milieu parisien. En atteste sa participation à l'exposition anniversaire de la revue *Minotaure* organisée, du 12 mai au 3 juin 1934, au Palais des beaux-arts de Bruxelles par les éditions Albert Skira. Mise en place par Mesens et largement supportée par Breton, la manifestation accueille en son sein une rétrospective restreinte du surréalisme au sein de laquelle des œuvres comme *Le Viol* ou *La Magie noire* positionnent Magritte au cœur même du mouvement.

## COMMUNISME (SUITE)

La production picturale de Magritte n'a cessé de s'accroître, grâce, en partie, au soutien de Claude Spaak et du Palais des beaux-arts. Jusqu'au déclenchement de la « drôle de guerre », le peintre participe à de nombreuses expositions collectives tant en Belgique qu'à l'étranger : à Anvers avec *Kunst van Heden* (Art d'aujourd'hui) ; à Santa Cruz de Tenerife dans le cadre de l'« Exposición surrealista » ou à La Louvière à l'occasion de l'« Exposition internationale du surréalisme ».

Le 13 octobre 1935 s'ouvre à La Louvière, dans le Borinage, l'« Exposition internationale du surréalisme ». Cette journée est marquée par une « Manifestation surréaliste » durant laquelle Mesens prononce un discours consacré au mouvement et entreprend, aidé par Irène Hamoir — qui a épousé Scutenaire en 1930 —, la lecture de textes de Breton, Char, Éluard, Dalí, Nougé, Scutenaire et Chavée. Fidèles à une spécificité belge, les organisateurs n'ont pas oublié la musique. Sur une composition d'André Souris, des poèmes d'Éluard et Nougé sont chantés par Marie Lancelot qui interprétera aussi quelques airs de Clarisse Juranville. L'action menée à La Louvière veut mettre l'éclairage sur le groupe Rupture qui y a été fondé le 29 mars 1934 à l'instigation du poète Achille Chavée, suivi par Albert Ludé, André Lorent ainsi que Marcel Parfondry. Très vite rejoints par Fernand Dumont, Marcel Havrenne, Marcel Lefrancq, Constant Malva, Max Servais, Armand Simon ou le jeune Pol Bury, ces artistes wallons militent pour « forger des consciences révolutionnaires [...], participer à l'élaboration d'une morale prolétarienne et [...] collaborer le plus étroitement possible à l'évolution du mouvement surréaliste[57] ». Si le surréalisme ne constitue pas une priorité en regard de l'engagement d'emblée teinté de stalinisme, Rupture, sous l'influence conjointe de Dumont et de Mesens, adhère au mouvement initié par Breton le 13 avril 1934. Ainsi que le proclame le manifeste du groupe, baptisé *Mauvais temps*, paru en octobre 1935, les préoccupations esthétiques restent inféodées aux exigences politiques. L'intérêt porté au surréalisme ne trouve sa légitimité que dans l'optique révolutionnaire que l'exposition de La Louvière, organisée avec le soutien de Mesens, compte mettre en lumière.

L'engagement politique a pris une place centrale dans le débat artistique. Magritte suit le mouvement général. Malgré la rupture de 1932, Breton ne désarme pas. L'expulsion des surréalistes de l'Association des écrivains et artistes révolutionnaires ne constitue pas l'épilogue de l'impossible adhésion du surréalisme au communisme. En 1935, Breton prend une initiative à l'occasion du Congrès des écrivains pour la défense de la culture. Il vise moins à résoudre la crise avec le PC qu'à séduire les responsables de la politique culturelle soviétique. Le discours de Breton, qu'Éluard lira à une heure tardive devant un auditoire clairsemé, n'aura finalement aucun impact. L'échec est consommé ; la rupture inévitable. Elle prendra la forme d'une critique ouverte du stalinisme sous le titre *Du temps que les surréalistes avaient raison*. Magritte et Nougé signent sans hésiter. Déjà hostiles au culte de la personnalité qui prévaut désormais en Union soviétique et au pacte franco-soviétique, signé le 2 mai 1935, qui fait de la révolution mondiale une utopie sans lendemain, ils condamnent aussi l'asservissement de la création aux seules fins de propagande.

Pourtant, alors que Breton renonce progressivement à toute association avec le parti communiste, les Belges, à partir de 1935, se rapprochent du PC dans une opposition commune au fascisme qui, à Bruxelles et en Wallonie, prend les traits de Rex et de son chef charismatique, Léon Degrelle.

En 1932, dans une Belgique en proie à une grave crise sociale avec la grève générale qui aboutit, en juillet, à une répression violente menée par l'armée, l'adhésion au PC de Nougé entraîne celle de Magritte. Trois ans plus tard, ce dernier témoigne encore de son engagement dans la défense des idées communistes à l'occasion d'une réponse à un questionnaire adressé par Paul Fierens sur la crise de la peinture. Nougé, pour sa part, participe de manière active à la fondation de l'Association révolutionnaire culturelle contre le nazisme. Il s'agit désormais de faire front contre l'ennemi. L'association *Document 35* portera la marque de cet engagement qui ne plaît guère aux instances du Parti qui reprendront la main en évinçant ses principaux acteurs issus du surréalisme. Pas à pas, les surréalistes bruxellois se retirent, non sans continuer à militer. Notamment aux côtés des membres de Rupture, avec lesquels ils rédigent le tract *Le Couteau dans la plaie* qui dénonce le récent pacte franco-soviétique. Le texte paraîtra le 20 août, dans la troisième livraison du *Bulletin international du surréalisme*, avec, en couverture, la reproduction d'une gouache de Magritte intitulée *La Gâcheuse*.

La position du peintre à l'égard du parti communiste se révèle d'autant plus délicate qu'il a toujours manifesté une méfiance naturelle à l'égard des slogans et mots d'ordre. En décembre 1935, il s'en ouvre à Éluard :

Je dois dire aussi, que maintenant des phrases comme « La Libération de l'homme » ne représentent plus grand-chose pour moi si j'essaie de comprendre ce qu'elles signifient. Il me semble que ce sont des moyens qui ont permis de passer trop facilement sur des obstacles qui eux sont toujours là[58].

L'engagement de Magritte aux côtés des communistes — il adhérera au Parti, de manière toujours éphémère, en 1932, 1936 et 1945[59] — relève d'une forme de compagnonnage qu'il met en avant dans sa réponse à « Notre enquête sur la crise de la peinture » publiée dans *Les Beaux-Arts* le 17 mai 1935 : « Le point de vue communiste est le mien. Mon art n'est valable que pour autant qu'il s'oppose à l'idéologie bourgeoise au nom de laquelle on éteint la vie[60]. » Avant de devenir patente au sortir de la Seconde Guerre mondiale, l'adhésion aux valeurs communistes a d'abord relevé d'un engagement fait de hauts et de bas souvent liés à la tournure des événements politiques. Ayant quitté le Parti en 1935 pour réagir au stalinisme, Magritte revient dans son giron en 1936 alors qu'éclate la guerre d'Espagne et que s'impose la nécessité de combattre le fascisme. Retour qui le conduira à publier sous le pseudonyme de Florent Berger deux comptes rendus d'exposition dans le quotidien communiste *La Voix du peuple*[61].

## ESCALE À NEW YORK

L'action communiste n'interdit pas les préoccupations commerciales. Fort du stock d'œuvres dont il dispose, ELT Mesens s'impose comme le promoteur international de l'œuvre de Magritte. Il négocie les contacts avec les galeries, assure les prêts, fixe les prix, consigne des tableaux dans des galeries étrangères et garantit la participation du peintre à des expositions d'ensemble qui font sa promotion à travers celle du surréalisme.

C'est dans ce contexte que s'ouvre, le 3 janvier 1936, la première exposition personnelle de Magritte aux États-Unis. Mesens a choisi la galerie new-yorkaise de Julien Levy, qui passe pour le plus important marchand de peinture surréaliste de l'entre-deux-guerres aux États-Unis. Celui-ci a invité le peintre à exposer dans sa galerie de Madison Avenue. Magritte espère ainsi bénéficier d'un écho américain comme cela a été le cas pour Max Ernst ou Dalí invités par Levy en 1932 et 1933. Sans doute pour échapper à la trop grande mainmise de Mesens, il multiplie les variantes afin de faire de cette manifestation un résumé de son parcours artistique. Le catalogue — un placard qui réunit la liste des œuvres, la préface de Nougé et le poème d'Éluard — en livre une synthèse efficace. Magritte a choisi de reproduire comme seule illustration *L'Homme au journal* : une toile dont le déroulé narratif se déploie en quatre cases présentant un intérieur identique dans lequel une seule dévoile la présence de l'homme lisant un journal. Par ce biais, Magritte s'inscrit dans le cadre de cette culture populaire qui, pour le public new-yorkais, passe par les *comics*. Il mine la représentation, joue avec les codes qui unissent écriture et peinture.

Essentielle, l'exposition ne rencontrera pas le succès escompté. Julien Levy sera l'unique acheteur de cinq œuvres. Magritte porte une large part de responsabilité quant à cet échec*. En effet, sur les vingt-huit œuvres exposées, treize seulement constituent des « originaux » remontant, pour les plus anciennes, à la période parisienne. Quinze œuvres sont des variantes ou répliques de toiles exécutées entre 1926 et 1935 pour lesquelles Magritte a opté pour des formats plus restreints. En réalité trop petits. Ainsi a-t-il tenté de mettre en place une stratégie commerciale qui allie répétition et variation. La piètre qualité de ces versions tient au caractère mécanique de leur reproduction ainsi qu'à la réduction excessive de leur format. Lucide, Magritte abandonnera la formule au bénéfice de la gouache.

## LE DOMESTIQUE ZÉLÉ

La vie du groupe surréaliste semble réglée sur une complicité garante de pérennité. Si de nouveaux membres comme Irène Hamoir ou Paul Colinet ont fait leur apparition, d'autres vont payer d'un lourd tribut leur désir d'indépendance. C'est ce qui arrive à André Souris dans les premiers jours de 1936.

* À lire la correspondance que Julien Levy adresse à Mesens, le marchand newyorkais lie aussi l'échec de l'opération aux prix demandés par Mesens qui détient un quasi-monopole. Voir D. Sylvester (Éd.), *Catalogue raisonné, op. cit.*, II, p. 42.

Musicien exigeant dont les prises de position l'ont écarté du parcours institutionnel classique pour un compositeur, Souris vit dans une forme de marginalité que contrebalance sa participation aux actions du groupe surréaliste bruxellois. Retiré à Marchienne-au-Pont, il vit simplement dans une petite maison où il a accroché les deux tableaux de Magritte qui lui sont chers : *La Vie secrète*, ainsi que *Une image dans la forêt* où un bombardon — un instrument à vent — semblant perdu en forêt a été rejoint par deux formes indistinctes — billot de bois et pion échappé d'un jeu d'échecs. Il y reçoit de temps à autre ses amis bruxellois qui s'intéressent aux rêves des enfants Souris qu'ils interrogent longuement et avec lesquels ils jouent sans plus de distance. Les Nougé, les Magritte, parfois rejoints par Mesens ou par Scutenaire et Irène Hamoir, prennent du bon temps, se promènent, jouent au « cadavre exquis », font des rencontres insolites. Une existence bon enfant qui participe de cet esprit propre aux vacances que la petite bande aime passer sur la côte belge, entre Le Coq et Coxyde, avec cette simplicité que mettent en scène les nombreux albums photo conservés par Magritte. Lui qui n'a pas d'enfant se lie avec les « enfants souris » auxquels il adresse depuis Bruxelles des fascicules d'*Histoires en images*, sans oublier les aventures de Nat Pinkerton qu'il affectionnait tant. Le tout sous des enveloppes ludiques avec, en guise de signature, le dessin d'une souris et d'une fleur.

Les liens qui unissent le peintre au compositeur paraissent étroits. Leur correspondance en fait foi.

Souvent sur le ton de la farce, comme dans cette lettre datée de 1934 :

> Cher André,
> On m'a sonné la barbe, j'ai le cheveu bourrifu [sic], pense à Dieu, ferme les yeux, tu auras des étoiles dans le cornet, ne t'enfonce pas trop, ce n'est pas que j'aime les poètes, je leur boterais [sic] le derrière et Jésus-Christ c'est Jezu Krist, c'est tout dire, le ver est dans le tabernacle, bien le bonjour[62].

Aux journées familiales, répondent les soirées chez Nougé ou chez Magritte à discuter des positions défendues par Breton, à rédiger des tracts dont chaque mot doit être pesé et discuté. Intimité et complicité régissent l'existence de ce gang artistique.

Pourtant, Magritte figure parmi les dix-sept signataires du tract *Le Domestique zélé* qui, en janvier 1936, annonce l'éviction d'André Souris du groupe surréaliste belge. Celui-ci est condamné sans appel pour avoir dirigé l'Orchestre symphonique de Bruxelles lors de la « messe des artistes » célébrée dans l'église des Dominicains, à Bruxelles, en mémoire d'Henry Le Bœuf, banquier et mécène, fondateur du Palais des beaux-arts de Bruxelles.

Pour Souris, cette invitation signifiait la possibilité de se voir confier une direction d'orchestre et, donc, de développer une activité professionnelle au même titre que Mesens avec ses ventes aux Palais des beaux-arts ou Magritte au fil de ses expositions et de ses commandes. C'est donc sans arrière-pensée que Souris a invité ses « complices » à assister à ce premier concert. En réaction, Mesens, avec l'accord de Nougé, convoque les membres du Groupe surréaliste de Belgique pour mettre en accusation Souris. Réuni le 20 janvier à dix-huit heures à la Taverne du Globe, sur la place Royale de Bruxelles, le « tribunal » rendra une sentence digne de ces procès staliniens dont le groupe parisien s'est rendu coutumier. Le tract luxueux qui est lancé quelques jours plus tard synthétise le propos avec une violence et une agressivité dont le titre même rend compte. Alors qu'on pouvait s'attendre que l'argument porte plus légitimement sur la participation de Souris à une messe, il apparaît au fil du texte que la critique porte sur un autre point. Conscients « des compromissions inévitables [qu']implique, dans la société actuelle la satisfaction des plus strictes nécessités vitales[63] », les rédacteurs prennent soin d'avancer un argument qui vaudrait en premier lieu pour eux-mêmes — en particulier pour Mesens et pour Magritte. Si « le pain que nous mangeons a toujours un arrière-goût de remords », celui-ci ne fonctionne manifestement pas au même régime pour le musicien dont la qualité de « domestique zélé » rend moins compte de sa collaboration à un office religieux que d'une ambition artistique qui avait déjà conduit à l'éviction de Lecomte de *Correspondance* :

Ambition, tout est là, et dans sa forme la plus sordide, l'ambition artistique au crapuleux reflet d'argent. Ce cas, où la vulgarité le dispute au ridicule, ne laisse pas de place au doute[64].

Et de mettre en exergue l'ambiguïté d'un Souris signataire de *Musique 2*, de *La Poésie transfigurée* et d'*Action immédiate* en même temps qu'officiant à la tête d'un orchestre en vue d'une carrière qui s'annonce. Derrière la condamnation, Scutenaire qui, comme Colinet, a refusé de signer le tract, perçoit d'autres motifs :

L'anticléricalisme de Mesens, son âme de Saint-Just, et peut-être sa position révolutionnaire parmi les conformistes du Palais des beaux-arts, le poussent à mettre l'ami en accusation. René Magritte, qu'ont parfois dérangé l'aisance intellectuelle et l'éloquence de Souris, l'épaule. Nougé, qui a on ne sait quel noir compte personnel à régler avec le musicien, donne à ce dernier l'assurance que l'affaire se terminera bien pour lui, mais il agit dans l'ombre[65]...

Aux yeux de Scutenaire — qui devra lui-même justifier son abstention et réitérer sa fidélité au groupe[66] —, la décision renvoie davantage à des motifs personnels qu'à une quelconque éthique. Alors que Magritte multiplie les démarches pour exposer et vendre ses toiles avec la complicité de Mesens, Souris est crucifié pour avoir dirigé un orchestre dans un contexte qui permettait de douter de sa « moralité révolutionnaire ». La vindicte des amis d'hier se veut impitoyable. En février, Mesens tentera d'obtenir en vain l'exclusion de Souris de l'Association révolutionnaire culturelle. Peu après, les secrétariats de la plupart des académies de musique où travaillait le compositeur recevront, sous pli anonyme, copie des tracts qu'il avait rédigés ou cosignés pour dénoncer l'agitateur anarchiste qui œuvrait parmi les membres de leur corps professoral.

La cohérence du groupe se heurte au mirage d'un surréalisme vierge de toute compromission avec les institutions ou le commerce. Sans doute le cadre dans lequel s'est déroulé le concert dirigé par Souris interdisait-il de fermer les yeux comme cela fut le cas pour le négoce lucratif de Mesens... ou pour les expositions de Magritte qui constituent de plus en plus nettement la principale activité du groupe surréaliste. Et ce, dans ce Palais des beaux-arts dont Nougé semble feindre d'ignorer que les activités artistiques dépendent du commerce qui s'y déroule de manière continue.

Sans ressentir de contradiction avec « l'Affaire Souris », un projet voit le jour. Une nouvelle exposition personnelle de Magritte se tient, du 25 avril au 6 mai 1936, au Palais des beaux-arts de Bruxelles. Elle comprend quelque trente peintures, deux tableaux-objets et trois objets qui appartiennent au peintre pour la plupart. À cette occasion, paraît le 1er mai dans la revue bruxelloise *Les Beaux-Arts* un article anonyme intitulé « René Magritte ou la révélation objective » qui développe des réflexions poétiques à partir de sept tableaux. Attribué à tort à Magritte, cet article n'est pas non plus l'œuvre d'un collectif d'amis comme voudrait le faire croire une mention placée en ouverture. Elle est, pour part, de la plume de Paul Colinet avec une refonte générale due à Paul Nougé.

Dans la foulée de l'exposition bruxelloise, Magritte retrouve Paris. Du 22 au 29 mai, trois de ses œuvres sont présentées dans le cadre de l'« Exposition surréaliste d'objets » organisée par

Breton à la galerie Charles Ratton à Paris. Les figures majeures du mouvement sont, pour la plupart, représentées. Magritte paie son obole à cette « crise de l'objet » par laquelle Breton opère la révolution du sensible[67]. La correspondance que celui-ci adresse à Magritte témoigne d'un regain d'intérêt pour « la succession de trouvailles[68] » qui s'est multipliée depuis la découverte de « l'art du problème ». Le rapport à l'objet renvoie aussi à un jeu pratiqué par le groupe d'amis qui entoure Magritte. Marcel Mariën le décrira comme « le problème ». Il vise « l'enrichissement pathétique des objets de la vie courante, les plus familiers, quelle que fût leur taille, du verre d'eau à la chaîne de montagnes, de l'œuf au ciel étoilé[69] ».

## L'INTERNATIONALE EN GALERIE

Magritte s'internationalise. Pour preuve, la commande que lui passe Albert Skira pour illustrer la couverture de la dixième livraison de sa revue *Minotaure*. La diffusion de son œuvre suit aussi l'expansion du surréalisme à travers un réseau international de galeries et, désormais, de musées qui s'intéressent au mouvement. Dix œuvres de Magritte figurent ainsi à l'exposition « Fantastic Art, Dada, Surrealism », organisée par Alfred Barr au Museum of Modern Art de New York. La manifestation profite du succès populaire grandissant d'une figuration surréaliste. Le triomphe commercial de Dalí l'atteste. De Californie, ce dernier écrira à Magritte, en date du 3 février 1937 : « Le Surréalisme fait un gran *"efet"* à New York "Nous domiNONS la situatioN poétique[70]. »

Les « collages peints entièrement à la main[71] » — pour reprendre la formule de Max Ernst — de Magritte connaissent un succès qui oblige le peintre à adapter sa technique pour répondre au nombre croissant d'expositions pour lesquelles il est sollicité. Sa production de gouaches change de rythme en 1936 pour répondre à ces impératifs. Ainsi, lorsqu'il apprend qu'il bénéficiera, du 14 novembre au 5 décembre, d'une exposition personnelle à La Haye à la Huize Esher Surrey, il lui faut exécuter en peu de temps suffisamment d'œuvres pour occuper l'espace pourtant restreint de cette galerie. Vingt peintures et six gouaches y seront présentées. La succession rapide des expositions conduit Magritte à produire de plus en plus de gouaches, qu'il qualifie parfois de « moutures[72] » lorsque celles-ci reprennent des tableaux qui ont déjà connu quelque succès. D'autres relèvent d'une création directe à la gouache décidée, d'une part, afin de réduire les délais de production et, d'autre part, pour donner libre cours au plaisir d'un pinceau qui court, léger et lumineux. Des compositions comme *Le Présent*, *Le Survivant* ou *La Saignée* connaîtront ainsi leur aboutissement sans nécessiter de transposition picturale.

C'est vers Londres que se portera l'essentiel de l'effort de diffusion de l'œuvre de Magritte. Sa présence en Angleterre est étroitement liée à l'installation de Mesens à Londres où il a multiplié les initiatives à partir de 1936 avant de s'y installer en 1938. Il dirige la London Gallery dont il compte faire le creuset de la diffusion du surréalisme en Grande-Bretagne. L'expérience lui ayant enseigné qu'une vitrine n'est rien sans tribune, il fonde le *London Bulletin* qui, jusqu'au début de la guerre*, publiera vingt numéros qui formeront un outil déterminant de la réception du surréalisme dans le monde anglo-saxon. Dans ce contexte, Magritte prend part, du 11 juin au 4 juillet, à l'« International Surrealist Exhibition » de Londres aux New Burlington Galleries. Le catalogue est préfacé par Herbert Read. Magritte y présente huit toiles et six œuvres sur papier. Mesens assumera l'accrochage en mélangeant œuvres surréalistes et objets anthropologiques. Seuls les dessins d'enfants et d'aliénés feront l'objet d'une présentation séparée. La manifestation recueillera un réel succès auprès du public londonien venu en nombre dès le vernissage. Magritte vendra ainsi à Humphrey Jennings sa

---

* Une fois les hostilités engagées, Mesens collaborera aux émissions de la BBC à destination de l'Europe occupée. On lui devra le détournement d'une musique alors en vogue, adaptée aux paroles de l'humoriste Pierre Dac, pour dénoncer la collaboration radiophonique de Radio-Paris : « Radio-Paris ment, Radio-Paris ment, radio-Paris est allemand. » Le Blitz de Londres sera désastreux pour le marchand qui perdra de nombreuses œuvres lors du bombardement des docks où étaient logées ses réserves. En 1944, sa London Gallery Edition éditera *Troisième Front poèmes*.

toile *Au seuil de la liberté* (pour 90 livres) ainsi que plusieurs gouaches.

L'exposition aux New Burlington Galleries offre à Magritte l'occasion d'une rencontre qui s'avérera décisive. Parmi les visiteurs de la manifestation figure Edward James, un jeune poète excentrique dont la fortune familiale lui permet d'exercer une activité importante de mécène — durant ses études à Oxford, il finança la parution du premier recueil de poèmes de John Betjman avant de subventionner la revue *Minotaure* dans laquelle il a publié ses poèmes ainsi que des articles à l'humour subtil (tels ceux qu'il consacre, dans la neuvième livraison, aux chapeaux de la reine d'Angleterre) — tout en collectionnant avec frénésie l'art surréaliste, découvert lors d'un séjour à Paris en 1930. James a prêté un Picasso et un Dalí à l'exposition des New Burlington Galleries. Grâce à l'intervention de ce dernier, il entre en contact avec Magritte dont il apprécie l'œuvre pour son climat poétique et l'extrême précision mimétique de ses représentations qui fonctionnent comme des « trompe-l'esprit ». À la demande de James, Magritte se rendra à Paris dans les derniers mois de 1936 pour un court séjour durant lequel le peintre se fera cicérone. Contre ses habitudes, il guide Edward James, manifestement ravi, dans nombre de musées parisiens. Sans doute voit-il l'opportunité de placer quelques-uns de ses tableaux à ce collectionneur inventif et raffiné. La proposition de James sera bien plus intéressante. Il ne fera part à Magritte de son projet qu'après en avoir négocié les termes financiers avec Mesens : la commande de trois peintures monumentales à intégrer à la salle de bal Adam de sa résidence londonienne du 35 Wimpole Street. Certainement James a-t-il retenu de ses conversations avec Magritte que ce dernier a commencé sa carrière comme peintre-décorateur. Peut-être Mesens lui a-t-il montré des photographies des peintures exécutées en 1931 pour décorer la boutique de la couturière Norine. La négociation qui précéda la commande en même temps que la chance qui s'offre à lui de développer un nouveau marché expliquent probablement que Magritte, qui, à suivre sa correspondance, était débordé par ses travaux publicitaires au point de ne pouvoir venir à Londres assister au vernissage de l'exposition des New Burlington Galleries, ait pris le temps de visiter Paris avec James.

Le 28 janvier 1937, James dit à Magritte le plaisir qu'il aurait à l'accueillir un mois ou deux à Londres afin de lui faire, à son tour, découvrir la ville, ainsi que la campagne qui environne son château de West Dean[73]. L'invitation complète les échanges que James a eus avec Mesens pour décrire par le menu ce qu'il attend de lui. Magritte séjournera ainsi chez James du 12 février au 19 mars. Installé dans un atelier improvisé au-dessus du garage, il exécutera trois tableaux : *Au seuil de la liberté*, une troisième version du *Modèle rouge* et *La Jeunesse illustrée*. Il reprend ici, en les modifiant et en leur donnant une échelle monumentale, trois sujets développés antérieurement.

Au sortir de cette première commande, James dira le plaisir qui est le sien devant la réaction des invités à son bal. Ces œuvres troublantes ont causé « beaucoup de conversions au surréalisme[74] », annonce-t-il. Les peintures fonctionnent comme de grands miroirs qui, plutôt que de renvoyer un reflet, suggèrent une réalité venue des profondeurs de la pensée. En particulier les godillots métamorphosés en pieds qui perturberont les « jeunes danseurs aux talons capitalistes » qui foulèrent le parquet ce soir-là.

De sa relation à Edward James, Magritte espère quant à lui tirer quelque avantage à long terme qui le libérerait du servage publicitaire. Son commanditaire s'est constitué une collection importante de tableaux surréalistes où domine l'œuvre de Dalí qu'il soutient avec générosité. Celui-ci a largement contribué à façonner l'univers étrange que constitue la demeure londonienne de James. Sa méthode paranoïaque critique a investi la salle à manger et il a multiplié les projets qui devaient conduire à faire de la maison un environnement surréaliste unique. À tel point que James, en juin 1938, fera établir par son avocat un contrat au bénéfice de Dalí en contrepartie de sa production pour l'année. Malgré le caractère spécifique de cette relation, Magritte voit là un espoir de retrouver la quiétude qui était la sienne à l'époque du Centaure. Le peintre va donc multiplier les gestes à l'égard du commanditaire qui, depuis 1937, manifeste le désir de le voir exécuter son portrait. Magritte accepte et le résultat échappe à la représentation conventionnelle qu'il pratique à Bruxelles pour le cercle d'amateurs qui gravitent autour du Palais des beaux-arts. Pour James, Magritte entend réinventer ce genre. C'est à Bruxelles qu'il réalise un premier portrait baptisé *La Reproduction interdite* : un homme debout et de dos se regarde dans le miroir et se voit, debout de dos, se regardant dans un miroir... Refusant de se livrer au regard, le portrait passe d'une individualité qui échappe à une forme d'universalité qui se nie. Comme l'annonce le titre, le principe même de représentation s'annule dans le miroir silencieux. Composée à partir d'une photographie, cette toile enthousiasme Edward James. Pris au jeu, Magritte annonce un deuxième portrait à partir d'une photographie que Man Ray exécutera sur base des indications du peintre. Ce sera *Le Principe du plaisir*. Assis, une main sur la table où a été déposée une pierre, James fait face au spectateur sans pour autant se livrer. Jouant d'une solarisation qui culmine en embrasement, le visage reste invisible comme si la pensée ne pouvait être figée en forme, dessin, représentation. Magritte ne cache pas sa fierté devant cette trouvaille qui réalise pleinement l'idée de portrait tout en en annulant les conventions d'usage.

Magritte se met en frais pour satisfaire le fantasque Edward James. Il réalise une variante de *L'Avenir des statues* — un masque mortuaire de Napoléon transfiguré en ciel bleu constellé de nuages immaculés qui reprend le motif développé, en peinture, sous le titre *La Malédiction*. Répondant à la commande de James, il exécutera encore, en

1937, *Le Monde poétique*. Par la suite, James fera l'acquisition d'autres œuvres de Magritte, en direct ou par l'entremise de la London Gallery, sans jamais répondre à son attente de contrat fixe. En amateur éclairé, James fait l'acquisition de gouaches originales et de tableaux importants comme *La Durée poignardée* pour lequel Magritte réalisera des projets d'installation dans l'escalier de la maison de Walpole Street. Faut-il y voir une extension poétique du problème de la locomotive qui avait pris la place du poêle à charbon. Ainsi, le problème avait été résolu par une métonymie qui ramenait la locomotive à l'état de buse de cheminée. Par sa mise en situation, cette même cheminée aurait trouvé son substitut métaphorique dans l'escalier.

Magritte et Edward James échangeront une importante correspondance. James s'y amuse des inventions du peintre, qu'il entend soutenir en stimulant son imagination. Magritte, de son côté, espère convaincre le mécène de devenir son commanditaire exclusif. Voulant profiter de la situation offerte à Dalí, il se fera plus explicite dans une lettre rédigée le 26 juillet 1938 : contre un paiement annuel de 100 livres à verser chaque mois d'août, Magritte propose à James de choisir la meilleure œuvre de sa production de l'année[75]. Soucieux d'indépendance, James répondra immédiatement. Non sans dureté : « Si tout d'un coup vous deveniez un mauvais peintre — rien n'est impossible —, alors je serais en train d'acheter un tableau par an d'un "fabricant d'art" au lieu d'un artiste. Et ce serait la première fois que cela m'arrive[76]. » Sentant la porte définitivement fermée, Magritte fera marche arrière et renoncera au projet sans perdre l'amitié bienveillante de James.

Grâce à Edward James, le peintre découvre Londres et entre en contact avec ses milieux artistiques et littéraires. Il se lie d'amitié avec David Gascoyne et avec Roland Penrose qui ont organisé l'« International Surrealist Exhibition ». Poète, peintre et sculpteur, Penrose a réalisé en 1936 ses premiers objets. Au contact de Magritte, le jeune artiste affine sa conception du surréalisme et se rapproche de Mesens. En 1938, il deviendra le secrétaire-trésorier de la London Gallery et codirigera le *London Bulletin*. Mesens, qui a favorisé la commande passée par Edward James, profitera du séjour londonien de Magritte pour l'inviter à donner une conférence dans sa galerie. Celle-ci a lieu le 21 ou le 22 février 1937 dans le cadre de l'exposition des jeunes peintres belges organisée et mise en scène par Mesens. Pour l'occasion, Georgette, Colinet et Scutenaire font le déplacement. Reprenant les thèses développées dans *Les Mots et les Images*, Magritte, plutôt qu'une conférence, entend livrer une « démonstration d'idées majeures sur quelques caractères propres aux mots, aux images et aux objets réels ».

Reprise un an plus tard, par ELT Mesens et Roland Penrose, la London Gallery s'imposera comme le foyer de diffusion du surréalisme en Angleterre. Elle ouvrira à nouveau ses portes le 1er avril 1938, avec une sélection rétrospective de trente-trois tableaux, quatre objets et neuf œuvres sur papier de Magritte. Le numéro inaugural du *London Bulletin*, essentiellement consacré à Magritte, fera office de catalogue. Pris par ses travaux publicitaires, Magritte repoussera jusqu'au dernier moment sa venue à Londres pour l'ouverture de la galerie. Sa présence au vernissage se justifie par les espoirs que le peintre place à Londres. De plus en plus éreinté par la publicité, par ces « travaux imbéciles » qui l'assomment et lui donnent « la nausée[77] », il espère signer un nouveau contrat qui le lierait à un marchand tout en lui assurant un revenu suffisant. Après l'échec de ses démarches auprès d'Edward James, Magritte se tourne vers Mesens avec lequel il négociera longtemps pour obtenir un contrat qui satisfasse les deux parties. Mesens possède, en effet, un lot important d'œuvres plus anciennes qu'il commercialise en Belgique où Magritte lui-même vend ses œuvres récentes aux mêmes collectionneurs. La correspondance échangée éclaire d'âpres négociations*. Mesens allant jusqu'à menacer de rompre leur lien d'amitié en mettant en salle de vente l'ensemble des tableaux qu'il détient encore. Et de conclure : « Je te prie, une dernière fois, de raisonner comme un grand seigneur et non pas comme un épicier en délire[78]. » Magritte cédera finalement et renoncera à vendre directement aux collectionneurs qui le

* Voir R. Magritte, *Lettre à ELT Mesens*, les 9 et 15 septembre, 28 octobre, 17 novembre, 1er et 7 décembre 1938 ainsi que les répliques de Mesens datées du 13 septembre et 27 novembre (Bruxelles, Ten O'Clock, Archives Magritte, (copie). Tout en répondant point par point aux demandes, qu'il juge excessives, du peintre, Mesens reproche à Magritte son « ancien goût de brader [sa] marchandise » en l'offrant au tout-venant et à n'importe quel prix.

contactent. Il accepte de les renvoyer préalablement à son marchand qui décidera, seul, du prix. En échange, il obtient une répartition à part égale pour les œuvres nouvelles, la vente des tableaux anciens entre les mains de Mesens ne lui rapportent que 10 %.

Soucieux de s'assurer des revenus mensuels qui répondent aux besoins de son couple, qu'il évalue à 2 500 francs belges de l'époque, le peintre revient sur la question d'un salaire fixe garanti par la galerie. Mesens ne lui apportant aucune assurance, il se tournera vers Claude Spaak qui lui proposera un revenu de 1 500 francs belges mensuels, sans entraver la vente directe aux collectionneurs. Aux abois, le peintre relancera Mesens, espérant profiter de la mise en concurrence des deux offres[79]. Depuis Londres, celui-ci acceptera de rétribuer le peintre à la hauteur de la proposition faite par Claude Spaak et dont Magritte bénéficie effectivement depuis novembre 1938. L'accord sera de brève durée puisque Magritte continuera à vendre ses œuvres directement aux collectionneurs sans respecter l'engagement pris avec Mesens[80]. En décembre, une rencontre, à Bruxelles, tournera court. Mesens mettra fin aux négociations que Magritte tente de relancer en lui adressant une lettre qui s'achève par : « Vous êtes un mufle, c'est entendu, mais vous ignorez que vous êtes aussi un "danseur maladroit"[81] ».

Les mois passés à Londres ont été l'occasion pour Magritte de s'ouvrir à de nouveaux horizons. Londres le fascine et les rencontres qu'il y fait se révèlent des plus amicales. De Matta avec lequel il se lie à George Moore dont il admire l'épouse russe « au corps ADMIRABLEMENT balancé (genre guêpe robuste)[82] », précise-t-il à l'intention de Scutenaire. Il y trouve aussi une échappatoire à ses problèmes de couple qui, depuis le retour de Paris, l'ont peu à peu éloigné de Georgette, qui s'est consolée dans les bras de Colinet. Elle entretient une relation avec lui à première vue encouragée par son mari. Déjà en 1935, dans la série de photographies que Magritte a prise de la petite bande se promenant masqués en campagne avant d'achever la journée dans la cour-jardin de la rue d'Esseghem — série qui sera baptisée *Les Extraterrestres* —, les gestes de Colinet à l'égard de Georgette dénotaient une proximité pour le moins équivoque. Magritte n'ignore rien de l'évolution de son couple et poursuit avec Colinet une correspondance amicale. À Londres, lui-même aura un moment une liaison avec un jeune et séduisant mannequin.

## MARIËN L'INTROUVABLE

Revenu à Bruxelles en mars 1938, Magritte poursuit ses recherches en vue de résoudre le problème du portrait que lui pose la demande d'Edward James. Il reprend aussi ses propres recherches au sein du cercle de ses intimes, avec lesquels il multiplie excursions et promenades, l'œil rivé à l'appareil photographique, pour des mises en scène excentriques pérennisées par la pellicule. De même, les vacances sur la côte belge, tout en inscrivant de manière durable la mer comme un des éléments du paysage mental magrittien, sont l'occasion de séances photographiques qui immortaliseront les jeux des comparses surréalistes. Ici ou là — à l'instar de cette photographie de Georgette couchée dans le sable, le visage entouré d'objets emblématiques parmi lesquels une pipe —, un cliché confirme ce caractère permanent de la recherche menée par le peintre.

Magritte chasse de plus en plus en bande. Aux vieux complices s'en ajoutent de nouveaux qui vont bientôt former une seconde strate générationnelle. Entre eux, la concurrence s'avérera parfois des plus rudes pour plaire à celui qui fait figure de mentor.

Le 4 juillet 1938, Magritte rencontre Marcel Mariën, jeune écrivain anversois, avec lequel il restera lié jusqu'en 1954. Après une formation de photographe, Mariën a découvert, en 1935, à l'occasion du salon Kunst van Heden (« Art d'aujourd'hui ») qui s'est tenu à Anvers, l'œuvre de Magritte ainsi que la pensée surréaliste à laquelle il s'initie à travers livres et revues. Il compose alors ses premiers poèmes dans le genre. Sa rencontre avec le peintre se révélera décisive. À peine débarqué chez Magritte, celui-ci lui enseigne les échecs.

En 1983, Mariën décrira la scène précisant que l'échiquier, fatigué et courbé par l'usage, présentait des cases dont certaines portaient comme commentaires « case de fuite », « case perdue », « case de salut », « case désespérée[83] ». Le même jour, Mariën rencontrera — et se liera avec — Colinet. Puis avec Scutenaire, Hamoir et Nougé dont il admire la pensée méthodique et précise. De la même manière, il sera intégré, sans plus de procès, aux séances consacrées à solutionner de manière collective le problème du jour auquel travaillait le peintre.

Introduit dans le cénacle surréaliste, Mariën découvre une forme de liberté de pensée et affirme que l'« on pouvait passer sans arrêt de ces outrances à la discussion la plus grave, sans que l'une attitude empiétât sur l'autre et en amoindrît la portée[84] ».

Dans le sillage du peintre il réalise aussi son premier objet surréaliste : une paire de lunettes cassée qu'il réduit à un seul verre et que son mentor baptise *L'Introuvable*. Exposée à Londres lors de l'« International Surrealist Exhibition » de juillet 1937, l'œuvre consacre l'intégration de Mariën dans le groupe surréaliste bruxellois dont il deviendra la mémoire à la fois précise et sectaire.

PLUIE DE PROJETS

Durant l'été 1938, Georges Hugnet — qui, dès 1924, s'est fait le premier historien du dadaïsme et qui a mené une activité de cinéaste — lance une collection de vingt et une cartes postales qui forme une sorte de panorama du surréalisme auquel

Magritte collabore. La carte reprend une gouache, sans doute réalisée en grisaille afin d'optimaliser le contraste à la reproduction. Magritte — comme Nougé — ne pouvait qu'être sensible à un projet qui ravivait nombre de leurs initiatives postales depuis *Correspondance*. Le travail d'Hugnet, à partir de décalcomanies à l'encre noire, plus ou moins automatiques, et sa pratique du collage photographique et du photomontage font écho aux préoccupations de Magritte. Quelque vingt ans plus tard, la parution de *La Carte d'après nature* s'inscrira dans la même perspective.

Les expositions se poursuivent de manière régulière, imposant à Magritte une augmentation de sa production. Il prend ainsi part à l'exposition « Trois peintres surréalistes : René Magritte, Man Ray, Yves Tanguy » qui se tient au Palais des beaux-arts de Bruxelles, du 11 au 22 décembre 1937, avant de bénéficier d'une seconde exposition personnelle à la Julien Levy Gallery de New York, du 4 au 18 janvier 1938. La manifestation s'organise en rétrospective et montre seize toiles dont les cinq acquises par Levy deux ans plus tôt. Ce dernier n'a cessé de relancer l'intérêt pour Magritte aux États-Unis caressant même le projet de monter une première manifestation à Hollywood sans qu'il soit possible de dire si celle-ci s'est effectivement tenue[85]. 

Au même moment, Magritte prend part à l'importante exposition surréaliste organisée par Breton et Éluard avec la complicité de Duchamp — au titre de « générateur-arbitre » — à la galerie

Beaux-Arts à Paris. « L'Exposition internationale du surréalisme » constitue un événement majeur et, le 17 janvier, Magritte fait le déplacement pour assister au vernissage. Tout en restant extérieur à l'agitation parisienne, il existe enfin dans l'histoire du mouvement qu'il n'a cessé de vouloir pénétrer depuis 1927. Les deux illustrations de son œuvre qui figurent dans le *Dictionnaire abrégé du surréalisme* publié par Breton et Éluard constituent à ce titre une réelle victoire.

## REGARDS VERS LE PASSÉ

Le dimanche 20 novembre 1938, à l'initiative de Luc Haesaerts, Magritte prend la parole devant quelque cinq cents personnes venues l'écouter au Musée royal des beaux-arts d'Anvers. Le peintre y livre sans doute la contribution la plus éclairante de son œuvre, à la fois synthèse de son évolution depuis ses premiers pas de peintre et développement de la méthode dialectique qu'il poursuit depuis le début de la décennie.

Le texte a connu des variantes et des résumés nombreux[86] avant que la version complète ne soit éditée et commentée en 1998 par David Sylvester et Sarah Whitfield[87].

En cette matinée de novembre, Magritte livre sa trajectoire en vingt-six diapositives — auxquelles s'ajoutent en ouverture *Le Chant d'amour* de De Chirico et un collage de Max Ernst pour *Répéti-*

*tions* d'Éluard — dont dix-huit participent de la série *Les Mots et les Images*. Le peintre est pourtant désormais entièrement engagé dans cette peinture qui ne se conçoit que comme la problématisation de la représentation. Magritte n'est pas là pour expliquer ce qu'il fait, mais pour donner à ses travaux récents la légitimité d'une démarche inscrite dans la durée et d'emblée positionnée au cœur des recherches surréalistes.

Le texte mérite d'être repris. Le peintre y affirme d'entrée de jeu son attachement à un idéal social et politique qui inféode la révolution surréaliste à l'action communiste. Ainsi entame-t-il sa présentation par un « Mesdames, Messieurs, Camarades » aussi provocateur que ses allusions à l'héroïsme et au patriotisme. Magritte tiendra informé Mesens, qui lui a fourni la biographie jointe au programme. Il lui signale qu'au troisième mot, « Camarades », « un personnage a voulu partir, [...] mais la salle étant comble [...], il en a été empêché ». Après avoir fait allusion au départ d'une dame choquée par ses propos, Magritte évoquera aussi des réflexions entendues comme « Il parle de 1915, comment se fait-il qu'il n'était pas au front ? ». Et Magritte de conclure, goguenard : « Mais à part ces incidents amusants, j'ai l'impression d'avoir touché, comme il convenait, un public de cinq cents personnes au moins[88]. »

La révolution à laquelle il en appelle ne se veut communiste que par commodité d'action. La conférence s'ouvre d'abord sur une profession de foi personnelle. Le monde dans lequel évolue l'homme moderne n'est que déception, incohérence, absurdité. Et le peintre de se livrer à une critique de cette modernité aberrante où la politique d'armement se justifie comme obstacle à la guerre et où la science concentre ses efforts sur la destruction de l'homme. Magritte ne voit devant lui qu'un monde promis à la ruine. D'emblée, il situe son intérêt pour le réalisme, non dans une quelconque défense de la représentation, mais bien comme sa contribution personnelle à la révocation fondamentale d'un monde moderne auquel il oppose l'espace du rêve « qui offre à notre corps et à notre esprit, la liberté dont ils ont un impératif besoin ». Plus que la folie qui était au cœur de sa contribution aux *Couleurs de la nuit* — folie qui apparaissait comme un refuge pour « les impatients et pour les faibles » en les protégeant « de l'atmosphère étouffante de ce monde façonné par des siècles d'idolâtrie pour l'argent et pour les dieux » —, c'est l'amour qui, aux yeux de Magritte, protège désormais l'homme de la menace que fait peser sur lui la société moderne. Et avec l'amour une forme d'isolement qui correspond à une prise de distance à l'égard de l'ordre apparent du monde entendu comme système. Le peintre se place dans le prolongement de l'expérience éprouvée au contact des œuvres de De Chirico et, plus particulièrement, de ce *Chant d'amour* qu'il situe en rupture « avec des habitudes mentales propres aux artistes prisonniers du talent, de la virtuosité et de toutes les petites spécialités esthétiques ». À ses yeux, De Chirico, comme Max Ernst, « offre une nouvelle vision où le spectateur retrouve son isolement et entend le silence du monde ».

Fidèle à la pensée surréaliste, Magritte revendique pour « la vie éveillée » une liberté comparable à celle dont jouit l'homme dans l'espace nocturne du rêve. À travers cette affirmation, il induit déjà une répartition de son œuvre entre une face nocturne, violente et libertaire qui va de 1925 à 1929, et une phase diurne qui lui succède, davantage construite et réfléchie, mais dont l'aspiration n'en serait que le prolongement assumé. Et de préciser :

> Cette liberté, l'esprit la possède en puissance et pratiquement il suffit que de nouveaux techniciens s'attachent à réduire quelque complexe — celui du ridicule peut-être — et recherchent quelles légères modifications il faudrait apporter dans nos habitudes pour que cette faculté que nous avons de ne regarder que ce que nous choisissons de voir devienne la faculté de découvrir immédiatement les objets de nos désirs[89].

Magritte n'a nullement renoncé à la puissance libidinale qui dominait son œuvre vers 1925-1929. Celle-ci s'est déplacée. La pulsion s'est défaite de sa connotation sexuelle pour toucher le plus banal des objets quotidiens comme support du désir. Au-delà de ce dernier, c'est à l'émancipation de « l'expérience quotidienne » que Magritte en appelle.

Ayant affirmé son credo artistique, il entend le légitimer en l'enracinant dans ce lieu originel que constitue l'enfance. Il suit en cela un schéma proche de celui mis en scène par Freud à propos de Vinci et qui, depuis la fin du XIXe siècle, constitue une forme de tradition dans les écrits d'artistes. Avant lui, Ensor s'était livré au même type de justification en situant dans ses souvenirs d'enfance l'événement bouleversant — « l'art de peindre me paraissait alors magique et le peintre doué de pouvoirs supérieurs », déclare Magritte — à partir duquel sa démarche se serait imposée d'évidence comme la recherche de « cette magie de l'art [qu'il] avait connue dans [son] enfance ».

Cette fascination renaîtra au hasard d'un catalogue d'exposition qui révèle à Magritte la peinture futuriste. À partir de ce point, l'artiste retrace son évolution artistique non sans chercher, perpétuellement, à se placer à la marge des mouvements rencontrés. Du futurisme, il se distingue par le sentiment « pur et puissant » de l'érotisme qu'il place au cœur de la représentation. Au contact des avant-gardes, sa peinture a connu une mutation fondamentale : forme et objet n'entretiennent plus des relations d'évidence alors que l'image peinte et celle perçue dans le réel se dégagent l'une de l'autre. L'abstraction fait figure d'expérience libératrice, même si le nouveau langage plastique met en place un nouveau conformisme.

Je recherchai quels étaient les équivalents plastiques de cet essentiel et mon attention fut détachée du mouvement des objets. J'obtins des ensembles d'objets dépouillés de leurs détails et de leurs particularités accidentelles. Ces objets ne révélaient au regard que l'essentiel d'eux-mêmes et, par opposition à l'image que nous voyons d'eux dans la vie réelle où ils sont concrets, l'image peinte suscitait le sentiment très vif d'une expérience abstraite[90].

Ce que l'abstraction révèle d'essentiel, Magritte va le ramener dans l'espace de la réalité concrète

en affirmant la dimension pelliculaire de la représentation :

> Malgré les combinaisons compliquées de détails et de nuances
> d'un paysage réel, je pouvais le voir comme s'il n'était qu'un
> rideau placé devant mes yeux. Je devins peu certain de la pro-
> fondeur des campagnes, très peu persuadé de l'éloignement
> du bleu léger de l'horizon, l'expérience immédiate le situant
> simplement à la hauteur de mes yeux. J'étais dans le même
> état d'innocence que l'enfant qui croit pouvoir saisir de son
> berceau l'oiseau qui vole dans le ciel.

À le suivre, le peintre n'a donc pas récusé l'abstraction parce qu'elle contredirait l'expérience même
de la réalité, mais parce que le réel ne se donnerait
en fait que comme abstraction. Celle-ci s'avère en
somme aussi inutile que redondante. Cette réduction du réel à l'état de surface conduit le peintre à
restaurer l'objet au cœur de l'image.

> Cette décision, qui me fit rompre avec une habitude d'expres-
> sion déjà devenue confortable, me fut d'ailleurs facilitée à
> cette époque par la longue contemplation qui me fut donnée
> d'avoir dans une brasserie populaire de Bruxelles : la disposi-
> tion d'esprit où j'étais me fit apparaître douées d'une mysté-
> rieuse existence les moulures d'une porte et je fus longtemps
> en contact avec leur réalité[91].

Le sens enfoui dans l'objet le plus anodin consacre la construction de l'image en une archéologie de
la sensation qui révélerait une nouvelle dimension
de la réalité placée sous le signe du « Mystère ».
Malléable, le concept reviendra sans fin sous la
plume de Magritte pour déterminer cette partie de
la réalité qui résisterait à toute forme d'interpréta-

tion. Par sa mise en situation, l'objet acquiert cet « effet poétique bouleversant » qui définit la part d'irréductibilité inhérente au réel. Recolonisé par l'imaginaire, la réalité relève de l'objet rendu dans l'impersonnalité de son objectivité. Depuis 1926, Magritte a fait hurler les objets les plus familiers. Dans un élan qui le relie à une certaine tradition symboliste, le tableau se mue désormais en énigme. Il interroge les fondements de la réalité en plaçant l'objet dans un état de dépaysement, en l'inventant à la marge de ses usages ou en en brouillant le sens par l'intervention du titre.

Magritte s'arrête sur la question du langage et reprend, en l'illustrant de dessins, son propos développé dans *Les Mots et les Images*. À la palette d'effets décrite en 1929 est venue se superposer la conception d'une limitation du langage dans son usage quotidien :

L'habitude de parler pour les besoins immédiats de la vie pose aux mots qui désignent les objets un sens limité. Il semble que le langage courant fixe des bornes imaginaires à l'imagination.

Le peintre lie alors cette recherche d'équivalence nouvelle entre les mots et les objets à un événement à partir duquel sa peinture a connu sa révolution :

Une nuit de 1936 [si on tient compte de l'œuvre, l'action est à situer en 1932, mais le peintre veut sans doute renforcer ici l'actualité de sa démarche], je m'éveillai dans une chambre où l'on avait posé une cage et son oiseau endormi. Une magnifique erreur me fit voir dans la cage l'oiseau disparu et remplacé par un œuf. Je tenais là un nouveau secret poétique étonnant car le choc que je ressentis était provoqué précisément par l'affinité des deux objets : la cage et l'œuf, alors que précédemment je provoquais ce choc en faisant se rencontrer des objets sans parenté aucune[92].

La méthode dialectique est en place : un objet choisi dans les limites de la quotidienneté est mis en situation jusqu'à ce que cette « mise en lumière d'un élément qui [lui] serait propre et qui [lui] serait rigoureusement prédestiné » révèle ce sens enfoui dans les profondeurs de la pensée. Seize démonstrations répondront à autant de problèmes posés et déjà résolus en 1938. Dans ce travail herméneutique, la lumière joue un rôle déterminant. Elle se fait l'agent d'une révélation qui définit l'ordre du visible. Magritte s'y arrête en des termes qui annoncent l'évolution à venir :

Pour la lumière, j'ai pensé que si elle a le pouvoir de rendre visibles les objets, son existence n'est manifeste qu'à la condition que des objets la reçoivent. Sans la matière, la lumière est invisible. Ceci me semble rendu évident dans *La Lumière des coïncidences* où un objet quelconque, un torse de femme, est éclairé par une bougie. Il semble ici que l'objet éclairé donne lui-même la vie à la lumière[93].

La pensée de Magritte transforme les fondements de la représentation qui ne donne plus à voir un monde dont l'explication relèverait d'un hors-champ de l'image. Elle n'est plus l'illustration d'une somme de valeurs qui lui sont extérieures. Magritte ouvre la voie à une problématisation du monde par l'image. La poésie se mue en poétique alors qu'un

système philosophique prend corps au travers de
« l'expérience picturale ». Et le peintre de conclure :

> Cette expérience picturale confirme ma foi dans les possibi-
> lités ignorées de la vie. Toutes ces choses ignorées qui parvien-
> nent à la lumière me font croire que notre bonheur dépend lui
> aussi d'une énigme attachée à l'homme et que notre seul
> devoir est d'essayer de la connaître[94].

*La Ligne de vie* fixe le point de fuite à l'aune
duquel quinze années de création sont désormais
relues. L'œuvre trouve ainsi une cohérence en dehors
de la simple reconnaissance de son caractère surréaliste. Magritte n'y fera appel que de manière
marginale. Il préfère assumer un développement
logique — voire mathématique — comme le déplacement successif des pièces d'un échiquier tendues
vers un seul et même but : mettre échec et mat les
conventions au nom de la pensée.

# Féerie pour un ailleurs

Malgré le climat délétère qui montre que tout conduit à la guerre, Magritte poursuit sa carrière de peintre. Il peint, expose et vend sans autre souci que d'assumer sa recherche en plus de ses servitudes publicitaires. Du 13 au 24 mai, le Palais des beaux-arts présente une exposition de ses œuvres récentes : dix toiles et vingt-quatre gouaches sont ainsi réunies. Sur la série de gouaches qui est exposée dans une salle particulière, une dizaine propose au public des compositions originales qui, à l'instar de sa gouache intitulée *Le Témoin* — dont la juxtaposition d'un obus et de boyaux traduit l'antimilitarisme et le pacifisme de Magritte —, ne connaîtront pas une transposition à l'huile. Contraint de répondre dans l'urgence aux nécessités de l'exposition, Magritte a privilégié la gouache, d'exécution plus rapide. Il semble aussi que cette technique obéisse à une exigence dont la correspondance avec Mariën s'est faite l'écho. Dans une lettre envoyée en avril 1939, Magritte revient sur les mois écoulés et sur une fatigue de peindre qui, désormais, le visitera régulièrement :

> Je suis tellement blasé de la peinture que pour me stimuler il faut une association d'idées pas nécessairement sensationnelle, mais qu'un je-ne-sais-quoi parvient à isoler et à lui donner comme une qualité précise : celle de me faire marcher, ainsi *L'Aiglon au veston*, *La Terre dans le ciel* et *Le Témoin* par exemple[1].

L'usure de la peinture situe la pratique de la gouache dans le registre d'une « facilité » qu'alimentera bientôt le désir de revenir à une forme de sensualité de la couleur associée au geste libre d'un « surréalisme en plein soleil ».

La manifestation est un succès pour le peintre. Non seulement la critique se fait positive, mais les ventes augmentent : huit des dix toiles sont vendues à des collectionneurs parmi lesquels Edward James qui fait en même temps l'acquisition de huit gouaches. Par ailleurs, l'exposition offre à Magritte l'opportunité de tester de nouvelles idées dans lesquelles Nougé, l'inévitable auteur de la préface, pressent des possibilités originales[2]. Reprises sous le titre unique de *Stimulation objective*, une toile et trois gouaches mettent en scène des objets qui se superposent pour créer un dialogue insoupçonné tout en annulant l'effet mimétique. Fasciné par les potentialités du collage, Nougé s'intéresse à cette forme de dédoublement de la représentation que Magritte a déjà pratiquée. Au-delà d'une référence aux pratiques photographiques de surimpression, le peintre poursuit sa mise à mal de la représentation, non plus en opposant à l'objet le mot qui échoue à le recouvrir, mais en superposant la chose dans son évidence visuelle avec son double réduit bien qu'identique. La table dans la table, le tableau dans le tableau, la sculpture dans la sculpture, le pot dans le pot, la pomme dans la pomme opèrent de manière mathématique comme deux négations additionnées qui s'annulent. L'accumulation trahit l'effet de surface et prive l'objet de tout illusionnisme.

L'opération n'affecte pas le réel, mais bien sa représentation. Elle opère en deux temps que Nougé a méthodiquement analysés dans sa préface. D'abord, l'objet s'isole : il se dégage « non seulement de rapports matériels, mais aussi de ses rapports intellectuels ou affectifs normaux, comme de la conscience du peintre[3] ». Pour parvenir à ce résultat, Magritte a sa technique : « Par le cadre ou le couteau, mais encore par une déformation plus ou moins apparente, par une modification plus ou moins importante dans la substance de l'objet : une femme sans tête, une main de verre[4]. » Un changement d'échelle ou de décor jouera aussi son rôle. La banalité de l'objet sera condition de son pouvoir de fascination et de sa « vertu de provocation[5] ». C'est là qu'opère le dédoublement : en sapant l'affirmation par la répétition et en soulignant l'effet de surface de toute représentation. L'image n'est qu'un écran tendu sur le vide. Les choses y sont absentes et la ressemblance se referme sur un mensonge.

Malgré le succès, les temps restent difficiles et les rentrées précaires. Léontine Berger-Hoyez engage sa

sœur Georgette pour tenir à ses côtés la Maison
Berger, boutique spécialisée dans les fournitures
pour artistes qu'elle vient d'ouvrir. Georgette sera
l'employée à temps partiel de sa sœur jusqu'au
milieu des années 1950. Même si Magritte vient
désormais s'y fournir, il vit mal cette situation qui
oblige sa femme à trouver un emploi afin de sub-
venir aux besoins de leur couple. Il y voit un échec
personnel en même temps que la trahison des promesses enflammées qui revenaient au fil de leurs
premiers échanges.

## COMMUNISME *VERSUS* REX

À partir du moment où les artistes n'enten-
daient pas inféoder leur engagement artistique à la
doctrine marxiste et refusaient de respecter aveu-
glément l'orthodoxie stalinienne, l'intégration des
surréalistes au débat politique devenait impossible.
Malgré les tensions qui ont présidé aux relations liant le surréalisme au communisme, l'aspiration libertaire peut sans problème se revendiquer
de l'antifascisme pour renouer des liens défaits.
L'adhésion d'André Breton au Comité de vigilance
des écrivains antifascistes s'inscrit dans ce contexte.
Pourtant, à nouveau, la mainmise stalinienne
interdira tout rapprochement avec le Parti. Ne
pouvant pas se reconnaître dans un socialisme
trop bourgeois et donc trop peu libertaire, Breton
se rapproche en 1935 de Georges Bataille, avec

lequel il fonde le groupe Contre-Attaque, dont les revendications révolutionnaires ne s'appuient sur aucune structure idéologique clairement affirmée. Le compagnonnage n'y résistera pas. Au sens du compromis et aux jeux des nuances propres au Front populaire — notamment à propos de la non-intervention en Espagne —, les surréalistes, Breton en tête, préfèrent le climat de fête insurrectionnelle qui caractérise les grèves de 1936.

Évoluant dans un contexte radicalement différent, les Belges ne suivent pas ce mouvement. Ils restent attachés à l'exploration sensible d'un univers rendu à sa part d'irrationnel qui, à leurs yeux, fondait l'esprit surréaliste originel. Nougé et ses amis ne partagent pas plus l'exaltation d'un Bataille qu'ils ne prisent les stratégies personnelles d'un Breton. Pour eux, combattre le fascisme qui se répand en Europe constitue une priorité qui rencontre leurs aspirations à voir le monde émancipé de tout mot d'ordre. Nougé et ses amis se mobilisent contre le développement du rexisme dont Léon Degrelle se fait le héraut grandiloquent. Issu du monde catholique, le rexisme mêle fascisme italien et phalangisme franquiste. Il espère forger une Europe nouvelle opposée au bolchevisme et thésaurise sur la crise sociale qui a suivi l'effondrement de l'économie. Organisé en parti politique, Rex, qui se pose en rival du parti catholique alors dominant, a remporté un succès électoral majeur aux élections législatives de mai 1936. Parallèlement au début de la guerre d'Espagne, l'opposition à Rex justifiera le retour des surréalistes dans le giron communiste. L'heure n'est plus aux tergiversations, mais au combat. Un an plus tard, en avril 1937, Degrelle est confronté au Premier ministre catholique Paul Van Zeeland dans le cadre d'une élection partielle. Faisant l'objet d'une coalition générale contre lui allant du parti catholique au parti communiste en passant par les libéraux et les socialistes, il voit aussi se dresser contre lui le cardinal Van Roey qui enjoint à tout catholique de ne pas voter rexiste. Avec moins de 70 000 voix contre plus de 275 000 pour son adversaire, Degrelle est finalement battu. Sa défaite met un terme à la progression de Rex qui, marginalisé sur le terrain politique national et en proie à des dissensions internes majeures, se rapprochera de manière de plus en plus appuyée de l'Allemagne nazie. C'est dans ce contexte que Magritte dénoncera « Le Vrai visage de Rex » à l'occasion d'un faux timbre qui renvoie l'artiste à sa fascination pour le fait postal. Il y joue de procédés par ailleurs exploités pour dénoncer le discours réel d'un Degrelle qui n'est qu'un Dorian Gray fasciste singeant les postures de son modèle hitlérien.

L'EFFONDREMENT

En février et en avril 1940, paraissent les deux numéros d'une nouvelle revue surréaliste, *L'Invention collective*, qui unit aux surréalistes bruxellois les membres de « Rupture » actifs dans le Hainaut.

Collectif, le projet récuse le principe d'une direction de rédaction. Magritte y joue un rôle essentiel en assumant les tâches administratives en collaboration, notamment, avec le photographe Raoul Ubac revenu de Paris depuis l'automne 1939. Il s'agit pour les Belges de ne pas se laisser enfermer dans ce silence qui marque les cercles surréalistes français et britanniques depuis la déclaration de la guerre. Réagissant à « l'abominable bêtise actuelle », *L'Invention collective* professe la liberté de l'imagination et du rêve tout en se dégageant d'une implication politique que Magritte juge sans effet[6]. André Breton déplorera ce manque d'engagement des Belges.

Magritte et Nougé s'éloignent l'un de l'autre. Déjà, des problèmes relationnels étaient apparus entre eux, sans doute à l'instigation de la deuxième femme de Nougé, Marthe Bonvoisin, dont Mariën qualifiera la nature de violente et difficile[7]. Leur relation évoluera de ruptures en retrouvailles. Le progressif effacement de Nougé, de moins en moins intéressé par les activités collectives, renforce l'ascendant de Magritte sur le groupe surréaliste bruxellois. Nougé se tient à distance de *L'Invention collective*, déplorant « quelque peu la transparence de l'amour, la nuit de la conscience et les paysages vivants[8] ». Mais il y a plus. Pour Nougé, il ne peut plus être question de prolonger la position de 1920 qu'il qualifie de « charmante » ou celle de 1930 jugée « supportable » alors que la guerre est à la porte[9].

Le 15 mai 1940, cinq jours après l'invasion de la Belgique par les troupes allemandes, convaincu que son engagement politique lui vaudra d'être fusillé, Magritte quitte précipitamment Bruxelles où il laisse Georgette qui prend prétexte d'une récente intervention chirurgicale pour refuser de s'éloigner de sa sœur Léontine et, surtout, de Paul Colinet. Leur liaison n'a pas faibli d'intensité poussant même Georgette à demander le divorce. À la gare de Bruxelles où il se rend avec le couple Ubac, Magritte retrouve les Scutenaire. Le groupe parvient à Paris. De là, le peintre gagne, le 23 mai, Carcassonne avec, comme lieu de ralliement, la maison du poète Joë Bousquet qui vit alité et reclus depuis qu'il a été blessé sur le front de Vailly en mai 1918. Dans ce climat d'effondrement général, Magritte s'enfonce dans la mélancolie. Isolé, il espère en vain regagner Bruxelles et se morfond. Il travaille peu. Faute de moyens, il se limite à des gouaches qu'il exécute pour quelques collectionneurs rencontrés grâce à Bousquet et pour une petite galerie locale. L'ennui le ronge.

Magritte retrouvera Bruxelles aux environs du 10 août 1940. Georgette lui a terriblement manqué et elle-même a ressenti douloureusement son absence. Leur correspondance, tributaire de la chance, témoigne d'un apaisement. Le couple se recomposera bientôt. L'absence a rendu à l'autre sa nécessité, tandis que la mort a relativisé le poids des querelles anciennes. Magritte en rend compte en octobre dans un tableau baptisé *Le Retour* : un oiseau fait de ciel et de nuage traverse la nuit étoilée pour retrouver son nid. Cet amour qui recouvre ses droits a sans doute aussi introduit dans la pensée de Magritte une urgence du bonheur qui s'exprimera lorsque les signes avant-coureurs de la Libération se feront ressentir.

L'exode a aussi mis en exergue une certaine « belgitude » qui caractérise Magritte. Bien qu'il évoluât au milieu d'un cercle d'amis poètes et écrivains, il s'est senti étranger à l'esprit français[10]. Il le dira à Mariën en date du 21 août : « Je ne rapporte pas de bonnes impressions de la France, décidément je suis bien un homme du Nord. C'est sans doute à cause de cela que j'ai été peu sensible à "l'esprit français". » Livré à lui-même, il a trouvé dans la gouache un refuge qui favorise l'évolution de son œuvre. Réduite à cette technique rapide, sa facture s'est émancipée. L'impératif de ressemblance mimétique s'est relâché et la couleur a gagné en intensité. Si les prémices de la recherche à venir sont perceptibles, son œuvre ancienne aura à souffrir des premiers mois de la guerre. À l'automne, dix-neuf de ses œuvres qui appartenaient à Mesens sont détruites à Londres dans le dépôt de la London Gallery bombardé par la Luftwaffe.

## LES COMPAGNONS DE LA PEUR

Après Magritte, c'est aux Scutenaire de regagner Bruxelles en octobre 1940. Ils empruntent le dernier train autorisé à rapatrier les réfugiés belges restés dans le sud de la France. Après plusieurs mois de captivité, Mariën sera libéré début 1941. Seul Mesens, resté en Angleterre, fait défaut. Dans la semi-confidentialité, l'expérience continue, forte de nouveaux ralliements comme celui de Christian Dotremont, le futur théoricien et animateur de CoBrA. Fidèles à leurs habitudes, les comparses lancent une revue dont le premier numéro — où paraît *Malgré la nuit* de Mariën — est antidaté pour contourner la censure allemande qui s'installe. Dans la seconde livraison, Dotremont publiera *Le Corps grand ouvert*. Une nouvelle génération surréaliste tente de s'affirmer alors que la nuit s'abat sur l'Europe et que les pères fondateurs, Breton en tête, ont déserté. Autour de Nougé, de jeunes écrivains comme Roger Goossens, Denis Marion et Robert Mathy lancent *Chemins privés*, revue aussi confidentielle qu'éphémère. À exemplaire manuscrit unique, elle connaîtra trois parutions entre janvier et novembre 1941. En 1942, Magritte, Nougé et Ubac fondent une académie dont la tâche consistera, selon Mariën, à « redéfinir certains mots premiers sous un angle plus poignant, plus poétique[11] ».

Depuis son retour à Bruxelles, Magritte développe une forme de résistance intérieure qui n'est pas sans parenté avec la position que défendra André Breton dans *Fata Morgana*. Il s'agit de fuir une réalité contingente inscrite dans un présent placé sous le signe de la catastrophe. L'œuvre de Magritte se dégage de l'emprise du réel pour rejoindre un univers régi par l'amour et le merveilleux. Les références au réel, ces fragments de la réalité extérieure charriés par les vagues de l'imagination onirique n'entretiennent que de loin en loin un contact avec le quotidien[12]. Sans cesser d'exposer, Magritte explore son monde intérieur et s'intéresse aux regards que certains proches ont portés sur son travail. Scutenaire, qui vient d'achever l'écriture de son roman *Les Vacances d'un enfant*, entame en 1942 la rédaction d'une monographie. Robert Cocriamont lui consacre durant ce même été 1942 un court-métrage. En 1943, Mariën publie un essai alors que Nougé réunit l'essentiel de ses textes consacrés à Magritte sous le titre *Les Images défendues*.

Les retrouvailles avec Georgette et la conscience de devoir réagir à ce que la guerre impose comme changement de mentalité font leur œuvre. Dans une lettre datée de décembre 1941, Magritte annonce à Éluard que son domaine sera désormais celui du « beau côté de la vie[13] ». Un repli volontaire nourri d'hermétisme l'invite à déserter le champ de la réalité. Dans l'univers imaginaire que le peintre se constitue en marge de l'actualité, la femme voit son importance confortée. Tout en développant une iconographie dominée par la nuit, Magritte revient à des œuvres comme *La Magie noire* qui, quelques années auparavant, lui apparaissaient manquer de cette violence qu'exaltait, par exemple, *Le Viol*.

Du 14 au 22 janvier 1941, Magritte a bénéficié d'une exposition personnelle de quinze peintures récentes et de cinq dessins à la galerie Dietrich, nouvelle galerie ouverte à Bruxelles par Walter Schwarzenberg. Il a pu se féliciter de l'accueil favorable de la presse et du public. Malgré les circonstances, il a vendu plusieurs œuvres qui lui ont rapporté 9 500 francs belges de l'époque.

Il faudra attendre 1943 pour revoir l'œuvre de Magritte refleurir aux cimaises. L'initiative reviendra à Lou Cosyn que Magritte connaît depuis 1935 et qui, en 1942, a ouvert une galerie à Bruxelles avec le soutien de Camille Goemans qu'elle épousera par la suite. Les 10, 11 et 17 juillet 1943, elle organise dans sa galerie une présentation privée de peintures récentes de Magritte. Pour échapper à la censure allemande, la manifestation sera semi-clandestine. Le peintre y révélera à un public restreint ses premières recherches inspirées par sa « renaissance » impressionniste.

Faute de toiles, Magritte commence à peindre des bouteilles. Après avoir travaillé sur des plâtres qu'il a détournés de leur fonction première — statues classiques ou masques mortuaires —, il recycle des bouteilles de vin qui se transformeront en un *Picasso de derrière les fagots*. Edward James, qui vit désormais aux États-Unis, applaudira à l'idée qu'il juge opportune pour un marché américain plus ouvert à la fantaisie[14]. Le peintre ne réalisera qu'une vingtaine de ces objets dont l'exécution lui semble trop astreignante. Parmi ses trouvailles, la figure de la femme-bouteille ne se limitera pas à l'objet, mais interviendra aussi dans des tableaux comme *La Connaissance naturelle* de 1941 ou *L'Inspiration*, une gouache de 1942.

Les conditions de vie de Magritte sont précaires. En dehors du maigre salaire de Georgette, la publicité n'offre plus le complément nécessaire et la vente des œuvres, pour constante qu'elle soit restée, connaît un ralentissement avec l'Occupation. Magritte bénéficie du soutien de quelques amateurs qui lui permettent de gagner un peu d'argent en exécutant des portraits dont l'originalité tient surtout à l'irruption de ces visages individualisés dans l'univers poétique du peintre.

L'inactivité qui caractérise l'Occupation favorise l'éclosion de projets qui ne requièrent pas le grand jour. C'est à cette catégorie qu'appartiennent les projets éditoriaux que caressent les amis de Magritte. Dès 1942, celui-ci rassemble la documentation destinée à une monographie écrite par Scutenaire, dont la publication ne verra le jour qu'en 1947 dans la collection « Le Miroir infidèle » de la Librairie Sélection, à Bruxelles, sous le titre *René Magritte*.

La genèse de cette monographie mérite qu'on s'y arrête. Au fur et à mesure de leur rédaction, des chapitres sont lus lors de soirées organisées chez les Magritte. Le texte évoluera au gré des événements. De la Libération à l'engagement du peintre pour un « surréalisme solaire », cédant la place à une jeune garde sans doute plus convaincue, Scutenaire ne prend pas part à l'essentiel du débat esthético-poétique qui s'amorce. Il préfère retrouver son camarade pour multiplier provocations et blagues de potaches. Peu à peu, ce penchant va colorer la perception de l'œuvre qui, au fil des discussions qu'il a avec Magritte, s'enracine dans une jeunesse aussi trouble que turbulente. Ami attentif, Scutenaire fixe son attention sur son insoumission qui trouve à s'exprimer de manière de plus en plus virulente au fil des déconvenues et des refus dont son « surréalisme en plein soleil » fait l'objet. Le rejet des amis d'hier induira en réaction une violence qui donne au regard biographique de Scutenaire une actualité de plus en plus marquée.

Le 23 août 1943, paraît la première monographie consacrée à Magritte avec un essai préliminaire de Marcel Mariën. Sur les vingt œuvres reproduites, huit relèvent de sa nouvelle manière. Toutes sont reproduites en couleurs. Mariën prétendra par la suite que ce tour de force n'a pu être réalisé que parce que Magritte en avait financé l'impression en réalisant des faux tableaux signés Picasso, Braque, De Chirico, Ernst[15], dont une forêt qui appartiendra à Fernand Graindorge.

L'affirmation n'a rien de surprenant. Ni par rapport à Magritte dont le goût pour la mystification offre ici à la pratique du pastiche d'autres profits qu'intellectuels, ni en regard de la période trouble de l'Occupation. La guerre a, en effet, profondément déréglé le marché de l'art vers lequel des spéculateurs se tournent maintenant pour générer un enrichissement aussi rapide que douteux. En novembre 1943, le critique collaborationniste Georges Marlier rapporte dans *Le Soir* une situation rendue confuse par ces salles de vente qui présentent sans cesse plus d'œuvres « anciennes ou modernes qui sont pour une bonne part des falsifications plus ou moins adroites[16] ». Cette industrie du faux privilégiant les maîtres français de l'impressionnisme et les figures majeures de l'art belge décédées depuis suffisamment longtemps pour ne pas susciter de réactions, il semble que même les figures emblématiques de l'art dit « dégénéré » — de Picasso à Klee en passant par Ernst — se soient muées en valeurs refuges.

Ayant réussi à placer un faux dessin de Picasso à un collectionneur, Mariën se serait vu proposer par Magritte d'amplifier leur négoce : le peintre produirait des œuvres que le poète proposerait à des amateurs peu éclairés. En cas de vente, Magritte aurait proposé un partage égal[17]. À en croire Mariën, de 1942 à 1946, le duo aurait écoulé un nombre substantiel de faux nés de la main de Magritte. Avec un bonheur variable. Pour tel Picasso accueilli pour une vente au Palais des beaux-arts de Bruxelles par Giron et Janlet enthousiastes, Mariën évoquera tel De Chirico recalé par Janlet tant il sentait encore la peinture fraîche.

L'ouvrage de Mariën répond aux aspirations nouvelles de l'artiste. Le livre est conçu comme un médicament « que l'on ordonne au hasard » afin d'apaiser les douleurs du monde. Le peintre a dès lors éludé les représentations trop violentes comme *Le Viol* ou trop radicales comme *La Trahison des images*. De même, il a soigneusement évité le mot

« surréalisme », même s'il en prolonge l'esprit en faisant de la création le fruit d'une « révolte permanente contre les lieux communs de l'existence[18] ».

Dans la foulée de l'ouvrage de Mariën l'essai de Nougé paraît, en octobre de la même année, chez les Auteurs Associés à Bruxelles. Il reprend des textes dispersés dans les catalogues qui accompagnèrent les expositions du peintre ainsi que la contribution à la cinquième livraison du *Surréalisme au service de la Révolution* de mai 1933. Le contenu renvoie en grande partie aux années les plus créatives du peintre. Retravaillé en 1942, l'ouvrage, avec ses dix-neuf planches en noir et blanc, contraste avec celui tout en couleurs orchestré par Mariën. Nougé livre une interprétation de l'œuvre de Magritte sans chercher à y intégrer l'évolution récente du peintre. Avec sa couverture qui reprend *La Lumière des coïncidences*, le texte reste attaché à ce début des années 1930 qui constitua un moment essentiel dans l'œuvre du peintre.

## LE TOURNANT

En février 1943, avec la défaite de l'armée allemande à Stalingrad, l'orientation que prend la guerre s'accompagne chez Magritte d'une remise en question fondamentale : il ne suffit pas de changer d'iconographie pour offrir cette évasion du quotidien dont le peintre a fait une question de survie. La métamorphose doit *nécessairement* passer par une rupture formelle et stylistique. Celle-ci requiert un élément que l'artiste avait jusque-là réservé à ses travaux publicitaires : la couleur. À travers elle, il revient à la sensation et se dégage de la primauté de l'idée consacrée par sa recherche dialectique. Il ne s'agit plus de creuser la vraisemblance jusqu'à en faire surgir un sens perdu, mais de recomposer par la sensibilité l'identité d'un sujet en crise. Magritte entame ainsi sous le signe de Renoir — mais aussi d'Ingres — sa « période solaire » qui se prolongera jusqu'en 1948. Près de soixante-dix toiles et cinquante gouaches relèveront de ce « style » tendu vers un avenir voulu radieux.

Antimilitariste libertaire, Magritte se dégage de l'ordre de la réalité dominé par la guerre. Après avoir privé la représentation de toute logique pour mieux saper les fondements d'une société jugée inique, il va, d'une certaine manière, se détourner du principe même d'engagement pour ériger l'acte de peindre en acte d'espoir. L'image devient alors le lieu où l'unité brisée recouvrera son équilibre, où le désespoir se muera en espérance et où le surréalisme, introspectif et nocturne, gagnera la pleine lumière. Pour Magritte, la guerre a marqué un tournant. Sa correspondance en rend compte : « Depuis le début de cette guerre », écrira-t-il à Pol Bury, le plus jeune membre du groupe « Rupture » dont la peinture s'inscrit dans le prolongement de sa propre recherche, « je désire vivement une efficacité poétique nouvelle qui nous apporterait le charme et le plaisir. Je laisse à d'autres le soin d'inquiéter, de terroriser et de continuer à tout confondre[19] ».

Magritte lie désormais l'acte pictural au plaisir. Auprès de Paul Éluard, il évoquait, dès décembre 1941[20], son désir de « renouveler l'air de [sa] peinture » de sorte qu'un « charme assez puissant » remplace « la poésie inquiétante » de ses œuvres d'avant guerre. À cet hédonisme revendiqué répond, selon Magritte, l'exigence qui est la sienne de « faire sentir d'une façon aiguë toutes les imperfections de la vie quotidienne ». Jusqu'au printemps 1943, cette recherche d'un style nouveau n'a essentiellement affecté que l'iconographie magrittienne qui s'est enrichie de « tout l'attirail des choses charmantes, les femmes, les fleurs, les oiseaux, les arbres, l'atmosphère de bonheur, etc.[21] ». Tout au plus assiste-t-on à un éclaircissement de la palette qui met un terme à la réduction volontaire de sa gamme à des gris et à des ocres symboliques de l'Occupation qui pèse.

L'espoir né à Stalingrad ne restaure pas que l'admiration pour le communisme soviétique. Magritte veut aussi rompre avec sa facture ancienne. Il se revendique d'un hédonisme impressionniste nouveau qu'il va puiser dans l'œuvre tardive de Renoir. *Le Traité de la lumière* reprend ainsi, au pied de la lettre, le principe déployé par le maître impressionniste à travers ses *Grandes Baigneuses* : peindre le corps féminin en donnant à chaque partie du corps une couleur différente. Et Mariën de commenter : « Fondant sur cette liberté, qui est l'apanage des surréalistes et qui les "entraîne à prendre les éléments de la création aussi près que possible de l'objet à créer", Magritte, non content de transformer sa baigneuse, emprunte en plus à Renoir sa *technique de représentation*[22]. » Sans aucune forme d'ironie et sans pratiquer un quelconque second degré, le peintre étudie l'impressionnisme à partir des livres jusqu'à en dégager sa propre technique. En août 1944, il initie le principe de « vignette » qui marquera la composition de certaines de ses œuvres — huiles, gouaches et illustrations — à venir. Pour Magritte, l'abandon du format rectangulaire au profit d'une image dont les bords s'estompent en un fond neutre répond à une évolution dont il retrace les étapes à l'intention de Mariën :

1) poésie dans les images réalistes.

2) poésie dans les images ayant par elles-mêmes un pouvoir artistique.

3) renforcement du caractère artistique, détachement, isolement plus grand de l'image avec le monde réel.

Car, puisque à présent, j'obtiens la poésie avec des images artistiques (l'intérêt, la nouveauté de ma peinture actuelle me semble précisément de traiter « l'art » comme je traitais avant le monde réel — représenté par des images réalistes, dénuées volontairement de tout caractère artistique), je renforce le genre artistique de ces images, elles apparaîtront je crois, grâce au moyen du dégradement, plus comme des reflets d'un monde à part, d'un autre monde que celui des généraux, des banquiers, et de tous les corps de métier. En somme, il s'agit de construire de nouvelles tours d'ivoire, ce qui est assez scandaleux.

Avec la libération de Bruxelles, la veine impressionniste se muera en une recherche de « l'art pour l'art » qui connaîtra son assomption jubilatoire dans l'affirmation même de son caractère artificiel. Le traitement en vignette bientôt transposé en cercles lumineux concentriques déduits de la facture de Van Gogh le souligne.

Magritte explore des solutions nouvelles placées sous le signe du don de soi, de l'ironie et de l'embrasement dans l'explosion lyrique de la libération, de ce « surréalisme en plein soleil », à la fois plastique et érotique, lumineux et sensible, qu'il appelle de ses vœux. Il exige la refonte radicale de ce que le surréalisme avait incarné sur un plan historique. Au sortir de la guerre, ce dernier ne peut revenir aux formules d'avant guerre comme le souhaitera Breton. L'épreuve de la nuit impose une sortie au grand soleil que le chef de file du surréalisme, de son exil américain, ne comprendra pas. Magritte adressera à Breton de vibrants plaidoyers pour une métamorphose de l'esthétique surréaliste que, par des voies plus idéologiques, le surréalisme révolutionnaire revendiquera aussi au nom de la primauté du communisme. Magritte se rapproche de cette frange de jeunes artistes engagés qui refusent la tutelle d'un Breton qui a déserté l'Europe occupée. Marcel Mariën, Christian Dotremont — pour un court moment — et le jeune Jacques Wergifosse formeront le noyau dur du « surréalisme en plein soleil ».

Aux sombres débordements du psychisme qui, à ses yeux, participaient de la montée des totalitarismes, Magritte oppose une perspective animiste qui ne serait plus repli mais affirmation : « Contre le pessimisme général, j'oppose la recherche de la joie, du plaisir », déclare-t-il dans une lettre adressée à André Breton. Et de préciser : « Il en va de cette capacité propre au surréalisme, définie par Nougé, d'inventer des sentiments et, peut-être, des sentiments fondamentaux comparables en puissance à l'amour ou à la haine. » Avec le « surréalisme en plein soleil », Magritte a résolument opté pour « l'humour-plaisir[23] », concept qu'il développera dans le manifeste de novembre 1946.

### PREMIÈRES FLÈCHES

Du 8 au 22 janvier 1944, Magritte expose une vingtaine de toiles à la galerie Dietrich de Bruxelles. Il s'agit de la première présentation publique de son travail « impressionniste ». Fidèle à son souci d'effacement de soi Nougé offre, sous le pseudonyme Paul Lecharentais, une préface intitulée *Grand Air*.

Apparaissant au grand jour, Magritte prend des risques : il fera l'objet de violentes attaques de la part de la presse collaborationniste qui voit dans sa peinture le paroxysme de la dégénérescence de l'art moderne. L'attaque portée par Marc Eemans — un ancien compagnon de route de « 7 Arts » qui exécuta ensuite quelques toiles dont l'inspiration surréaliste renvoyait directement à la nouvelle conception picturale de Magritte. Le critique stigmatise « les pires poncifs du surréalisme » traités avec « plus d'ostentation que jamais, traduits parfois à l'aide d'une facture qui est sensiblement différente de celle d'autrefois ». Et de critiquer le reniement d'un Magritte qui ne pratiquerait plus l'antipeinture, mais se serait soumis à la brosse de Renoir ou d'Ensor. Il conclut : « L'emploi de ces teintes vives, de ces virgules impressionnistes n'en jure pas moins, de la manière la plus discordante, avec les laborieuses et pitoyables simagrées surréalistes. [...] Leur auteur semble lui-même avoir perdu la foi[24]. » La diatribe de l'histrion anticipe singulièrement sur l'incompréhension que soulèveront ces œuvres nouvelles auxquelles Magritte travaille lorsqu'elles se retrouveront au « plein soleil » de la Libération. Le déni de la critique — fût-elle amie — ira de pair avec le rejet des marchands. Isolé, le peintre ne pourra s'appuyer que sur un noyau d'amis et de complices engagés à ses côtés.

Magritte fédère autour de lui une jeunesse que la guerre a privée de sa liberté d'exister. Apparaît ainsi dans son entourage un poète flamboyant, Christian Dotremont, qui entre en scène en février 1944, dans la foulée de l'exposition organisée chez Dietrich. Sans doute stimulé par le déchaînement de critiques hostiles qu'a essuyé le peintre, il envisage de consacrer une étude à cette peinture en collaboration avec Mariën. Pour l'occasion, Magritte adresse à ce dernier une sorte de résumé — « la nouvelle peinture de R. M. » — accompagné d'une mise en garde :

> Je tiens à ce sujet pour des raisons personnelles, et je vous signale que si très peu de mes amis peuvent me suivre dans cette voie, il serait peut-être utile de faire remarquer aux autres qu'ils se confondent avec la masse amorphe du gros public privé de la plus élémentaire liberté[25].

L'entreprise « solaire » s'agrandira d'une recrue supplémentaire à la fin de l'année lorsque Magritte recevra la visite d'un jeune poète liégeois âgé de dix-sept ans. Jacques Wergifosse deviendra son disciple et ami, entièrement acquis à la cause du « surréalisme en plein soleil » qu'il contribuera à définir en 1946.

## L'IMAGE TEXTE

À la fin du mois de juillet 1944, grâce à P.-G. Van Hecke, Magritte reçoit sa première commande pour l'illustration d'un livre à paraître, à Anvers, aux Éditions Lumière. Il s'agit de douze illustrations pour le *Vathek* de William Beckford. Si le projet ne voit pas le jour, il positionne à nouveau Magritte dans le domaine de l'illustration.

L'immédiat après-guerre verra le peintre s'engager dans un vaste projet à rapprocher de son ambition de renouveler le surréalisme en le plaçant en plein soleil. Consacrée au surréalisme, la cinquième livraison de la revue *Le Salut public* qui paraît en juin 1945 reproduit un dessin pour illustrer *Les Chants de Maldoror* dont la publication, aux Éditions La Boétie, est annoncée comme prochaine. Le thème n'est pas neuf. Magritte a toujours clamé haut et fort une admiration sans limites pour le texte de Lautréamont. En 1938 déjà, une version à l'encre du *Viol* ornait l'édition des *Œuvres* orchestrée et préfacée par André Breton[26]. Au sortir de la guerre, Magritte y revient en exécutant une série de dessins originaux qui seront présentés en décembre 1945 dans le cadre de l'exposition « Surréalisme » organisée à la galerie La Boétie. Deux ans plus tard, une autre revue, *Les Deux Sœurs*, animée par Christian Dotremont, publiera un autre dessin pour *Les Chants de Maldoror*. Ce n'est qu'en janvier 1948 que le recueil annoncé paraîtra aux Éditions La Boétie accompagné de soixante-dix-sept dessins dont douze en pleine page. Le projet offrira aux surréalistes belges l'occasion de répondre, à dix ans d'intervalle, à la préface de Breton. Hélas, le texte rédigé par Nougé en guise de préface sera supprimé par l'éditeur sans autre justification.

Magritte poursuit aussi ses travaux d'illustrateur en vue de la réédition du recueil de poèmes d'Éluard intitulé *Les Nécessités de la vie et les conséquences des rêves précédé d'Exemples*[27]. Publié aux Éditions Lumière, à Bruxelles, l'ouvrage, paru initialement en 1921, sera rehaussé de douze dessins à l'encre de Chine, dont un portrait d'Éluard.

Peu après, à l'invitation du libraire Albert Van Loock, Magritte exécutera une série de dessins en vue de l'édition du roman de Bataille *Madame Edwarda*. Ce projet, pour lequel Magritte s'abandonne à une veine érotique dans laquelle refleurit une ferveur et une verdeur toute juvénile, ne verra pas le jour. Il en ira de même pour un ensemble d'autres dessins destiné à un livre de Gaston Puel consacré au marquis de Sade. Ouvrage qui ne sera publié qu'après la mort du peintre. De Sade à Bataille, en passant par Lautréamont, Magritte s'offre de nouvelles références qui infusent son œuvre « solaire »

Dans son édition du 8-9 septembre 1945, le quotidien communiste *Le Drapeau rouge* annonce, sous la plume de Christian Dotremont, l'adhésion de Magritte au parti communiste belge. Cet engagement témoigne d'abord d'une gratitude à l'égard du « parti des fusillés » et, à travers lui, à l'endroit de l'Union soviétique qui a payé le plus lourd tribut à la défaite du nazisme. Il semble aussi — sinon surtout — déterminé par la volonté de ne pas céder devant la menace de retour à l'ordre qui caractérise la Libération. Aux yeux de Magritte, le « péril fasciste » n'est pas mort et les intellectuels rangés sous la bannière communiste doivent s'y opposer. « Il faudrait arriver à persuader ces gens que ce n'est pas avec des habitudes de pensée écœurantes de banalité que l'on peut songer sérieusement à modifier profondément l'organisation actuelle de la vie. Tâche peut-être vouée à l'échec car il faut distinguer le marxisme des fonctionnaires qui croient candidement l'avoir dépassé[28]. » Limité à quelques articles et réunions, le rapprochement avec le Parti sera de courte durée tant Magritte se défie des mots d'ordre artistiques venus de Moscou. Se rendant compte de l'impossibilité qui sera la sienne de faire évoluer, de l'intérieur, les positions communistes[29], il s'en « éjectera » rapidement sans attendre une exclusion qu'il sait d'emblée inévitable.

Pour célébrer la liberté et la paix recouvrées, Magritte organise du 14 décembre 1945 au 15 janvier 1946, une grande exposition intitulée *Surréalisme — Exposition de tableaux, dessins, collages, objets, photos et textes* à la galerie des Éditions de La Boétie à Bruxelles. Il y fait figure de chef de file d'un mouvement dont Nougé s'est sciemment retiré. L'exposition sera un succès en termes de fréquentation, même si les ventes sont limitées et la critique froide.

## IOLAS (ACTE I)

De nombreuses études ont montré que la réception du surréalisme aux États-Unis a largement bénéficié des années d'Occupation[30]. L'action menée par la diaspora surréaliste à New York, le développement des galeries et l'impact du surréalisme sur la création américaine offrent à l'œuvre de Magritte une actualité inconnue jusque-là. En février 1946, Magritte est contacté par la Hugo Gallery de New York en vue d'une exposition. Cette galerie a été fondée en novembre 1944 par Robert Rothschild, Elizabeth Arden et Maria dei Principi

Ruspoli Hugo, laquelle donnera son nom à la galerie. L'exposition inaugurale, intitulée « Fantasy » a été organisée par Charles Henri Ford et Parker Tyler, les éditeurs de la revue surréaliste *View*. D'emblée la Hugo Gallery se positionne sur le marché du surréalisme européen alors en pleine floraison.

Magritte échange ses premières lettres avec le directeur de la galerie installée sur la 55$^e$ Rue, Alexandre Iolas, un jeune danseur d'origine grecque converti en marchand d'art. Soutenu par Elizabeth Arden et par Jean et Dominique de Menil, Iolas se tourne vers la vieille garde surréaliste. Parmi ces derniers, ELT Mesens regarde avec méfiance l'arrivée de ce nouveau venu, habile hâbleur et beau gosse qui, à ses yeux, n'a pas le crédit d'un Pierre Matisse ou d'un Curt Valentin. Une correspondance importante, déposée pour part à la Menil Foundation à Houston, voit le jour. Elle témoigne d'emblée du ton qui prévaudra jusqu'à la mort de Magritte. Une relation complexe entre les deux hommes se noue. Faite d'intérêts mutuels et de marchandages féroces, elle montre aussi un marchand qui s'implique dans les orientations prises par le peintre et qui entend influer directement sur sa production.

Magritte tempère. Il tient à exposer à New York sans se couper d'un éventuel retour sur la scène parisienne. Sa correspondance avec Mesens montre à quel point il aspire à conquérir le public américain. Sans trop s'arrêter aux projets de son correspondant new-yorkais, il organise un plan de bataille en divisant géographiquement ses réseaux de collectionneurs. Il en rend compte à Mesens :

> Je crois que pour cette exposition à New York il faudrait que tu t'en occupes avec Salkin, moi je réserverais mes toiles m'appartenant encore pour Paris. Tu pourrais choisir pour New York des toiles à toi que tu désires vendre et te charger de décider des collectionneurs anglais à prêter les leurs ? Salkin fera de même pour la Belgique et de cette façon on pourrait montrer à New York un ensemble de toiles allant du début à 1943 environ plus 4 toiles qui sont à moi, récentes et en dépôt chez Hugo New York[31].

Au-delà des questions commerciales qui ne cesseront de le hanter, il est intéressant de voir que Magritte a immédiatement structuré son marché sans s'arrêter aux objections de Mesens. À l'initiative de son ami Salkin, qui vit aux États-Unis, et avec la complicité de Claude Spaak, des œuvres de Magritte arrivent à New York. L'accueil sera mitigé. Les initiatives placées sous le signe du « surréalisme en plein soleil » reçoivent un accueil polaire, tandis que les gouaches inspirées de sujets anciens — comme *Le Thérapeute*, *La Belle Captive*, *L'Île au trésor* ou *Le Modèle rouge* — rencontrent un réel succès. Sans ménager Magritte, Iolas en tire des conclusions qu'aucun proche du peintre ne se serait autorisé à formuler : pour le marchand, c'est clairement « sur cette ligne [qu'il faudra] s'orienter pour les prochaines œuvres[32] ». Et renoncer aux « égarements » de la période Renoir !

L'échec annoncé du « surréalisme en plein soleil » qui apparaît au mieux comme une erreur passagère, au pire comme un signe de sénilité précoce, ranime en Magritte cette violence fondamentale qui marqua sa jeunesse.

## ORDURE ET PROVOCATION

Durant le printemps et l'été 1946, il travaille avec Nougé et Mariën à de nouveaux tracts dans un esprit de révolte dadaïste. *L'Imbécile*, *L'Emmerdeur* et *L'Enculeur*\* défient la morale et la convention sociales avec une violence singulière. Ainsi les trois compères prennent-ils le risque — les tracts resteront toutefois anonymes — de déclarer : « Les bons patriotes sont des imbéciles ; les bons patriotes emmerdent la patrie. » Le pacifisme et l'antimilitarisme d'avant guerre refleurissent avec une véhémence rare. Anarchistes, athées et immoraux, ils tournent leur plume contre les bases de la morale bourgeoise. Et s'en prennent en priorité à l'Église : « Les curés sont des imbéciles ; ils ignorent tout de la religion », martèle le trio. Chaque texte se conclut sur une adresse au lecteur dont la violence ne fait pas l'économie d'une vulgarité dont Magritte se délecte. Il en profite pour régler quelques comptes personnels. Avec la publicité notamment : « La bonne publicité est faite par des enculeurs. *Ainsi un enculeur dont le vio-*

---

\* Il est à noter que Magritte rédigera un quatrième tract intitulé *La Crapule* qui ne sera découvert qu'après sa mort. Voir A. Iolas, *Lettre à René Magritte*, 5 mai 1947, Houston, The Menil Foundation (Archives Sylvester).

*lon d'Ingres est le négoce de parfum a imaginé de montrer dans l'étalage de son magasin, au milieu d'un décor champêtre, une magnifique gerbe de fleurs jaillissant d'une chiotte.* » La violence des tracts entraînera quelques dissensions au sein de la mouvance surréaliste. Elle témoigne pourtant d'une radicalisation que Magritte assume pleinement. Il s'agit, selon lui, de dépasser ces malentendus que sont, à ses yeux, l'union nationale, le communisme ou le surréalisme en exprimant des positions tranchées : celles dans lesquelles Nougé salue une clarté qui n'aurait d'égal que le *Discours de la méthode* de Descartes et le *Premier Manifeste du surréalisme* de Breton. Sous la gerbe d'insultes, le poète voit surgir des « revendications fondamentales de l'homme » dont les couleurs sont celles du « vieux fanatisme humain[33] ». Saisis par les autorités postales, les tracts n'atteindront que partiellement leurs destinataires. Réagissant au rejet catégorique dont son « surréalisme en plein soleil » fait l'objet, Magritte a changé de ton... La riposte « vache » couve.

La sortie de la guerre suscite en Magritte un retour à sa jeunesse dissolue où les farces cruelles succédaient aux plaisanteries douteuses. Le peintre donne aussi dans le canular potache avec l'invitation à une fausse initiative du Séminaire des arts — une structure bien réelle qui opère au sein du Palais des beaux-arts — : une conférence du professeur Ijowescu (transposition phonétique wallonne de « il joue dans son cul »), de l'Académie des Hautes Études en Sexologie de Sofia, consacrée à « *La Pratique sexuelle* »... avec des démonstrations de jeunes intellectuels des deux sexes, précise l'invitation.

## LE MIROIR INFIDÈLE

Nougé, Mariën et Magritte caressent le projet d'une nouvelle revue bientôt supplanté par celui d'une maison d'édition qui publierait de courts textes comparables à la conférence sur la musique donnée par Nougé en 1929. Les éditions Le Miroir infidèle voient ainsi le jour en 1946. Plusieurs projets y seront menés à bien : la parution de *La Conférence de Charleroi* à la fin du mois d'août ; *Sanglante*, un recueil de poèmes de Jacques Wergifosse ; des textes polémiques de Nougé et Mariën ainsi que *Le Savoir-Vivre*, enquête sur les goûts et dégoûts personnels ainsi qu'un recueil baptisé *Dix tableaux de Magritte précédés de descriptions*. Il n'y est pas question de transposer poétiquement le visible en lisible, mais de répondre à l'incapacité du public — l'attaque du lecteur chère à Nougé se mue en agression du spectateur — à voir « dans [les] tableaux et dans leur signification concrète, les objets les plus simples ». Nougé et Mariën précisent : « Ainsi, là où il y avait, par exemple, un compotier et des fruits posés sur une toile vierge, encadrée et couchée, le public et la critique ne reconnaissaient rien d'autre qu'une nature morte[34]. » Cette incapacité du public, Magritte s'aperçoit

304

qu'elle est aussi vive chez ses anciens compagnons d'armes. C'est à eux que s'adressera bientôt la série d'œuvres réunies sous l'appellation « vache ».

En juin 1946, Magritte passe une semaine à Paris en compagnie de Mariën. Il veut reprendre contact avec Breton et Picabia. Les lettres qu'il adresse à Nougé témoignent d'une attente. Il reste convaincu que le retour en France de Breton constitue une promesse. « Il en sortira quelque chose », annonce-t-il à son ami depuis Paris qu'il sent « en fermentation[35] ». L'enthousiasme retombera vite. Les contacts anciens se révèlent décevants. Les textes composés pour la promotion du « surréa-lisme en plein soleil » ne rencontrent que désap-probation et sarcasmes. Dans ses lettres à Breton, l'intention du peintre se fait manifeste :

La peinture de ma « période solaire » s'oppose évidemment à beaucoup de choses auxquelles nous avons tenu avant 1940. C'est je crois la principale explication de la résistance qu'elle provoque. Je crois cependant que nous ne vivons plus pour prophétiser (toujours dans un sens désagréable, il faut bien le constater) ; à l'exposition internationale du surréalisme de Paris, il fallait trouver son chemin avec des lampes électriques por-tatives. Nous avons connu cela pendant l'Occupation et ce n'était pas drôle. Ce désarroi, cette panique que le surréalisme voulait susciter pour que tout soit remis en question, des cré-tins nazis les ont obtenus beaucoup mieux que nous et il n'était pas question de s'y dérober[36].

Magritte expose à Breton des motivations que celui-ci ne peut comprendre. Pour le peintre, l'essen-tiel réside dans sa volonté de rompre avec un climat spirituel pour donner à la Libération sa profondeur révolutionnaire : celle d'un renouveau. Il se revendique de la joie et du plaisir. Par là, il donne au surréalisme son actualité en même temps qu'il en précise le destin :

> Cette joie et ce plaisir qui sont si vulgaires et hors de notre portée, il me semble qu'il n'appartient qu'à nous, qui savons comment on invente les sentiments, de les rendre accessibles pour nous. Il ne s'agit pas d'abandonner la science des objets et des sentiments que le surréalisme a fait naître, mais de l'employer à d'autres fins que jadis, ou alors on s'ennuiera ferme dans les musées surréalistes aussi bien que dans les autres[37].

Dans la lettre qu'il signe le 11 août, Magritte se refuse à ne voir dans le surréalisme qu'un pont entre deux guerres. Sa critique du passé est-elle apparue à Breton comme une tentative de le liquider comme un vestige du passé pour faire main basse sur l'avenir du mouvement ? La réaction du poète, déjà contesté parmi les siens, sera froide et distante. Il n'adhérera pas aux professions de foi de Magritte qui veulent qu'un « nouveau sentiment qui peut affronter la lumière de feu du soleil rend[e] possible, dans les limites mêmes de notre vie, cet âge d'or [qu'il] refuse de situer dans un futur abstrait[38] ». Magritte veut la révolution *ici* et *maintenant*. Dans la conjonction libératrice du « surréalisme en plein soleil » et de ce communisme auquel Breton a définitivement tourné le dos. Au discours enflammé de l'artiste, le poète répond par la négation. Il ne perçoit nul soleil, ni dans l'œuvre ni dans la pensée de Magritte :

Et comment y serait-il puisque vous éprouvez le besoin de l'aller chercher chez Renoir ? Vous allez l'y chercher mais il ne vous suit pas et d'ailleurs le soleil de Magritte serait autre, par définition. Soyez assuré qu'aucune de vos dernières toiles ne me donne l'impression du soleil (Renoir oui) : vraiment pas la plus petite illusion. Est-ce ma faute après tout ?... Contrairement à ce que vous pensez, je suis aussi amoureux de la lumière, mais seulement de la lumière créée[39].

Breton voit dans la rupture solaire de Magritte le signe de l'effondrement qui avait déjà eu raison de l'œuvre « nocturne — ou onirique, comme vous voudrez » de De Chirico. La rupture est décisive tant Magritte se dit déterminé à se dégager du « surréalisme cristallisé[40] ». En une condamnation lapidaire — « Antidialectique et par ailleurs cousu de fil blanc » —, Breton refusera de signer le tract intitulé *Le Surréalisme en plein soleil*. Refus auquel Nougé et Magritte répliqueront instantanément : « Le fil blanc est sur votre bobine. Mille regrets[41]. »

À Paris, Magritte est aussi en quête d'un lieu où exposer. Il n'a pas oublié l'échec de 1930. Il prend contact avec les responsables d'une galerie de la rue des Capucines dont l'offre semble pourtant peu intéressante[42]. En date du 1er juillet, Mesens tance son ami en usant d'un argument qui fait mouche :

Je suis étonné de ton enthousiasme juvénile à propos d'une exposition à Paris. Je t'en félicite, d'une part, mais, d'autre part, je m'étonne qu'à ton âge et avec la réputation internationale que tu as acquise, tu sois encore prêt à lâcher du croc à phynances pour une telle entreprise... Il ne faut plus, à présent, demander d'exposer : ce sont les galeries de Paris, de New York qui doivent t'y inviter[43].

Faute de contacts prometteurs, le projet d'exposer à Paris restera lettre morte en 1946. Contrairement à ce qu'écrit Mesens, les marchands d'art ne se bousculent pas pour offrir leurs cimaises au peintre.

Bruxelles reste sa base. C'est là que Magritte continue à exposer et qu'il se résout à dévoiler l'étendue de la révolution picturale annoncée. Du 30 novembre au 11 décembre 1946, il présente à la galerie Dietrich vingt-trois œuvres récentes parmi lesquelles huit peintures, treize gouaches et deux dessins. Il conçoit cette exposition comme une manifestation du « surréalisme en plein soleil » soutenu par la préface de Nougé. Intitulée *Élémentaires*, celle-ci situe l'œuvre nouvelle dans le prolongement des anciennes. Sans s'attacher davantage à l'idée de rupture, Nougé précise la continuité révolutionnaire d'une démarche qui entend rendre « à ce monde son éclat, sa couleur, sa force de provocation, son charme et, pour tout dire, ses possibilités de combinaisons imprévisibles[44] ».

La volonté de dépasser le surréalisme « historique » pour atteindre un plus haut degré de liberté et l'affirmation révolutionnaire du désir métamorphosent la pratique picturale. Sur le premier point, Magritte s'appuie sur Breton lui-même — et en particulier sur les termes de sa conférence prononcée à Yale, en décembre 1942 — pour revendiquer, au sein même du surréalisme, un horizon neuf. Il lie cette émancipation aux années de guerre et à la nouvelle donne née de la Libération[45]. En ce qui concerne le second aspect, le peintre associe ce programme — que Mariën et Wergifosse théoriseront à coup de manifestes et de tracts — au travail de la lumière :

> Et voici déjà deux conséquences de l'intrusion dans la poésie de la lumière du soleil considérée par d'aucuns comme superficielle et à laquelle on opposait gravement une lumière morte. C'est en éclairant le plus violemment possible ce que nous pouvons voir (notre univers mental) que nous avons atteint de la manière la plus précise le sentiment de ce que nous ne pouvons voir ni connaître (l'extramental). Il faut employer des couleurs et des mots ensoleillés[46].

Non sans ironie, Magritte va laisser ce « nouveau sentiment » — baptisé « amentalisme » ou « extramentalisme* » — se déposer sur un discours communiste auquel il a adhéré, en 1945, avec enthousiasme et reconnaissance, mais qui ne survivra pas longtemps à la logique du Parti. À l'instar des Jeunes Turcs comme Christian Dotremont ou Noël Arnaud qui se sont lancés, non sans dogmatisme, dans le surréalisme révolutionnaire, Magritte espère-t-il réellement influer sur un matérialisme marxiste dont il se défie[47] en l'exposant à l'embrasement de son « amentalisme » ? *L'Expé-*

---

* « L'Extramentalisme est du surréalisme émancipé », écrit Magritte à Mariën en date du 30 août (*La Destination, op. cit.*, n° 192). À Nougé, il déclare : « J'ai l'impression que l'extramentalisme est une invention d'un nouveau sentiment qui permet de réduire pas mal d'ombres que l'on croyait jadis irréductibles. » R. Magritte, *Lettre à Paul Nougé*, cité in D. Sylvester (Éd.), *Catalogue raisonné, op. cit.*, II, p. 134.

*rience continue* synthétisera les aspirations nouvelles de l'artiste tout en témoignant de sa rupture catégorique avec le surréalisme, « ce vénérable vocable », que défendait Breton. Le tract *Le Surréalisme en plein soleil* en reprendra l'argument. Cosigné par Joë Bousquet, Mariën, Jacques Michel, Nougé, Scutenaire et Wergifosse, il est composé sur une simple feuille de papier. Les oppositions seront nombreuses et dissuaderont Magritte de publier le manifeste rédigé avec Nougé. L'expérience se poursuit avec Wergifosse avec lequel Magritte rédige un plus long texte, moins politique et davantage en prise avec la philosophie. Dans ce contexte, l'extramentalisme se métamorphose en « amentalisme ». Wergifosse se fait l'exégète de Magritte.

Tout à l'établissement de son corpus philosophico-esthétique, Magritte n'en néglige pas pour autant une production picturale qui le fait vivre. En janvier 1947, la correspondance échangée avec Salkin[48] révèle un Magritte débordé qui exécute des gouaches à un rythme effréné en vue de compléter une exposition new-yorkaise à la Hugo Gallery de Iolas qui mobilise ses anciennes toiles. Le recours à la gouache traduit la nécessité de produire des œuvres dans un délai extrêmement bref. Délai qui ne lui permet pas de s'investir dans d'autres projets comme l'exposition qu'il est invité à présenter, du 19 janvier au 2 février, à la Société royale des beaux-arts de Verviers. Bien que cette manifestation soit la première, depuis l'exposition de Charleroi en 1929, qui lui offre la possibilité de présenter son œuvre en dehors de Bruxelles, Magritte montre peu d'enthousiasme du fait du manque de temps. La priorité est donnée à la galerie qui, seule, lui assure quelque rentrée d'argent. Peu de temps avant l'ouverture, il écrit à Mariën que son engagement à Verviers s'est limité à « un ongle (seulement la partie de l'ongle que l'on coupe) de doigt de pied[49] ». Trente et une toiles de la période « impressionniste » et cinq tableaux antérieurs sont accompagnés d'une préface de Jacques Wergifosse, qui s'est dépensé sans compter pour que la manifestation témoigne de la dynamique solaire de Magritte. Il y insiste sur l'éclat de l'œuvre de Magritte qui, loin de s'inscrire dans une forme de continuité, comme le voudrait Nougé, lui apparaît en totale rupture avec l'héritage d'avant guerre au bénéfice d'une « peinture où la terreur s'épanouit ». Le soir du vernissage, Wergifosse et Mariën donnent deux lectures de l'œuvre, qui se composent, pour celui-là, de descriptions poétiques des tableaux de Magritte[50], pour celui-ci, d'une synthèse des idées qui nourrissent l'imaginaire du peintre. Alors que, rompant avec Breton, le surréalisme révolutionnaire conduit à CoBrA et à sa conception d'une peinture spontanée[51], Mariën souligne la dimension expérimentale de la recherche de Magritte qui s'est radicalement émancipé des canons du surréalisme historique[52] sans pour autant renoncer à l'exigence de l'œuvre au bénéfice de la seule soumission à l'idéologie marxiste qu'affiche alors, de façon paradoxale, Christian Dotremont.

Magritte est peu impliqué dans l'initiative menée à Verviers. Il place tous ses espoirs dans l'exposition qui s'ouvre le 7 avril (elle s'achèvera le 30 du même mois) à la Hugo Gallery de New York. Au catalogue figurent vingt et une gouaches récentes ainsi que six dessins. Des problèmes de douane, liés à la méconnaissance de Magritte concernant les envois transatlantiques, ont pour conséquence que seuls dix gouaches et six dessins sont exposés. La recherche impressionniste n'intéressant pas le public américain, Iolas fera pression sur Spaak et Salkin — présents à New York pour la préparation d'une exposition Delvaux — pour ne présenter que des œuvres d'une veine surréaliste plus « orthodoxe » qui répondent aux attentes du public new-yorkais. Surtout préoccupé par la question du catalogue qui doit diffuser son œuvre auprès du public le plus large, Magritte se montre affecté par le refus de Iolas de publier l'essai de Wergifosse qu'il lui a adressé. Conscient de la nécessité d'américaniser le discours sur le surréalisme afin de mieux coller au public, Iolas rejette ce texte qui, à ses yeux, reste centré sur des préoccupations locales. Il a donc confié la préface à Parker Tyler qui, deux ans plus tôt, avait organisé la première exposition de la Hugo Gallery. Contrairement à Wergifosse, Harrison Parker Tyler n'est pas un inconnu pour la scène new-yorkaise. Animateur — jusqu'en 1947 — de la revue *View*, il s'est imposé comme écrivain, poète et critique cinématographique. Dans ce registre, il intervient avec régularité dans le domaine du cinéma expérimental. Figure de l'underground, Parker Tyler vient de publier une monographie consacrée à Charlie Chaplin[53] lorsqu'il s'attaque à son texte sur Magritte dont il ignore tout.

Cette première exposition recueille un écho positif dans la presse new-yorkaise. Iolas juge même les résultats prometteurs. Attentif au goût du public, il souligne à nouveau l'intérêt porté exclusivement sur des sujets anciens comme *Le Modèle rouge* ou *Le Thérapeute*[54]. À ses yeux, seule cette production désormais historique fait sens. Il le répétera à Magritte lors de sa première en Belgique.

En octobre 1947, le marchand négociera l'organisation d'une série d'expositions, dont la plus proche sera fixée au mois de mai 1948. Il est probable que, fort de ses promesses de vente, Iolas ait pesé sur la décision de Magritte de revenir à son inspiration ancienne. Dans l'attente d'un public américain potentiel, Magritte espère obtenir cette reconnaissance qui n'a que trop tardé à se manifester. Elle ne passe plus par des cercles lettrés ni par des galeries d'avant-garde, mais par un marchand au sens premier du terme, soutenu par un réseau de collectionneurs et solidement implanté à New York. Magritte se résout à déserter la scène intellectuelle pour tirer parti d'un marché qui exige son lot de « variantes ».

## LE SOLEIL NOIR DE LA RÉVOLUTION

À Bruxelles, les dissidences avec le surréalisme tel que Breton entend le reprendre en main depuis son retour des États-Unis se multiplient. Magritte n'est pas un cas isolé. Seeger, Dotremont et Bourgoignie, trois jeunes poètes qui se veulent surréalistes sans reconnaître l'autorité de Breton, décident d'unir autour d'eux les artistes et écrivains désireux de changement. Une succession de réunions aboutira à la naissance du « surréalisme révolutionnaire ». Le 5 avril, une première réunion a rassemblé Dotremont, Seeger, Luday, Piqueray, Arents et Denis. Comme base de discussion, Dotremont leur a soumis un texte intitulé *Le Surréalisme révolutionnaire*, qui paraîtra en mai 1947 dans la troisième livraison des *Deux Sœurs*. Ce texte détermine les conditions d'une création surréaliste qui répondrait aux exigences du communisme*.

Le 12 avril, Magritte est invité à la deuxième réunion des futurs surréalistes révolutionnaires. Soucieux d'attirer à lui la jeune génération, il y expose avec enthousiasme les principes de son « surréalisme en plein soleil » et insiste sur la nécessité de dépasser la recherche d'avant guerre désormais obsolète. Le débat devient houleux. Il occupera encore largement la troisième séance qui se déroule le 19 avril. Même si plusieurs éléments vont dans le sens du surréalisme révolutionnaire, Dotremont n'adhère nullement aux thèses de Magritte. Le 26 avril, le débat se poursuit au café L'Estrille du vieux Bruxelles. Les éléments constitutifs d'un premier manifeste prennent forme. La rédaction

---

* « Tous les tâtonnements, tous les écarts, tous les excès qui viennent de la nature expérimentale du surréalisme ne peuvent être justifiés que par une sévère liaison objective avec les "fins" révolutionnaires. » (Ch. Dotremont, « Le Surréalisme révolutionnaire », in *Les Deux Sœurs*, n° 3, mai 1947, s.p.)

en sera achevée le 10 mai. Une semaine plus tard, le manifeste *Pas de quartiers dans la révolution !* est signé par Arents, Bourgoignie, Broodthaers, Chavée, De Rache, Dotremont, Hamoir, Havrenne, Lorent, Ludé, Magritte, Mariën, Nougé, Rigot, Scutenaire, Seeger, Simon, réunis au café La Diligence. Le 24 mai, une version modifiée du manifeste est rejetée par Nougé et Magritte qui rompent avec le groupe et qui, contrairement à Hamoir et à Scutenaire, n'adhéreront pas au surréalisme révolutionnaire.

Magritte a échoué dans sa tentative de fédérer autour de lui une jeune garde de poètes surréalistes qui auraient embrassé la cause du « surréalisme en plein soleil ». Alors que le surréalisme révolutionnaire, bientôt relayé par CoBrA, incarne la modernité du moment, celui déployé par Magritte reflue vers un merveilleux teinté de mélancolie.

Du 31 mai au 21 juin, Magritte en fait la démonstration en exposant chez Lou Cosyn ses dernières productions sur le mode « impressionniste ». Sur les trente toiles et gouaches proposées, quinze, de petit format, constituent des variations sur un nouveau thème, *Shéhérazade*, traité dans une veine tantôt réaliste, tantôt impressionniste. Le peintre lâche la bride à un geste qui s'irise. Ce nouveau motif confirme le goût de Magritte pour le merveilleux. Tracé par une enfilade de perles, le visage gagne en transparence pour former une sorte de dentelle précieuse qui prend corps sans jamais se figer en objet. Et ce alors que Magritte assigne à ces gouaches de petit format une valeur d'objet se fondant sur leur cadre conçu comme une boîte à poser plutôt qu'à accrocher[55]. Le fabuleux pénètre l'iconographie. Témoin de sa lecture enthousiaste des *Mille et Une Nuits* qui a occupé Magritte durant l'été 1946, *Shéhérazade* exacerbe le désir de valoriser le « beau côté de la vie ». Ce dernier ressortit à un imaginaire qui infléchit l'orientation du « surréalisme en plein soleil » sur lequel les anciens compagnons de route jettent l'anathème. Le 7 juillet, à l'occasion de l'ouverture de l'Exposition internationale du surréalisme à la galerie Maeght à Paris, Breton réduit à néant la démarche de Magritte, maladroitement inféodée, selon lui, à la directive stalinienne de l'optimisme à tout prix.

Aux yeux de Breton, Magritte passe pour « un enfant arriéré qui pour s'assurer une journée d'agrément imaginerait immobiliser l'aiguille du baromètre au "beau fixe"[56] ». Magritte sera blessé par ce jugement qui sonne comme une condamnation. Ainsi qu'il le répète dans sa correspondance[57], l'excommunication prononcée par le « pape » du surréalisme renforce sa détermination et radicalise sa position où l'esthétique rejoint le politique. Érigeant le « surréalisme en plein soleil » comme l'expression utopique d'un communisme triomphant, Magritte ne ménage pas ses efforts d'intégration. Quitte à porter le stalinisme à un niveau de radicalité qui prend à contre-pied les instances du Parti mettant, ainsi, en lumière ses incohérences. C'est ce que révélera en 1947 la participation de Magritte à l'exposition de l'Amicale des artistes communistes de Belgique. Il envoie pour l'occasion *Le Viol* et *L'Intelligence*, deux toiles choisies pour leur violence et leur anticonformisme. Mais l'association refuse de les exposer alors qu'elle doit accueillir la reine Élisabeth. Magritte réprouve l'incongruité de cette initiative officielle qu'il considère comme le reniement des principes communistes mêmes. Une lettre adressée aux responsables du Parti rend compte du divorce sur un ton au-delà de l'insulte. Pour Magritte, l'organe du PC se révèle dénué d'esprit critique. Oubliant toute lutte des classes, il fait la réclame de la famille royale, d'une marque d'automobile ainsi que d'artistes « communistes et flâneurs ».

## MORT AUX VACHES

Le 24 janvier 1948, Magritte présente, à Bruxelles, aux cimaises de la galerie Dietrich, une série de tableaux qui signe l'abandon du style « impressionniste ». Sur l'invitation est reproduit le dernier texte que Nougé consacrera à Magritte : *Les Points sur les signes*. Le poète y poursuit sa critique de la pensée de Breton et souligne l'existence dans la recherche de Magritte d'un élément libérateur de la pensée qu'il associe désormais au thème du ciel. En fait, cette liquidation de l'ordre établi ne sera pleinement consommée qu'une fois la peinture elle-même mise à mort. Festive et jubilatoire, elle fera l'objet d'une préparation méthodique. En mars-avril, Magritte travaille à un projet d'exposition qu'il destine à Paris et qu'il présentera dans une petite galerie de la rue du Faubourg-Saint-Honoré. Au début de l'année, il avait demandé à Léo Mallet de se renseigner sur le lieu et sur sa direction. La relation qu'il noue avec la galerie parisienne est exempte d'illusions et Magritte définit son exposition « comme une manifestation "du plaisir"[58] ».

La définition mérite qu'on s'y arrête. Magritte sait le faible retentissement promis à une manifestation située à la marge du landerneau culturel parisien. L'impact sur son image lui paraît négligeable en comparaison de l'occasion offerte. Que recouvre ce principe de « plaisir » ? Profondeur sensuelle liée à la couleur et qui explosera en une gouache et une toile célèbres en même temps que plaisir puisé dans un règlement de comptes avec Paris — que la correspondance échangée avec Scutenaire déforme en Parure ou en Piras — qui ne l'a jamais accepté. Plaisir trop longtemps différé au demeurant. Magritte a des coups à rendre et des comptes à solder. Et d'abord en s'attaquant au parisianisme qui l'a tenu à l'écart du surréalisme durant l'entre-deux-guerres et qui vient de rejeter avec violence son « surréalisme en plein soleil ». Sa cible sera ce « bon goût » dont le surréalisme lui-même se fait désormais le héraut. Au même titre que le parti communiste, le surréalisme parisien fait figure d'opposant au combat libertaire que Magritte a associé à son œuvre solaire et, plus marginalement, à la lutte des classes. Le plaisir est double. Intense dans la propagation du désir qui passe du sujet à la facture ; circonstan-

318

ciel dans l'opportunité donnée de renvoyer le surréalisme à son incapacité de réinventer son mystère.
La gifle au goût du public que constitue la période
« vache » résonne comme une nouvelle condamnation du dogmatisme d'avant-garde et comme un
retour à la pure provocation dadaïste.

En mars-avril, Magritte exécute en quelques
semaines dix-sept tableaux — dont deux figureront hors catalogue à l'exposition — et dix gouaches. Tireur embusqué, il chasse pourtant en
meute. Pour l'opération « vache », Louis Scutenaire et Irène Hamoir seront les complices privilégiés du peintre. Les œuvres pour lesquelles les amis
sont mis à contribution sont indissociables du
texte de Scutenaire. Dans l'élan qui a présidé à la
réalisation des œuvres, ce dernier a rédigé une
introduction sobrement intitulée *Les Pieds dans le
plat*. Magritte réclame une préface « au pétrole[59] ».
Une fois le programme défini de manière explicite
— « On va leur en foutre plein la vue ! » —, peintre et écrivain pensent image et texte dans un
parallélisme absolu. Fébrilité et désespoir constituent les deux pôles d'un plaisir devenu grima-
çant. Magritte rejoint James Ensor dans la même
apologie du sarcasme et de l'ironie : un esprit critique radical transfiguré en négativité absolue qui
renoue avec ses origines anarchistes et dadaïstes.

C'était le moment de frapper un grand coup. Il ne fut pas
question une minute de rassembler des peintures exécutées
dans l'une ou l'autre des manières qui avaient fait leurs preuves. Cela d'autant moins que Magritte n'avait jamais de

réserve, préférant, plutôt que les garder chez lui, céder ses toiles à bas prix ou les donner, ou même les mettre à la poubelle. Il fallait avant tout ne pas enchanter les Parisiens mais les scandaliser. Leur facilité, leur engouement pour les bateleurs, joints peut-être à une rancune secrète, hérissaient le peintre. Il souhaitait ainsi secouer le groupe surréaliste français, enfoncé à ce moment dans des querelles intestines, les sottises de l'occultisme, les utopies sociales[60].

Scutenaire témoigne d'un état d'esprit bien éloigné des stratégies que Magritte, au même moment, met en place avec son jeune marchand grec basé à New York. Loin des professions de foi nihilistes qui donnent à son culte de l'ennui une portée philosophique : « Je me garde d'avoir des illusions ; l'illusion n'est pas une activité nécessaire ou essentielle[61]. » L'écrivain, pour sa part, décrit un Magritte vengeur — sorte de Fantômas du surréalisme — qui dénonce en un rire strident et lyrique le conformisme bourgeois de l'après-guerre. L'accent est mis sur la violence, mais aussi sur le caractère joyeux d'une insurrection qui résonne comme un retour à l'enfance :

> À la virulence des sujets répondent la vigueur, la rapidité du travail. Aussitôt qu'une idée lui vient, Magritte court chez l'épicier voisin téléphoner à un ami, lui décrit, tout joyeux, son projet, et une demi-heure plus tard annonce en triomphe que « c'est fait »[62].

Dans sa fougue rageuse, Magritte mêle gouache et peinture sans chercher à distinguer, visuellement, les médiums. Il reprend des thèmes déjà explorés en leur donnant une orientation nouvelle. Tel est le cas avec *Les Profondeurs du plaisir*, œuvre qui s'inscrit dans le prolongement des multiples variantes de *La Magie noire*. Magritte est reparti de gouaches exécutées à l'époque pour donner libre cours à la sensation érotique qui anime aussi d'autres œuvres comme *Le Galet*. À la douceur des champs bleus qui s'épanchent en transparence répondent les coups de brosse et les déformations des autres œuvres exécutées pour l'occasion.

La radicalisation de la facture impressionniste en fougue anarchiste va de pair avec une prise de distance vis-à-vis du communisme et de son organe de propagande, *Le Drapeau rouge* :

La liberté guide nos pas. Qu'on rie, qu'on respire, toutes guêpière, rhétorique, sangle de braies et terreur craquées. Ceci dit et pour conclure sur une de ces bonnes plaisanteries qui font pièce à ce qu'il y a de triste sur terre : la peinture, comme le sel, le trapèze, les fleurs, les cuisses de madame, est un moyen de bouleverser l'univers et c'est tout simplement dans cette acception que Magritte la prend[63].

Dans son texte, Scutenaire met en œuvre diverses stratégies : parodie de dialecte wallon qui se métamorphose en langage tissé d'onomatopées* ; trivialité éjaculatoire et scatologie vomitoire ; tour-

---

* « On veut pas vous faire du mal, notez, vous dépayser, vous effrayer, c'est pour ça qu'on vous cause nègre américain comme vous êtes habitués. On veut bien vous dire merde poliment, dans votre faux langage. Parce que nous, les péquenots, les mangebouses, on n'en est pas à une façon près, tu te rends compte. On veut même être assez gentils pour vous parler comme vos derniers-nés gawasse pirtée coxigée vobée rimmplipîre et picoulître x y z cou li bi la ba ba x x x zim boum tra la la la peût peût barbapoux Célina tichien madame tichat Monsieur a c e g i k kss kss l m n o p qu qu qu qu qu qu qu jusqu'à demain pouf pouf ! » (L. Scutenaire, *Avec Magritte, op. cit.*, p. 111-112). On notera le « Célina » qui souligne la référence de ce langage, présenté comme du « nègre américain ».

nures argotiques prêtant à Magritte la gouaille d'un titi parisien : « — l'affaire est dans l'sac. On descend à Parure, on va leur montrer du travail en palc, une bonne petite placarde. Moi je ferai l'effort, toi tu boniras. — Colle et glu, que j'y réponds, vis et boulon, confiture de gy ! On descend[64]... »

Scutenaire emprunte même à Céline sa fibre anarchiste de droite lorsqu'il s'agit de dénigrer le consensus démocratique ravalé au rang de snobisme. Aux discours, il oppose les préoccupations ordinaires de l'homme du commun. Parodique, il se lance dans une ode à l'ordre et au totalitarisme que ne balaierait que le feu des œuvres de Magritte :

Rendez-vous compte dites, de l'exagération des formes et des nuances, on ne retrouverait pas son bout si qu'il tombait là-dedans ni son petit anus. Vivement le Général pour y fourrer son nez et de l'ordre. C'est du politique, voyons, cette picture. Nous, on ne veut pas du politique, on ne veut plus. Vive Franco Pança, vive Proutman, vive Foster Dudule, vivent Saletzariste et le Grand Turc, mais à bas la politique, pas vrai mon chichi ? Oui ma chichitte, retournons à nos pissotières et à nos calvaires[65].

Scutenaire restaure le langage dans son oralité populaire comme Magritte ramène la peinture au gribouillis. Le premier lui rend sa corporalité à coups de « fesses » comme le second le fait à coups de brosse. La peinture comme le texte vomit, « crachote », y va de son « foutre » et autres « troudcutries ». L'éclat de langage se gonfle d'une volupté cynique et se reflète, métamorphosé en fables et couleurs, dans les œuvres de Magritte. Scutenaire a largement contribué à la fête « vache » : livrant la préface, initiant certaines images, trouvant des titres.

## UN VERNISSAGE PARISIEN

Il ne suffit pas de faire pour provoquer. Encore faut-il être vu. Le 11 mai 1948, Magritte est à Paris pour inaugurer cette première exposition personnelle présentée dans une galerie de réputation secondaire sise au 47 de la rue du Faubourg-Saint-Honoré. « Marginale et mondaine », selon la formule de Marcel Mariën[66], la galerie ne plaît pas à Mesens, qui considère la démarche de son ami comme un faux pas comparable à celui qui, aux États-Unis, l'a rapproché de Iolas.

Au terme d'une semaine parisienne, Magritte adressera à Scutenaire une « dernière éjaculation olographe » en style « vache » en guise de compte rendu : l'exposition s'est soldée par un échec prévisible. Il précise : « Je pense par exemple (provisoirement) que ce qui nous distingue de la pensée générale (malgré nous, car ce serait hors de question de vouloir distinguer à tout prix) c'est par exemple notre manque complet de croyance dans le fond et dans la forme. Ceux qui sont très actifs ici semblent se raccrocher à la forme, le seul os qui leur reste à ronger[67]. »

La farce « vache » tourne court. Breton et ses disciples ont beau jeu de dénigrer ces tableaux déments que la presse ignorera superbement. Seul l'article de Denys Chevalier dans *Arts*[68] ne résonne pas comme une liquidation sommaire. Le critique perçoit dans l'exposition de Magritte un désir de briser le carcan de la peinture pour affirmer, sarcastique, cette nécessité du désir qu'a engendré la Libération. Magritte apparaît seul face au bloc que forment critiques, intellectuels, collectionneurs et marchands. Bien qu'il ait toujours été proche du peintre, Éluard note sur le livre d'or de l'exposition : « Rira bien qui rira le dernier[69]. »

Malgré quelques déclarations de principe visant à poursuivre l'action, le peintre n'ira pas plus loin. À voir le peu d'empressement mis à rapatrier les œuvres — celles-ci resteront à Paris jusqu'en 1954 —, la page « vache » a été vite tournée. Son échec est moins tributaire de la réaction, au demeurant prévisible, des milieux parisiens qu'à une aspiration profonde de Magritte : une forme de suicide pictural qui tourne la peinture contre elle-même en exacerbant ses propres moyens assumés en « sincérité ». Cette aspiration rencontre la thèse développée par Jacques Roisin dans son essai biographique : « une révolte désespérée fondée sur la profonde douleur causée par le suicide de sa mère alors qu'il était enfant[70] ». À Scutenaire et Irène Hamoir, ses « chers désœuvrés », comme il les nomme, il révèle en date du 7 juin son état d'esprit :

J'aimerais assez continuer en plu fort la « démarche » expérimentée à Paris. C'est ma tendance : celle du suicide lent. Mais il y a Georgette et le dégoût que je connais d'être « sincère ». Georgette aime mieux la peinture bien faite comme

« antan » ; alors surtout pour faire plaisir à Georgette je vais exposer dans l'avenir de la peinture d'antan. Je trouverai bien le moyen d'y glisser de temps à autre une bonne grosse incongruité. Et cela n'empêchera pas les publications pour nous amuser. Cela ce sera du travail hors des heures d'atelier pour moi comme c'est hors des heures de bureau pour Scut[71].

# Une fabrique poétique

Alors que Magritte veut tuer la peinture en retournant contre elle ses moyens propres en un éclat libérateur d'une couleur qui fait rage, Iolas met en place le cadre de ses relations commerciales avec lui. Au début du mois de mai 1948, il a présenté à la Hugo Gallery une exposition réunissant des œuvres récentes. Quatre mois plus tard, onze peintures nouvelles ainsi que six tableaux plus anciens et douze gouaches figurent à l'exposition inaugurale de la Copley Gallery ouverte à Beverly Hills.

Alors qu'il se donne totalement à ses créations « vaches » dans un anarchisme dadaïste affirmé, Magritte échange avec Iolas une correspondance où s'échafaude une stratégie commerciale, sinon vénale. Il met en place une production en série qui doit répondre à la multiplication d'une demande désormais internationale.

Magritte s'isole et travaille à ses projets d'exposition pour New York. Une orientation à long terme s'esquisse au fil de la correspondance qu'il échange avec celui qui deviendra bientôt son marchand privilégié. Sans se départir de sa réserve, voire d'une certaine méfiance, Magritte se met à l'écoute de son interlocuteur — « Je crois », lui écrit-il en date du 12 novembre 1948, « que la part de hasard serait réduite au minimum, car les expériences précédentes et vos renseignements me permettent de viser juste » — tout en se dédouanant d'ambitions commerciales pourtant bien réelles :

Je ne veux pas dire que ce soit simple — dans mon cas — car il m'est impossible de n'avoir qu'un seul souci « commercial », au contraire, ma préoccupation essentielle n'est pas abandonnée : il s'agit toujours de réelle densité poétique de la recherche d'une certaine substance mentale qui est nécessaire à l'homme vivant actuel[1].

Magritte se fait le gestionnaire d'un catalogue d'images qu'il se dit prêt à répéter à la demande. Sa peinture prend dès lors régulièrement la couleur de l'ennui. Elle trouve une place nouvelle. Le monde de Magritte s'est mué en un cercle clos dont rendent compte certaines œuvres d'invention pure. La part de production qui répète les « images d'antan » n'est pourtant pas extérieure à ce cercle intime : elle en prolonge le mystère — l'épaissit même par sa répétition, ne considérant sa réalisation matérielle que comme la condition de sa diffusion. Le 27 novembre, Magritte le déclare sans ambages à Iolas, tout en validant le principe d'un retour opportuniste vers le passé.

Vous aurez des œuvres qui vaudront bien *Le Modèle rouge* et qui contenteront vos visiteurs. La période que vous appelez « renoiresque » est terminée et les tableaux de cette époque seront très recherchés « plus tard ».

> Mais cette expérience m'aura servi à mettre beaucoup de choses au point et comme résultat, entre autres, vous pourrez comparer les nouvelles œuvres avec les plus anciennes telles que *Le Modèle rouge*, cela tout au bénéfice des nouvelles[2].

Effectivement, sa peinture a tiré profit de sa période impressionniste : sa palette s'est éclaircie et l'image a perdu ce voile gris qui imposait à ses compositions d'avant guerre sa permanence mélancolique.

Les « œuvres d'antan », comme les qualifie Magritte, font l'objet de variations, tandis que de nouveaux motifs apparaissent. Il n'est pas hostile à la variante d'œuvres « digérées », mais ne peut se résoudre à la répétition mécanique d'images vouées à satisfaire « des gens riches qui n'ont pas de goût[3] ». Il détaillera pour Iolas « avec le *maximum* de *précision* ce qui dans [ses] tableaux a le plus de chance d'être acheté ». Sans oublier de mettre en garde : « Et que cela ne veuille pas dire que ce qui n'est pas vendu (comme la *sublime* gouache *Le Bain de cristal* par exemple) doit être déchiré[4] ».

Au mois de février 1949, Iolas rend visite à Magritte pour discuter divers projets. Il visite sans doute avec lui l'exposition que le peintre présente à la galerie Lou Cosyn. Suite à un article publié par Goemans dans *Les Beaux-Arts* le 11 février, les tableaux réunis sont baptisés « tableaux-parlants ». Iolas reviendra en août pour finaliser le choix des œuvres de sa prochaine exposition à la Hugo Gallery. Peintures et gouaches seront expédiées le mois suivant en vue de l'ouverture de la manifestation programmée pour avril 1950. L'internationalisation du marché conduit l'artiste à dédoubler les images afin d'être représenté partout. Il exécutera désormais des gouaches par séries afin de les intégrer aux expositions que Iolas organise dans sa propre galerie new-yorkaise, mais aussi à Paris en 1957 et en 1964 ainsi qu'à Londres en 1962 et en 1964, ou encore à Milan en 1962. Chaque exposition s'accompagne de la production de séries de six, huit ou dix gouaches selon des formats et des tarifs précis*. Systématiques et mécaniques, ces variations — quand il ne s'agit pas de strictes copies — permettent à Magritte de travailler dans cette « parfaite vacuité intellectuelle[5] » qu'il revendique et qui nourrit un sens de l'ennui qu'il semble avoir toujours cultivé.

L'ajournement de l'exposition new-yorkaise prévue pour avril 1950 suscite la colère de Magritte, qui n'a cessé de peindre durant l'hiver afin d'honorer ses engagements. Ses échanges avec Iolas s'en ressentent d'autant plus vivement que peintre et mar-

---

* La correspondance de Magritte détaille les prix marchands des œuvres envoyées aux États-Unis. Contrairement à ce que pratique Mesens (qui lie le prix à l'ancienneté, à la qualité et à l'originalité de l'œuvre), Magritte adapte ses tarifs en fonction des formats. En juin 1930, il demande pour une gouache le même prix que pour une toile de petit format (46 × 35 cm), soit 5 000 francs belges de l'époque (il estime ses besoins annuels à 150 000 francs belges). Ces prix évolueront au fil du temps. Magritte ne respecte pas nécessairement ces tarifs. Ainsi use-t-il de la gouache comme d'un outil promotionnel. La lettre qu'il adresse à Iolas le 1er octobre 1952 déclare qu'il a achevé neuf petites gouaches demandées par le marchand comme cadeaux pour quelques collectionneurs privilégiés. Magritte demande pour ce travail 1 000 francs belges par gouache, dorénavant porté à 1 500 et 2 500 francs belges pour les « répliques commandées » (R. Magritte, *Lettre à Alexandre Iolas*, 1er octobre 1952, Houston, The Menil Foundation, Archives Sylvester).

chand ne s'accordent pas sur le montant des versements. Iolas insiste dans ses lettres sur la nécessité de revenir aux anciennes compositions. Il veut que Magritte renonce à ses images satiriques. Lorsque le marchand lui demande s'il peut exécuter une peinture avec des roses pour répondre à la demande d'une riche collectionneuse, Magritte réplique :

Les jugements que vous portez sur mes travaux dépendent-ils de leur pouvoir à décider un acheteur ? Je vous pose cette question, car jusqu'ici vous m'avez conseillé de ne pas envoyer de tableaux avec des roses, et vous en demandez à présent car une dame aime les roses ? Je vous ferai remarquer que je peux prendre ce point de vue en considération, mais en ce cas il ne s'agit de rien d'autre que de commerce, et il n'est pas question de juger alors mes travaux d'un point de vue artistique. J'ai fait des tableaux contre le goût des acheteurs de tableaux : par exemple *Le Modèle rouge*, et l'idée de faire un tel tableau, avec des vieux souliers n'aurait et n'a pas séduit, lorsqu'elle était nouvelle [pour] les acheteurs de tableaux. À présent, avec le temps, les acheteurs aiment ce tableau (vous avez vendu assez bien de répliques), mais il ne faut pas croire pour cela que les acheteurs sont plus intelligents à présent qu'il y a quinze ans quand personne ne voulait acheter le premier *Modèle rouge*[6].

Le peintre accepte pourtant de produire des œuvres qui répondent au goût du public en nombre de plus en plus important. À la fin du mois de mai, Iolas lui rend visite afin d'aplanir leur différend. Il lui annonce que l'exposition reportée s'ouvrira finalement en septembre. En juin, Magritte lui réclame un salaire de 150 000 francs belges de l'époque en échange de la totalité de sa production. Iolas refuse le principe du revenu fixe. À ses yeux, seule la production d'œuvres répondant aux attentes du public garantirait à Magritte les revenus escomptés. Entretemps l'exposition est reportée de septembre à décembre, avant d'être une nouvelle fois différée au grand dam de l'artiste qui se sent trahi. C'est finalement en mars 1951 qu'elle s'ouvrira. Magritte expose une quarantaine d'œuvres dans la nouvelle galerie qu'Alexandre Iolas ouvre à New York. Les relations avec le marchand restent compliquées. Magritte se plaint de ne pas être tenu informé par ce dernier, qui tarde à effectuer ses paiements. Pourtant, les nouvelles idées développées par le peintre dans des œuvres comme *Le Balcon de Manet* ou *Madame Récamier* rencontrent un franc succès à New York. Magritte a le sentiment de ne pas trouver en Iolas l'allié escompté. Comme il n'expose pas régulièrement à New York, la métropole américaine n'a pas supplanté Bruxelles, où il continue à alimenter son réseau, que ce soit en exposant à la galerie Dietrich ou dans celle de Lou Cosyn.

La relation avec Iolas se dégrade rapidement. En 1952, le marchand fait l'acquisition d'une série de peintures auxquelles Magritte travaillait depuis l'automne précédent. Il commande aussi de nouvelles variantes d'œuvres anciennes et annonce régulièrement une exposition aussitôt différée. Magritte ne cache pas son mécontentement devant l'inconstance de son partenaire. Il juge Iolas peu réactif à ses envois et toujours trop lent dans ses versements. En outre, le marchand reste ambigu

quant à ses engagements : les achats ne se concré-
tisent pas alors qu'un nombre d'œuvres toujours
plus grand font le voyage à New York. Malgré une
rencontre en août 1952, les relations restent froi-
des. À tel point que Magritte demande au directeur
du Belgian Government Information Center de New
York, Jan Albert Goris — connu comme romancier flamand sous le nom de Marnix Gijsen —,
d'intervenir auprès de Iolas.

## UN ART PHILOSOPHIQUE

Malgré les difficultés éprouvées à s'implanter
sur la scène new-yorkaise, Magritte reste disponible pour les projets intimistes qui réunissent le clan
qui s'est formé autour de lui. Ainsi, de novembre 1949 à mars 1951, il contribue par ses dessins
à seize livraisons sur la centaine que comptera
*Vendredi*. Magritte prise particulièrement cette
publication holographe envoyée chaque semaine à
Robert Willems, le neveu de Paul Colinet installé
au Congo belge. Il y retrouve ce goût pour les
hasards de la poste qui font parcourir des milliers
de kilomètres à des réalisations qui allient l'écriture à l'image pour tisser des relations singulières
tributaires du facteur.

Le livre ne l'attire pas moins. Au printemps
1950, il collabore avec Colinet, Mariën, Nougé et
Scutenaire à un projet d'ouvrage pour lequel le
photographe Serge Vandercam, qui avait pris part

à CoBrA, réalise plusieurs clichés d'œuvres. Les poètes amis rédigent des commentaires de tableaux et Magritte lui-même prend la plume pour préciser ses idées dans un texte destiné à conclure le projet. Celui-ci ne sera pas mené à son terme et, le 1er juin, Magritte enverra à Iolas sa contribution intitulée *Perspectives* pour l'intégrer au prochain catalogue édité par la galerie new-yorkaise. Ces projets donnent au peintre l'occasion d'affiner sa pensée.

Entre l'automne 1951 et le printemps 1952, Magritte connaît une période d'intense créativité. Son mode de travail s'y plie. Après s'être focalisé sur l'élaboration de l'idée, il lui faut transposer — et parfois adapter — celle-ci à l'échelle du tableau. Le 21 janvier 1952, il fera part à son marchand américain de l'état d'avancement d'une série d'œuvres : « Je commence quelques tableaux et les réalise à l'état d'ébauche, pendant une certaine période qui est "de recherche" — le travail qui suit consiste à les achever[7]. » Cette phase de créativité enthousiaste (il en sera de même en 1956-1957) est tout entière concentrée sur l'élaboration de l'idée par le dessin. L'achèvement pictural n'intervient qu'ultérieurement, au moment où la déclinaison à la gouache fait son apparition.

Depuis l'abandon de la période « vache », Magritte poursuit sa recherche dans une voie philosophique dont témoigne la correspondance échangée avec les philosophes Chaïm Perelman et Alphonse de Waelhens.

Professeur de philosophie à l'Université de Louvain, de Waelhens est un phénoménologue proche de Heidegger dont il traduira en français *Être et Temps*. Sous l'Occupation, il a publié une première synthèse de la pensée de son maître[8] qu'il confronta, en 1946, à celle de Sartre. Par la suite, de Waelhens s'attachera à la pensée de Husserl et de Merleau-Ponty qu'il contribuera à faire connaître. Et ce tout en s'intéressant, de manière de plus en plus affirmée, à la psychanalyse. À tel point qu'il comptera au nombre des fondateurs de l'École belge de psychanalyse. Magritte a été fasciné par la pensée de ce philosophe précis qui jongle avec les notions de monde et d'existence sans en retrancher cette part d'ambiguïté que le peintre associe au « Mystère ».

Considéré comme le fondateur de la « nouvelle rhétorique », Perelman est professeur à l'Université libre de Bruxelles où il enseigne, outre la morale et la métaphysique, une discipline qui fascine Magritte : la logique. Spécialiste de la rhétorique et de l'argumentation, il offre au peintre ce complément de formation qui lui permettra de progresser dans sa réflexion. Lui qui n'a pas poussé bien loin l'école, va échanger une correspondance fournie — pas toujours maîtrisée — avec l'auteur du *Traité de l'argumentation*, comme si la pensée philosophique allait donner à cet art de peindre qu'il ne cesse de théoriser sa formulation définitive. Magritte partage avec la rhétorique argumentative de Perelman une passion pour les figures de la rhétorique — les tropes — qu'il met en scène de manière littérale.

À travers ces échanges philosophiques, il s'agit pour Magritte de creuser l'orientation prise en 1932. De cette année qui voit apparaître *Les Affinités électives* à 1938, date de la rédaction de *La Ligne de vie*, qui constitue un réel discours de la méthode, Magritte a développé un système par lequel il souligne sa conception de la représentation. C'est dans cette direction qu'il s'engage désormais.

Au-delà de l'illusion photographique, l'image constitue une étendue que le verbe, devenu action, se doit d'explorer jusqu'à en dégager une signification qui perdra la saveur d'un savoir prédestiné. Dans le numéro inaugural d'une nouvelle revue baptisée *La Carte d'après nature*, Magritte précise son esthétique du questionnement en lui offrant une nouvelle orientation.

Si le poignard est la réponse à la rose, la rose n'est pas la réponse au poignard ; l'eau ne l'est pas non plus au bateau ni le piano à la bague. Cette constatation permet d'envisager désormais de rechercher des réponses qui soient en même temps des questions résolues par les objets qui ont joué d'abord le rôle de question. Est-ce possible ? Cela paraît exiger que la volonté humaine atteigne cette qualité attribuée par Edgar Poe aux œuvres de la Divinité « où l'effet et la cause sont réversibles ». Il n'est peut-être pas impossible, si nous pouvons concevoir cette qualité, qu'elle puisse, par voie illuminative, nous appartenir[9].

La démarche — dans laquelle une énorme bague enserre un piano à queue sur fond de rideau rouge — traduit une évolution exprimée par des œuvres comme *La Main heureuse*, gouache exécutée en 1952 en vue de l'exposition à la Galleria dell'Obelisco et dont Magritte tirera une peinture en 1956*. L'image ouvre un horizon philosophique que le peintre détaille dans une lettre à Mariën :

Il est à remarquer que ce genre d'images a comme caractère de ne pas proposer comme certaines rencontres l'idée qu'une chose est comme une autre chose : une femme est comme une fleur, comme une perle, comme un nuage, etc. Mais bien de dire une chose est une autre chose : une porte est un trou. Un arbre est une feuille. Un piano est une main (ou un doigt). Dans ce dernier cas, un plaisir est causé en supplément par la pensée qu'une main est un doigt et par la bague qui évoque ce luxe véritable dont Baudelaire nous a parfois donné la nostalgie[10].

En octobre, Magritte revient sur la question à l'occasion d'une nouvelle livraison de *La Carte d'après nature* :

Le dernier problème que j'ai traité est celui du piano. La réponse m'a appris que l'objet secret destiné à se réunir au piano était une bague de fiançailles. Le tableau *La Main heureuse* représente donc un grand piano noir dont la queue traverse cette bague comme le rayonnement d'un bonheur et particulièrement celui des doigts d'une main qui joue du piano. D'autre part, la figure présentée par la bague, cachée en partie par le piano qui la traverse, évoque la forme d'un signe musical, la clé de fa[11].

Plus philosophique que poétique, l'orientation que prend Magritte le conduit à multiplier des textes

* Signalons qu'à cette première reprise répondra une seconde, à la gouache, en 1955, sur commande d'un diamantaire séduit par le sujet. L'anecdote souligne l'usage multiple de l'image poétique chez Magritte. À la version initiale « recherchée » et voulue par le peintre répond cette pratique alimentaire de la copie dégagée de toute forme d'intellectualité.

à portée théorique. À la lecture, il n'est pas garanti que le penseur autodidacte en maîtrise toujours la formulation. Celle-ci sera parfois confuse, sinon incompréhensible. Ces essais rendent compte d'une ambition : faire de l'image — jusque dans sa répétition *ad libitum* — un acte de connaissance. Cette proximité nouvelle avec les philosophes va de pair avec un éloignement de ceux qui furent ses premiers mentors en littérature. Au premier rang desquels Paul Nougé. Le 26 septembre 1952, après une soirée houleuse durant laquelle Nougé a verbalement agressé Georgette[12], Magritte rompra définitivement avec son ancien compagnon dont l'existence prendra la forme d'une lente et irréversible dérive.

Du 2 au 22 août 1952 se tient au casino de Knokke-le-Zoute sur la côte belge la première rétrospective de l'œuvre de Magritte organisée depuis la fin de la guerre. Elle a été initiée par Mesens, qui reprend ses activités commerciales à Bruxelles après la fermeture de la London Gallery en 1950. Mesens aspire à se réimplanter à Bruxelles. Après une tentative infructueuse d'ouvrir une galerie, il réactive son réseau de collectionneurs bruxellois — les Urvater, Graindorge, Dotremont et autres Mabille —, ainsi que d'anciennes amitiés comme celle de P.-G. Van Hecke. C'est à ce dernier que Mesens doit d'être entré en contact avec Gustave Nellens, le propriétaire du casino de Knokke, qui, de 1950 à 1953, le charge d'organiser des expositions de prestige dans cette cité balnéaire fort prisée. Mesens dispose d'un fonds unique d'œuvres de Magritte qui lui permettra d'organiser plusieurs expositions, comme celle présentée en novembre 1953 à Londres, à la Lefevre Gallery, ou celle des « tableaux-mots » accueillie par la Sidney Janis Gallery de New York en 1954, sous le titre *Word versus Images*. Mesens y propose ses œuvres à un prix nettement moins élevé que ceux pratiqués par Iolas. Parallèlement à la gestion de son stock ancien, Mesens fait l'acquisition de nouvelles œuvres.

## LA CARTE D'APRÈS NATURE

En octobre 1952, Magritte fonde *La Carte d'après nature*, revue qui paraîtra à intervalles irréguliers jusqu'en avril 1956. Le projet met en place les idées esquissées un quart de siècle plus tôt : une revue minimale — Jean Paulhan en parlera comme de la plus petite revue au monde — et souple. Elle connaîtra douze livraisons, dont deux numéros spéciaux. Si quatre numéros se présentent sous la forme d'un opuscule dans l'esprit de *Distance*, les huit autres se composent d'une simple carte diffusée gratuitement par voie postale. Une lettre adressée à Marcel Mariën en détaille le projet : « Du côté adresse il y a le titre : *La Carte transparente*, adresse, numéro de la carte et date, en dessous du côté gauche un cliché ou un texte et du côté droit l'adresse de l'abonné. Au recto, se trouve un placard de 2 800 signes environ[13]. »

À l'instar des films réalisés en amateur, *La Carte d'après nature* tient de la production familiale. Magritte, Colinet, Scutenaire, Hamoir, Lecomte, Mariën, Mesens et quelques intimes s'en donnent à cœur joie dans une forme de libre improvisation non dénuée d'esprit potache. Pour Magritte, « l'idée [...] ne dépend pas d'une volonté [collective] de la connaître à tout prix : il semble que l'idée soit imprévisible et c'est à cette condition qu'elle ait quelque prix[14] », ainsi qu'il le déclarera à Ernst Jünger, le 15 septembre 1955. Cette revue insolite tourne autour de l'œuvre de Magritte dont les toiles fournissent l'essentiel de l'illustration. Aux courts textes annoncés répondent des questionnaires dans la pure tradition surréaliste : « Quel sens donnez-vous au mot poésie ? » (n° 5) ; « La pensée nous éclaire-t-elle, et nos actes, avec la même indifférence que le soleil, ou quel est notre espoir et quelle est sa valeur ? » (n° 6). Publiées sous forme d'opuscules, les réponses s'avéreront décevantes aux yeux de Magritte de plus en plus replié sur son cercle d'intimes. Au poète Gaston Puel, avec lequel il entretient une correspondance importante, Magritte déclare finalement que « seules les réponses de nos amis valent la peine de les lire. Et la lecture ne doit pas être pour nous une chose ennuyeuse[15] ».

Magritte initie ainsi une forme de *mail art* qui ne prendra corps en tant qu'esthétique structurée qu'une dizaine d'années plus tard aux États-Unis. Il use de la revue comme d'un moyen de diffusion de l'œuvre dans un travail de démultiplication anonyme. Sous couvert de carte postale, l'image circule, se diffuse en réseau, trouve ses ramifications et échos, essaime. La revue s'offre aussi en support de courts textes précisant la démarche du peintre — ce sera le cas dès le numéro inaugural — ou ouvrant sur d'autres perspectives. Dans ce registre, Magritte publiera quatre petits récits humoristiques (dans les numéros 2, 4 et 8 ainsi que dans le numéro spécial de juin 1954), et deux textes d'inspiration surréaliste.

## INTERNATIONALISER LE MARCHÉ

Tout en jouant avec ses amis dans l'espace de plus en plus clos d'une intimité domestique, Magritte est à la recherche de nouvelles possibilités pour exposer. Il aspire à agrandir le nombre de ses clients en se présentant devant de nouveaux publics. Il répond dès lors aux propositions qui lui viennent de l'Europe entière. Que ce soit à Milan — où Iolas envisage d'ouvrir une galerie —, à Venise, par l'intermédiaire du marchand Carlo Cardazzo, ou à Paris, où André Breton vient d'ouvrir sa galerie baptisée À l'Étoile scellée.

C'est dans ce contexte que, du 19 janvier au 2 février 1953, le peintre bénéficie d'une première exposition en Italie, à Rome, à la Galleria dell'Obelisco. Magritte accorde une attention particulière à cette présentation : il exécute plusieurs œuvres originales, envoie au marchand romain un plan d'accrochage précis et surveille de près la réalisation du catalogue pour lequel il sollicite un texte de Breton. Faute de temps, ce dernier déclinera la proposition. Colinet fournira le texte intitulé *Pour se délivrer des explications* qui s'ajoutera à l'essai du critique et poète Libero de Libero — *René Magritte o il miraggio nel deserto* — conçu pour toucher un public plus large attiré par la notoriété de l'écrivain. Les œuvres réalisées pour l'Italie figureront ensuite à la Prima Mostra Internazionale di Pittura qui se tiendra en juin à Messine.

Magritte se démène afin de diffuser son œuvre. Ainsi participe-t-il à pas moins de douze expositions pour la seule année 1952. En Belgique, il multiplie les expositions personnelles — de Knokke à Liège, en passant par Verviers ou Mons — ainsi que les présentations en galerie. Pour répondre à la demande, d'autant plus pressante que Iolas abonde dans le même sens, il produit variations et répliques à la commande. Le succès n'est pas nécessairement au rendez-vous car, à en croire le peintre, les prix imposés par son partenaire new-yorkais ne tiennent pas compte de la réalité du marché belge[16].

En mars, Magritte expose à la Iolas Gallery de New York. Après de nombreuses annonces toujours différées, le marchand n'a que tardivement averti le peintre de l'organisation de cette manifestation qui réunit une quarantaine d'œuvres. L'absence de catalogue irrite particulièrement Magritte qui accorde une importance considérable aux publications qui accompagnent ses œuvres.

La relation qui unit les deux hommes connaît un nouveau coup de froid.

En avril 1953, après le succès de l'exposition organisée l'année précédente par Mesens, Gustave Nellens commande une décoration murale panoramique pour la salle du Lustre du casino de Knokke-le-Zoute. Magritte lui soumet des esquisses à la gouache à partir desquelles le commanditaire est en mesure de prendre sa décision. Elles figureront à l'exposition organisée en mai par La Sirène, avant d'être présentées à Milan par Iolas pour l'inauguration de sa nouvelle galerie. En mai, huit maquettes à l'huile sont exécutées. Le mois suivant, Magritte supervise la réalisation des peintures qui sont l'œuvre d'une équipe de peintres placée sous la direction de Raymond Art. La peinture sera inaugurée durant l'été, lors du VIe Festival d'été de Knokke-le-Zoute.

En novembre, de passage à Bruxelles avec la compagnie du New York City Ballet, George Balanchine rencontre Magritte par l'intermédiaire de Iolas. Le danseur étoile et chorégraphe possède une variante de *La Mémoire* et Iolas espère que la rencontre débouchera sur une collaboration qui viendrait asseoir la notoriété de Magritte aux États-Unis. Le projet n'aboutira pas. Magritte ne s'intéresse pas aux ballets autres que « classiques ». Comme il l'écrit à Goris, « les interventions "d'artistes d'avant-garde" dans ce domaine » lui apparaissent « inutiles et ridicules[17] ».

1954 marque un changement dans la politique d'exposition américaine de Magritte. Changement qui dénote son éloignement de Iolas. Le peintre marque, en effet, son accord pour qu'une autre galerie que celle de Iolas présente son œuvre à New York. À l'instigation de Mesens, la Sidney Janis Gallery inaugure le 1er mars une exposition baptisée *Words and Images* qui réunit, pour vingt jours, vingt et un « tableaux-mots » exécutés par Magritte entre 1927 et 1930. Les toiles appartiennent presque toutes à Mesens. Si la manifestation constitue en soi un échec commercial, elle jouira d'un écho considérable au sein de la critique et auprès des artistes de la jeune scène américaine[18].

Cette exposition a été décidée par Sidney Janis lors d'un voyage à Bruxelles effectué au début de l'année précédente. Au grand dam de Iolas qui reprochera à Mesens de ne pas lui avoir réservé l'exposition et de proposer au grand marchand des tarifs moins élevés que les siens. En s'appuyant sur la collection de Mesens, Janis met en scène un Magritte dont les recherches anticipent celles de la scène new-yorkaise. Dans son compte rendu pour *Art Digest*, Robert Rosenblum[19] livre une première lecture « conceptuelle » qui imprimera sa marque sur les recherches des Rauschenberg, Johns, Lichtenstein et Warhol qui, tous, posséderont une toile de Magritte liant image et mot. À travers Magritte — et loin de sa recherche centrée sur le principe poétique de « Mystère » —, la représentation fait l'objet d'une interrogation centrale. Au même titre que le signe linguistique, l'objet constitue une abstraction. La critique dans son ensemble soulignera l'originalité de Magritte, à la marge de l'orthodoxie surréaliste, à travers ces œuvres qui mettent en exergue la question de l'interprétation picturale.

L'initiative new-yorkaise de Mesens n'a pas interféré sur les nombreux projets du peintre. Au moment où Janis le présente à New York, Magritte expose à La Louvière. Pour le catalogue, il rédige un texte intitulé *Le Sens du monde*[20] qui constitue le point de départ de l'essai qu'il fera figurer, quelques mois plus tard, dans le catalogue de sa rétrospective bruxelloise au Palais des beaux-arts. Initiée par Robert Giron, celle-ci se tient du 7 mai au 5 juin et réunit une centaine d'œuvres. Elle affirme la place centrale de Magritte dans l'histoire d'un surréalisme dont la Biennale de Venise célèbre, au même moment, les trente ans d'existence. ELT Mesens suit pas à pas le projet auquel il contribue largement par ses prêts. Magritte supervise la sélection, veillant à ce que des toiles de sa période « solaire » — comme *Alice au pays des merveilles* — ne soient pas écartées. De même pour *Les Profondeurs du désir* qu'il considère comme un de ses chefs-d'œuvre. La manifestation rencontrera un réel succès. Dans la presse, Magritte est enfin salué comme une figure majeure du mouvement surréaliste. Édité par Mesens, le catalogue comprend deux textes importants que Magritte a rédigés pour l'occasion. Il s'agit, d'une part, de son *Esquisse autobiographique*[21] écrite à la troisième personne et, d'autre part, de *La Pensée et les Ima-*

*ges* qui précise sa conception esthétique parallèlement au questionnaire publié pour la sixième livraison de *La Carte d'après nature* : « La Pensée nous éclaire-t-elle, et nos actes, avec la même indifférence que le soleil ? Ou quel est notre espoir et quelle est sa valeur ? » Magritte revendique une inclination philosophique croissante. La pensée s'impose au cœur de ses recherches. À une peinture qui met en scène un questionnement de l'expérience quotidienne — le « problème » de la porte, de la maison ou de la nuit —, répond désormais un imaginaire construit comme une pensée qui « coïnciderait » avec l'expérience sensible. Cette notion de coïncidence vient relayer celle de représentation. Pour Magritte, la cause est entendue : « Penser à une image signifie Voir une image[22]. » Et de définir, dans la foulée, la signification de sa démarche :

Le tableau présente une image au sens de la vue. Le sens de la vue enregistre sans Voir, à l'envers, selon les lois de l'optique et comme un appareil photographique, l'image présentée par le tableau. Dans la pensée, cette image devient une image morale, c'est-à-dire une image ayant une valeur spirituelle. C'est la pensée qui donne cette valeur[23].

La valeur de l'œuvre ne réside donc ni dans sa réalité matérielle ni dans son prix, mais dans sa capacité à générer une pensée par laquelle une « explication » s'offre dans la liberté de son développement. Revenant incidemment à l'expérience du « surréalisme en plein soleil », Magritte décrète que la pensée, « c'est la Lumière[24] ». Peindre équivaut dès lors à révéler — au sens premier, photo-graphique, du mot — ce qui se dérobe au savoir selon un principe, pour ainsi dire alchimique, qu'une toile comme *la Fée ignorante*, exécutée en 1955, incarne au-delà du prétexte que constitue le portrait de la jeune Anne-Marie Crowet qui servit de modèle. Sous le signe de la lumière noire, « l'image peinte se mue en révélation spirituelle ; elle prend corps dans la pensée ». L'image qui s'y déploie librement. Et Magritte d'en conclure :

> J'estime comme étant valable l'essai de langage consistant à dire que mes tableaux ont été conçus pour être des signes matériels de la liberté de pensée... Ils visent, dans toute la « mesure du possible », à ne pas démériter du Sens, c'est-à-dire de l'Impossible.
>
> Pouvoir répondre à la question : « Quel est le "sens" de ces images ? » correspondrait à faire ressembler le Sens, l'Impossible, à une idée possible. Tenter d'y répondre serait lui reconnaître un « sens ». Le spectateur peut voir, avec la plus grande liberté possible, mes images telles qu'elles sont, en essayant comme leur auteur de penser au Sens, ce qui veut dire à l'Impossible[25].

L'artiste devient un emblème national. Du 19 juin au 17 octobre, une sélection de vingt-quatre de ses œuvres exécutées entre 1926 et 1954 figure dans le pavillon belge de la Biennale de Venise qui, parallèlement, rend hommage au surréalisme.

La relation avec Iolas reste tendue. Malgré ses soucis financiers permanents, ce dernier tient à être reconnu comme le représentant exclusif de Magritte, tant en Europe qu'aux États-Unis[26]. Magritte ne

souscrit pas à ce point de vue. Il déplore l'inconstance de Iolas dans ses paiements et son incapacité
à faire aboutir ses nombreux projets (expositions
différées, ouverture d'une galerie finalement laissée sans suite…). De longues tractations, ponctuées
de débats houleux à propos des tarifs pratiqués,
sont menées tout au long du printemps 1954. À
tel point que Magritte, qui ne veut rien réserver
à Iolas, finit par vendre trois fois *L'Empire des
lumières* présenté à Venise. À un collectionneur
privé, aux Musées royaux des beaux-arts de Belgique et, à l'occasion d'un passage précipité à Bruxelles à la mi-juin, à Iolas lui-même. La toile rejoindra
finalement la collection de Peggy Guggenheim à
Venise. Et Magritte réalisera cette même année trois
autres « moutures » pour les acheteurs dépités.

## PARIS (TOUJOURS) HOSTILE

Déçu par Iolas, Magritte entend trouver par lui-
même une galerie qui présenterait ses œuvres à
Paris, où il n'est plus apparu depuis l'épisode
« vache » de 1948. En 1953, il avait caressé le
projet d'exposer à la galerie Cahiers d'Art de Christian Zervos. Il avait aussi pris contact avec Breton
en vue d'une éventuelle présentation organisée par
la galerie À l'Étoile scellée où se produit une jeune
génération de surréalistes. Enfin, quelques contacts
semblent avoir été pris avec Cécile Volnay, qui avait
déjà exposé Dubuffet dans sa galerie. Vaines ten-

tatives. La position de Magritte à Paris se révèle d'autant moins favorable que, dans le sillage de Breton, une attaque en règle est menée contre la vieille garde surréaliste restée attachée à la figuration. Le compte rendu de la présentation des œuvres de Magritte à Venise que Dora Vallier donne aux *Cahiers d'Art* participe de ce dénigrement systématique par lequel une jeune génération de critiques entend affirmer la supériorité de l'art abstrait[27]. Magritte y réagira avec deux tracts — *Quelle tartine !* et *Breton me fait penser* — qui ne seront pas publiés[28]. À Paris, un professeur de sciences, disciple de Breton prend le contre-pied de la critique dominante. Né l'année même du *Premier Manifeste du Surréalisme*, Maurice Rapin rédige le tract *Comme un seul homme*, pour défendre Magritte dont il a découvert la peinture au Salon d'automne de 1946. Sa compagne, Mirabelle Dors, a rencontré Magritte en 1953 alors qu'elle exposait à la galerie d'André Breton dont le couple compte parmi les disciples zélés. Entrés en dissidence, Dors et Rapin vont se rapprocher de Magritte qui apprécie la présence de ces jeunes artistes avec lesquels il échange des idées et qui soutiennent sa démarche. La correspondance échangée à partir de 1955 se révèle à ce point riche que, le 21 novembre 1956, en guise de cadeau d'anniversaire offert (très en retard) à Magritte, Mirabelle Dors et Maurice Rapin publieront *Paroles datées* réunissant des fragments des lettres qu'ils ont reçues.

En novembre 1957, Maurice Rapin et Mirabelle Dors lancent *La Tendance populaire surréaliste*, premier d'une série de tracts consacrés à Magritte qui s'appuie sur des extraits de la correspondance qu'ils échangent. Chaque feuillet est illustré par une œuvre sur laquelle le texte jette un jour neuf. Dès le premier numéro, intitulé *René Magritte donne une place au soleil*, Rapin et Dors rompent avec l'évolution récente du mouvement qui leur apparaît empreinte d'académisme et soumise au formalisme abstrait. Dans l'œuvre de Magritte, au contraire, le duo défend un surréalisme ouvert à une recherche linguistique et conceptuelle. Jouant de la correspondance comme de ses essais théoriques, Magritte trouvera dans les tracts de *La Tendance populaire surréaliste* un lieu où texte et image s'interrogent mutuellement dans une forme simple et dépouillée, sinon grégaire. Professant son « goût réel pour ce genre d'imprimerie[29] », Magritte salue dans l'initiative de Rapin et de Dors une aventure qui le touche.

Les deux épreuves que vous m'envoyez me plaisent tout à fait, car elles feraient horreur à un amateur de typographie moderne, et j'ai horreur de ces recherches d'« art graphique » dont les revues luxueuses nous donnent des exemples sans arriver à présenter le moindre intérêt. Comme ma peinture, qui serait par rapport à cela « en retard », la typographie des tracts d'art populaire serait-elle aussi trop simple et trop « primaire » aux yeux des ensembliers distingués par exemple ou des gens de « goût ». Il y a sans doute un « goût » qui ne dépend pas d'un décret d'un spécialiste quelconque, couturier, parfumier ou cinéaste. Des jeunes gens, par exemple, trouvent étrange mon manque de goût. C'est ainsi qu'ils regrettent que les personnages que je peins ne soient pas habillés en Zazous. (Je retarde déjà, je crois ? Le Zazou est de la vieille histoire ?)

Donc les tracts font preuve du « bon goût » tel que je l'entends : si je montrais un imprimé dans un tableau, ce serait un imprimé comme ces tracts — et non un imprimé d'une page de *Vogue* ou de *L'Œil*[30].

La publication, en février 1958, d'un tract de *La Tendance populaire surréaliste* consacré au peintre amateur Alfred Courmes apparaîtra à Magritte comme une erreur qui réduit la portée originale du surréalisme dont le duo Rapin-Dors se revendiquait. La parution d'un second tract signé par Mirabelle Dors, le 15 mai, accélérera la prise de distance de Magritte qui adressera sa dernière lettre à Rapin le 22 mai 1958.

En décembre 1954, Iolas fait une double proposition à Magritte : exposer à la galerie Rive gauche ou à la galerie Rive droite. Toutes deux se sont manifestées en vue d'une présentation programmée pour l'automne 1955. Le peintre était resté sur sa ligne et avait opté, en janvier 1955, pour une exposition personnelle à la Galerie de Seine annoncée pour le mois suivant[31]. Une fois de plus, le projet n'aboutira pas. Pas plus qu'une autre proposition adressée peu après par Noël Arnaud. Ce n'est qu'en décembre qu'à l'initiative de Iolas Magritte exposera dix peintures et dix gouaches à la galerie Cahiers d'art de Christian Zervos. Une publication sera éditée pour l'occasion avec un texte de Scutenaire intitulé *En parlant un peu de Magritte*[32]. Même si, grâce aux réseaux de Mesens, l'exposition bénéficie de quelques critiques positives — comme celle d'Alain Jouffroy dans *Arts* —, elle passera pour ainsi dire inaperçue. Magritte s'en expliquera à Noël Arnaud dans une lettre datée du

9 février 1956 : « Il est vrai que mon exposition ne signifiait pas une volonté à tout casser de faire "progresser les arts" pour le progrès de ceux-ci. Sa parfaite *inutilité*, à laquelle je tiens, signifiant ou démontrant s'il en était besoin à ceux qui l'aimaient que ce que l'on aime est inutile en fait, et en droit si l'on ne se prend pas trop au sérieux[33]. »

## UN ART POÉTIQUE

Dans la huitième livraison de *La Carte d'après nature*, qui paraît en janvier 1955, Magritte définit sa conception d'un « art poétique » au moyen de deux gouaches dont le sujet rend compte de la primauté de la lumière en des termes qui allient merveilleux — *La Lampe d'Aladin* — et philosophie — *Le Manteau de Pascal*. Selon Magritte, « L'art de peindre » — et non la peinture qu'il honnit et que la production « vache » entendait tuer — permet « de représenter des images poétiques visibles[34] ». Fondée sur le rejet de toute domination et de toute instrumentalisation des choses qui peuplent la réalité, cette image parle à l'intelligence sous une forme à laquelle l'auteur donne sa majuscule : Voir. Action par laquelle s'impose « la certitude morale de notre appartenance au Monde ». Et de conclure : « L'apparition imprévisible d'une image poétique est célébrée par l'intelligence amie de la Lumière énigmatique et merveilleuse qui vient au monde[35]. »

L'expérience décrite ouvre à une connaissance par la négativité. La démarche aurait été impossible sans l'aventure du « surréalisme en plein soleil » qui oriente la peinture sur la voie d'une poésie singulière : spontanée par sa qualité visuelle, celle-ci induit un processus de déconstruction qui passe par le langage. Les éléments assemblés — fruits d'un collage — doivent être identifiés, définis, rapportés à un sens initial pour livrer leur saveur finale. Dans ce sens, la variante offre la possibilité d'en modifier à l'infini les indices pour recomposer de nouvelles constellations signifiantes. Aux yeux du peintre, ces changements donnent au « Mystère » sa mobilité essentielle. Celle-ci sera d'autant plus bouleversante que l'objet initial sera banal, anodin. Qu'il avancera masqué. À l'instar de Magritte. L'industrialisation de la démarche va donc de pair avec une stratégie de rupture permanente fondée sur ce principe d'« apparition improbable » que Magritte définit dans son *Art poétique*. La liberté ne constitue plus la base d'un discours, mais la condition de surgissement de l'image. Loin de tout ancrage idéologique et du conformisme auquel confine même l'anticonformisme, elle définit une réalité mentale indépendante de l'image comme objet d'art voué au règne de l'argent et au marchandage des idées à la mode. Magritte n'accordant d'importance ni à l'un ni à l'autre.

À la recherche d'une philosophie marquée par la profondeur, le peintre prend ses distances avec ses engagements antérieurs. Sans doute, le rejet de Nougé, pris entre masochisme et alcoolisme, a-t-il favorisé chez le peintre le rejet du communisme ainsi que de tout endoctrinement. Lorsque Marcel Mariën fonde, en avril 1954, la revue *Les Lèvres nues*, il en prend ombrage. D'une part, parce que le projet répond à un désir de sauvegarder les écrits de Nougé en les publiant. Et, d'autre part, parce que Mariën donne à sa revue une inflexion politique dans laquelle il refuse de se reconnaître. Dans une lettre à Puel, Magritte exprimera sa défiance à l'égard d'un art engagé, même si, dit-il, « à une certaine époque, [il avait] une confiance "d'essai" dans une activité qui tenait à la fois compte du progrès social et du sentiment [...] de la vie[36] ». Aux yeux du peintre, la rencontre du politique et du poétique n'entraîne que confusion. Pour Mariën, au contraire, Magritte et Colinet s'abandonnent trop volontiers à des développements métaphysiques qu'il juge stériles[37].

L'accroissement des ventes a permis à Georgette de quitter son emploi à la Coopérative artistique. Le couple vit désormais de la seule peinture de Magritte. En mai 1954, ils ont même pu quitter cette rue Esseghem que le peintre a toujours qualifiée de « sordide » pour s'installer dans un appartement au rez-de-chaussée du 207 boulevard de Lambermont, à Schaerbeek. La reconnaissance est en route et, avec elle, une aisance financière qui, comme au temps de leur jeunesse, se traduit par une frénésie de déménagement. En décembre 1955, les Magritte quittent le 207 pour le 404 du même boulevard de Lambermont. Les préparatifs font heureusement diversion à la mort de leur chien

Jackie. Dans une lettre datée du 26 novembre, Magritte fait part à Mesens de ses sentiments face à « la cruauté manifestée par le mystère où nous vivons[38] ». Là réside, à ses yeux, l'élément incompréhensible de l'existence. Élément qui, sans nul doute, garde alors l'empreinte du suicide de sa mère.

En décembre 1957, les Magritte déménageront pour la dernière fois. Ils s'installent dans une maison individuelle au 97 de la rue des Mimosas, à Schaerbeek. En juillet 1963, ils feront l'acquisition d'un terrain à Uccle pour y construire une maison. Après bien des croquis exécutés par le peintre qui retrouve ainsi, sous une forme nouvelle, le problème de la maison résolu vingt ans plus tôt, ils renonceront au projet pour des raisons financières.

### LA PLACE AU SOLEIL

Une nouvelle période d'intense créativité s'ouvre en 1956. Elle s'étendra à une large part de l'année suivante. Magritte explore son univers imaginaire avec méthode et rigueur. Il poursuit sa « problématologie » imagée et reprend parfois des principes anciens qu'il réinterprète totalement. Ainsi, *La Place au soleil* occupe une position singulière. Exécutée en 1956, cette série de gouaches renoue en fait avec une problématique explorée à Paris en 1928-1929. Magritte part des « tableaux-mots », comme *Le Paysage fantôme* de 1928 qui mettait en scène un visage de femme barré obliquement par le mot « paysage ». Il multiplie les motifs de superposition, niant l'évidence visible pour mieux en creuser le sens : une prune sur une poire, une porte ouverte sur une porte fermée, un lion sur un papillon, une femme assise sur le montant d'un siège... La recherche s'inspire aussi du dispositif éprouvé à la fin des années 1930 pour *Stimulation objective*.

Le travail relève d'une démarche systématique. La correspondance que Magritte adresse à ses proches en rend compte. Il entend expliciter ses œuvres, en détailler le processus de composition, en affiner les spécificités. Ainsi en sera-t-il du *Rossignol* dont la genèse est longuement détaillée dans la correspondance avec Maurice Rapin. Exécutée entre le 2 et le 15 mars 1956, l'œuvre s'inscrit dans le sillage d'un voyage effectué à Paris en janvier. Magritte s'est inspiré du Dieu trônant de Saint-Sulpice pour traduire sa perception d'un Paris « fantôme où un mysticisme médiéval s'est simplement transformé en un mysticisme commercial, politique, industriel, scientifique... ou artistique[39] ». De là ce mélange singulier qui juxtapose une gare de banlieue et la figure de Dieu tout-puissant. Magritte se délecte de l'étrangeté d'une image promise à la diversité des interprétations :

Le Rossignol lorsqu'il sera peint signifiera, pour certains connaisseurs, un effet de « collage », pour une autre sorte de connaisseur : deux souvenirs réunis de mon voyage à Paris, pour d'autres, une profession de déisme ou d'athéisme, etc.

Les nombreuses interprétations « à côté » possibles d'une telle image viennent confirmer le sentiment que j'ai de sa valeur : celle du centre de la « question » (qui ne saurait être sensible que dans une expression équivoque ou assez dangereuse)[40].

*Le Rossignol* découle directement de l'expérience « vache ». Magritte jugera d'ailleurs la gouache préparatoire « trop forte pour les populations intellectuelles ». Et d'ajouter pour Maurice Rapin que cette œuvre lui semble « quelque chose à ne montrer qu'à des pairs ». Le groupuscule qui s'est constitué autour du peintre forme pour ce dernier une communauté complice qui lui fait recouvrer son goût ancien pour la conspiration.

À partir de ces images poétiquement « creusées », Magritte passe à des questions d'ordre philosophique : la relation du langage au néant, la représentation, l'impossibilité d'épuiser le sens en une signification définitive. Alors que le mode de fabrication de l'image se sérialise, le peintre insiste sur le sens de sa démarche globale qu'il situe sur le plan d'une irréductibilité poétique. Si Magritte récuse avec acharnement toute lecture symboliste de son œuvre et toute réduction interprétative — que traduit désormais son hostilité constante à l'endroit de la psychanalyse —, peut-être faut-il y voir l'expression d'une défiance à l'égard de la « fabrique à significations » que constitue la pensée symboliste à laquelle le surréalisme s'est opposé tout en en héritant. En effet, le symbolisme renvoie à un corpus de définitions préétablies que Magritte rejette au nom de sa perception de l'irreprésentable qui ne ressemblerait à rien. Propriétaire d'une variante à la gouache du portrait de Georgette, le collectionneur Barnet Hodes s'adressera au peintre dans l'espoir que ce dernier lui livre la clé des symboles déployés autour du visage. La réponse témoigne d'une résistance à la pensée symbolique :

Le « sens » de ma peinture, c'est une certitude morale pour moi, n'est pas à confondre avec le sens d'une machine que l'on peut démonter, d'une machine dont les rouages ont une raison logico-mécanique. Le « sens » de ma peinture n'est pas non plus à confondre avec le sens d'un discours raisonné, dont chaque terme se justifie selon une convention quelconque : convention d'ordre économique, administratif, militaire, etc., ou ordre « artistique ».

C'est une tension de l'esprit, je crois qui me permet de saisir des possibilités qui s'offrent à moi. Ces possibilités sont inattendues. Elles ne sont pas connues d'avance. Contrairement à la possibilité que veut réaliser un ingénieur, celui-ci a en vue une possibilité précise : construire une balance, par exemple, le mieux qu'il peut.

J'ai pensé un jour à une possibilité de peindre le tableau connu à présent sous le nom de « Georgette ». Cette possibilité ne ressemblait à rien de ce qui était connu dans le Monde, ne pouvait se rattacher à un sens conventionnel quelconque. Cette possibilité se refusait et se refuse encore de se prêter à une explication. Il n'y a donc aucun sens symbolique conventionnel qui puisse justifier la réunion des choses telles qu'elle est décrite par « Georgette ». Quelques personnes dans le monde aiment cette œuvre. Vous, Georgette, quelques amis et moi. L'amour se passe de justification et d'explication — ou, alors, c'est une parodie de l'amour[41].

Magritte récuse la mécanique symboliste qui se résout en « explications » comme s'il s'agissait d'une fabrique comparable à celle mise au point pour la production de l'image. Industrielle, celle-ci ne peut se résoudre à l'abandon d'un sens nécessairement hermétique. S'il peut passer pour pré-Pop sur le plan de la forme, c'est par son attachement au sens que Magritte se distingue de la génération américaine qui émerge vers 1960. La signification relève de l'éblouissement et de la surprise, et sa reproduction à l'infini ne peut en épuiser la mécanique profonde qui paraît plus importante que la solution que livrera l'analyse symbolique. À propos de *La Perspective amoureuse*, Magritte précise que les réponses que l'on pourrait apporter aux éléments associés sont sans intérêt puisqu'elles « dissiperaient le mystère que précisément [le peintre] essaie de protéger et d'évoquer[42] ».

La notoriété du peintre ne cesse de se renforcer. Il bénéficie du soutien de son vieux complice Pierre Crowet pour lequel il a réalisé le portrait de sa fille Anne-Marie avant de faire basculer le visage de la jeune femme dans sa méditation sur la connaissance par l'image en la consacrant en *Fée ignorante*. Comme cela avait été le cas pour Edward James, Magritte a sublimé la pratique limitée du portrait. Crowet ne se contentera pas de multiplier les commandes, il va aussi lui offrir la consécration dans la ville de son enfance : un « retour de flamme » dans ce paysage qui avait été celui de ses premiers pas. Le Cercle royal artistique et littéraire de Charleroi célèbre son 30e Salon avec une rétrospective de plus de cent œuvres provenant de collections belges. Dans la foulée, en date du 28 mars, la Ville de Charleroi lui passe la commande d'une peinture murale pour la salle du Congrès du nouveau Palais des beaux-arts. Le projet sera soumis en juin. La peinture sera réalisée en mars-avril 1957. En un hommage secret à Pierre Crowet, Magritte a repris le motif de *La Fée ignorante* pour composer, comme il l'avait fait à Knokke, un florilège de son univers imaginaire.

## DE TORCZYNER À HODES

En octobre 1957, Magritte rencontre Harry Torczyner, avocat new-yorkais originaire d'Anvers qui se pique d'art et de poésie. Devenu son conseiller juridique il consacrera une importante monographie à un peintre dont il était devenu l'intime. Selon ses souvenirs, la rencontre se placera sous le signe des *Chants de Maldoror* de Lautréamont[43]. Installé à New York depuis 1940 et reconnu comme spécialiste du droit international, Torczyner compose des poèmes et se lie au milieu surréaliste. Très vite, son enthousiasme pour Magritte en fait un des complices les plus déterminants de la nébuleuse qui gravite autour du peintre. La correspondance qu'ils échangent met en scène les liens de plus en plus étroits qu'illustrera le portrait de l'avocat en « dialecticien aérien ». Magritte se livre à son « ambassadeur magnifique et considérable[44] » qui est devenu son ami. Il lui parle de son ennui, de ses fatigues, de ses pannes d'inspiration et du caractère fastidieux de la peinture. Il lui communique ses idées, teste ses titres, partage ses (rares) enthousiasmes. Magritte fera aussi appel aux compétences juridiques de Torczyner pour contrôler la diffusion de son œuvre aux États-Unis. Collectionneur de premier plan, l'avocat enrichira sa collection d'œuvres importantes comme *Les Valeurs personnelles* ou *Le Château des Pyrénées*. À travers ses lettres, Torczyner pénètre le laboratoire des idées du peintre et s'impose comme un de ses « alliés substantiels » les plus pénétrants.

Magritte se lie à l'époque avec un autre avocat américain qui vit à Chicago et appartient au cercle des collectionneurs d'art surréaliste nombreux dans la capitale de l'Illinois. Avocat réputé, Barnet Hodes a rencontré Magritte au printemps 1956 grâce aux liens d'amitié qui l'unissent à William Copley dont il est le conseiller juridique. Il entretiendra avec Magritte une correspondance nourrie qui accompagne pas à pas la constitution d'une collection riche de cinquante-trois gouaches, six collages, deux toiles et autant de bouteilles-objets. Si Hodes voue à Magritte une admiration sincère, ce dernier ne cachera pas son agacement devant la démarche de l'avocat qu'il juge par trop contraignante et, parfois, dénuée d'ambition. Il reprochera ainsi au collectionneur son peu d'empressement à acquérir des toiles importantes, préférant des gouaches conçues comme de strictes copies, au demeurant moins onéreuses.

Hodes appartient à la nébuleuse des collectionneurs américains fascinés par le surréalisme[45].

Épaulé par Duchamp, Ernst et Matta, il caresse au début des années 1950 le projet de réunir une œuvre de chaque artiste qui avait pris part à l'exposition de la galerie Pierre en 1925, manifestation fondatrice du surréalisme. À cet objectif viendra s'agréger un second projet : réunir une « collection représentative[46] » — la formule constituera un leitmotiv de sa correspondance — du parcours artistique de Magritte. Cette ambition recoupe des préoccupations à la fois civiques — combler les lacunes des musées américains — et pédagogiques — révéler l'œuvre et la pensée de Magritte auprès d'un nouveau public. De cette relation, l'artiste tire d'abord un revenu régulier au fil de commandes qu'il juge néanmoins fastidieuses. Contrairement à Harry Torczyner, Hodes n'entrera jamais dans le premier cercle de ses intimes. Il constituera néanmoins une collection singulière qui forme une rétrospective unique de l'œuvre de Magritte. Généreux dans ses prêts aux expositions, Barnet Hodes soutiendra en 1958 la traduction en anglais de l'ouvrage de Scutenaire en association avec la Fondation Copley[47].

## SURRÉALISTES *HOME MOVIES*

En octobre 1956, Magritte fait l'acquisition d'une petite caméra qui offre de nouvelles perspectives aux mises en scène photographiques auxquelles il a recours durant les excursions que la petite bande organise ou à l'occasion de leurs congés sur la côte belge. Il commence à réaliser des courts-métrages dans lesquels tournent ses proches. Le peintre n'en est pas à ses premières initiatives cinématographiques. Dès 1932, il avait collaboré à deux courts-métrages de Nougé. Plus tard, il avait pris part aux films improvisés par Robert Cocriamont, auteur, durant l'Occupation, du premier film qui lui fut consacré. Muni de sa caméra, Magritte se lance dans la réalisation de saynètes qui occupent une part importante de sa correspondance avec Scutenaire et avec Colinet. Il y décrit des embryons d'actions qui devront s'enchaîner dans une histoire qui reste prétexte au surgissement de l'image saisissante. Ainsi, Irène Hamoir qui « "démange" une carotte qu'elle fixe sur un chapeau boule » ou Georgette qui « photographie Irène avec Nicole comme appareil[48] ». Présentés en 1976 aux Musées royaux des beaux-arts de Belgique, ces films seront répartis par Scutenaire en neufs scénarios[49] : *ELT Mesens* ; *Georgette en février 1957* ; *Marcel Lecomte et Georgette Magritte 1957* ; *L'Affaire Colinet* ; *Le Dessert des Antilles* ; *Nicole et Jean* ; *Le Scénario total* ; *Le Loup rouge* — qui sera filmé en couleurs — et *Les Cartes inchangées*.

Tournés à l'origine en 8 mm, ces films feront pour certains l'objet de coupes multiples après la mort de Magritte. Ainsi *Le Loup rouge*, connu pour durer près d'une heure, n'a-t-il survécu que sous une forme réduite à quelques minutes. Nombre de plans survivront sans avoir été montés ni même intégrés à une histoire. D'autres seront

362

montés en juxtaposant des plans tirés de séances différentes sans souci de continuité d'action. Certains seront détruits par Magritte lui-même, voire par des acteurs occasionnels comme la femme de Robert Cocriamont, qui prit part à une « histoire érotico-fantastico-iconoclaste[50] » dont elle jugea préférable d'effacer les traces.

Georgette, Colinet — qui décédera le 23 décembre 1957 d'un cancer —, Lecomte, Mesens, Hamoir, Scutenaire, mais aussi Rachel Baes, Nicole Desclin, Jean Seeger, Suzi Gablik, Schmeer, Léontine et Pierre Hoyez, Justin Rakofsky se prêteront aux jeux cinématographiques de Magritte à propos desquels Scutenaire précise :

> Aux uns, Magritte laissait toute latitude, content de tourner leurs sketches plus ou moins improvisés ; aux autres, il imposait gestes et mimiques, sévère comme le plus implacable des metteurs en scène.
>
> Quand il peignait, Magritte était calme, souvent ennuyé d'avoir à « œuvrer », ouvert aux irruptions du dehors. Bien au contraire, entré dans la peau du cinéaste il devenait agité, acerbe, tout de même infiniment amusé, peut-être n'a-t-il jamais été aussi heureux que la caméra au poing, sauf pendant les quelques mois de sa période « vache », quand éclatait la gaieté des trouvailles[51].

Tout en jouant, Magritte poursuit l'exploration de sa pensée artistique. Le 8 mars 1957, il est élu à la Libre Académie de Belgique — dite Académie Picard — au fauteuil de Pierre Bourgeois, admis à la retraite. En réponse au message d'accueil de Maurice Cornil, il livre un discours de réception dans lequel il déclare :

L'art de peindre, tel que je le conçois, n'est ni facile ni difficile. Je sais qu'à certains moments, des images imprévisibles
m'apparaissent et qu'elles sont les modèles des tableaux que
j'aime peindre. Ces images me semblent dominer mes idées
et mes sentiments bons ou mauvais. Elles les dominent vraiment si elles révèlent le présent comme un mystère absolu[52].

Deux ans plus tard, Magritte prononcera devant
la même assemblée une seconde conférence consacrée au problème de *La Ressemblance*[53].

En juillet 1958, Magritte entame une correspondance avec un jeune poète liégeois, André Bosmans,
qui deviendra un de ses compagnons les plus proches. Au fil de leurs échanges, Magritte livre projets
et idées qui orientent sa création dans les années
1960[54].

## LE RETOUR DE IOLAS

Le 24 décembre 1956, Iolas obtient l'exclusivité
des droits sur l'ensemble de la production pour
l'année à venir avec une clause de reconduction.
Magritte est arrivé à ses fins. Le marchand est
satisfait. Trois mois plus tard, quatre ans après la
précédente, s'ouvre à New York la première exposition personnelle de Magritte à la Iolas Gallery.
Le marchand s'est montré très exigeant quant au
type d'œuvres à exposer et à leurs formats. Le
confort apporté par ce contrat d'exclusivité sti-

mule une production qui s'avère fructueuse en 1958. Si celles-ci reviennent intégralement à Iolas, Magritte — comme au temps de Mesens — ne respecte pas ses engagements et écoule une partie des tableaux achevés à l'insu de son marchand.

En mars 1959, deux expositions simultanées d'œuvres récentes sont organisées à New York par Iolas : l'une dans sa galerie ; l'autre, réservée aux dessins, à la Bodley Gallery. Torczyner se dépensera sans compter pour diffuser l'œuvre de Magritte, allant jusqu'à intercéder auprès de Duchamp afin que celui-ci rédige un texte que Iolas publiera dans le catalogue. La correspondance échangée par le peintre et son avocat rend compte du désappointement de Magritte devant la sentence ironique de Duchamp évoquant « des Magritte en cher, en hausse, en noir et en c uleurs[55] ».

La relation d'amitié qui s'installe entre Magritte et Torczyner permet au peintre d'exprimer ses souhaits quant à la diffusion et la promotion de son œuvre tout en dressant la nomenclature des manquements imputés à Iolas. Dans une lettre du 24 janvier 1959, Magritte rêve d'une « offensive culturelle » qui passerait, selon lui, par des comparaisons soutenues avec d'autres figures majeures du surréalisme mieux défendues que lui. Magritte fait aussi appel à Torczyner pour intervenir auprès des conservateurs de musées afin que ses œuvres soient exposées, pour réagir auprès d'éditeurs qui l'auraient oublié dans leurs sélections, pour trouver des journalistes et des critiques qui lui consacreraient des articles. Bref, Magritte attend de Torczyner qu'il le représente et le défende aux États-Unis. Ce dont l'avocat s'acquittera avec efficacité et en faisant preuve d'une grande disponibilité. Qualités que Magritte ne peut reconnaître à Iolas.

Pourtant, ce dernier n'est pas qu'un vendeur de tableaux. Son action auprès de Magritte paraît décisive, même si elle le pousse sur la voie des variantes excessives. La reconnaissance progressive du peintre belge comme un des acteurs majeurs du surréalisme l'incite à demander davantage de « moutures » de peintures anciennes. Magritte résistera peu ou peu à cette proposition. En proie à une fatigue et à un ennui répétés, il réduit sa production. Iolas ne réitère dès lors plus son offre de contrat exclusif, même s'il organise, du 16 février au 12 mars 1960, une exposition d'œuvres récentes à la galerie Rive droite à Paris.

En septembre de cette année, Torczyner — qui se défie de Iolas — se propose comme intermédiaire pour négocier avec d'autres galeries américaines disposées à offrir à Magritte ce contrat que Iolas lui refuse. Pourtant, malgré son agacement, Magritte refusera de se défaire de ce dernier et des 10 000 dollars qu'il perçoit annuellement[56]. Et d'évoquer dans une lettre que ce montant pourrait être largement supérieur s'il se décidait à peindre « sérieusement ». C'est-à-dire à accepter l'aide d'experts « qui feraient le gros des travaux[57] ». À la série s'ajoutera l'industrialisation de la production. En avril-mai 1962, Iolas organisera une grande exposition dans sa galerie new-yorkaise tout en contribuant à l'organisation d'autres manifestations qui sillonneront les États-Unis pour faire connaître l'œuvre de Magritte. Disposant d'une importante clientèle qui gravite autour de lui, ce dernier ne lui vend plus qu'une faible partie de sa production.

## LA LEÇON DES CHOSES

Alors que le Musée d'Ixelles lui consacre en mai 1959 une rétrospective d'œuvres issues de collections belges, Magritte reçoit la visite de Luc de Heusch (1927-2012), un anthropologue qui a pris part à l'aventure de CoBrA sous le nom de Luc Zangrie et qui enseigne à l'Université libre de Belgique. Cinéaste, de Heusch a obtenu un financement public pour réaliser un film en 35 mm intitulé *Magritte ou la leçon des choses*. Ce premier film professionnel, réalisé à la demande du ministère de l'Éducation nationale et de la Radio-Télévision belge, sur et avec Magritte, met en scène le cercle d'amis dans le huis clos de leur complicité. La symbiose est à ce point réussie qu'André Breton restera longtemps convaincu que le film est l'œuvre de Magritte lui-même, alors que le jeune cinéaste a dû déployer toutes les ficelles de son talent pour pénétrer l'intimité de cette tribu dont il n'était nullement le complice.

La reconnaissance suit son cours. En janvier 1960, Magritte reçoit le premier Prix du Couronnement de carrière. Une émission de télévision orga-

nisée à cette occasion, « Une visite chez Magritte »,
est diffusée en soirée par la Radio-Télévision belge.
La même année, André Bosmans organise à Liège,
au musée des Beaux-Arts, une rétrospective de son
œuvre. Magritte est aussi de retour à Londres. Les
27 et 28 septembre 1960 s'ouvrent deux expositions : l'une organisée par ELT Mesens à la Gros-
venor Gallery, l'autre par James McMullan et Philip
M. Laski à la Obelisk Gallery. Plusieurs textes critiques sont intégrés au catalogue dont un d'André
Breton qui restera sa plus importante contribution
consacrée à l'œuvre de Magritte.

## LA NÉCESSITÉ DU MUSÉE

En 1960, à l'initiative de Torczyner, Suzi Gablik,
jeune artiste et écrivain américaine, séjourne chez
les Magritte durant huit mois. Grâce à une bourse,
elle peut aussi effectuer les recherches nécessaires
à la monographie qu'elle consacre au peintre.
Celle-ci ne paraîtra qu'en 1970. Personnage en
vue, Torczyner met son réseau de relations au service de Magritte. Il lui obtient ainsi plusieurs commandes pour différentes sociétés américaines comme
la Container Corporation of America ou Abbott[58].

S'il cherche à mettre en orbite de nouveaux
auteurs qui travailleraient à la diffusion de l'œuvre,
Torczyner entend aussi imposer Magritte dans les
meilleurs musées américains. Grâce à son intervention, une première rétrospective itinérante est

organisée aux États-Unis entre décembre 1960 et mars 1961 : le Dallas Museum for Contemporary Art puis le Museum of Fine Arts de Houston offrent ainsi au peintre ce que seuls les musées belges lui avaient jusque-là accordé. Cette action au sein des musées américains s'avérera déterminante. Du 16 septembre au 14 octobre 1962, ce sera le Walker Art Center de Minneapolis qui présentera une rétrospective intitulée « The Vision of René Magritte » ; du 15 mai au 30 juin 1964, l'Arkansas Center de Little Rock lui emboîte le pas. Breton rédige la préface du catalogue. Magritte est désormais prêt à exposer dans le plus grand musée d'art moderne au monde. En décembre 1965, s'ouvre au Museum of Modern Art (MOMA) de New York la rétrospective tant attendue qui comprend des œuvres venant de collections publiques et privées, tant américaines qu'européennes. Georgette, René et leur nouveau loulou de Poméranie prendront l'avion et traverseront l'Atlantique pour assister au vernissage. Accueilli en grande pompe, considéré comme un des maîtres de l'art moderne, Magritte prend plaisir à découvrir New York et, tout particulièrement, la maison d'Edgar Allan Poe qu'il demande à visiter. Devant le MOMA, René et Georgette se relaient durant le vernissage pour garder Jackie, le chien, indésirable dans les salles du musée. Après New York, la petite famille se rendra à Houston pour visiter les installations que les Menil ont fait construire pour accueillir leur importante collection, au sein de laquelle l'œuvre de Magritte occupe une position importante. Magritte s'amuse, profite de ce bonheur rare, découvre un rodéo et, comme dans les aventures de son enfance, porte un chapeau de cow-boy. L'Amérique est à ses pieds sans que cela le transforme.

Depuis 1960, Magritte produit peu et se plaint beaucoup. Dans un élan de nostalgie, il renoue avec sa pratique du papier collé en jouant d'un stock des mêmes partitions musicales retrouvé. Si sa production picturale est restreinte, il multiplie les projets. Certains l'amusent, comme le lancement en mai-juin 1960 de la revue *Rhétorique* qu'il édite avec la complicité d'André Bosmans et qui connaîtra treize livraisons pour lesquelles Magritte multipliera les contributions. D'autres l'ennuient comme la réalisation, durant l'été de cette même année 1960, de la peinture murale commandée en 1958 par le gouvernement pour la salle de l'Albertine du nouveau Palais des congrès de Bruxelles installé sur le Mont-des-Arts.

L'ennui le tenaille au-delà de la pose adoptée depuis l'entre-deux-guerres. 1962 lui pèse. Dans une lettre, il confesse à Torczyner n'avoir « aucune idée d'un tableau [qu'il] prendrai[t] avec intérêt ». Et d'ajouter : « Je ne peux même pas "satisfaire les besoins" de Iolas[59]. » À cette sensation d'impuissance créatrice, répond le plaisir que décrit le peintre lorsqu'il reprend d'anciens tableaux : « J'ai peint quelques gouaches pour "mon marchand". J'ai repeint d'anciens tableaux avec plaisir en "gouaches", surtout celui où l'on voit trois pommes : une rouge, une bleue et une jaune (la bleue dans le ciel bleu). Le titre *Les Jeunes Amours* me semble toujours bon[60]. » Le peintre tire de ces variations à la gouache une volupté mécanique qui tranche avec la tension intellectuelle qui préside à la réalisation de l'idée. Sa pensée apparaît de plus en plus marquée par une réflexion sur le multiple. À ses yeux, celui-ci n'induit pas une perte d'aura, mais une démultiplication du rayonnement de l'idée, qui seule importe au peintre.

## GRANDE BAISSE

Le 30 juin 1962, s'ouvre une grande rétrospective au casino communal de Knokke-le-Zoute. Marcel Mariën compose pour l'inauguration un tract intitulé *Grande Baisse*. Présenté comme l'œuvre de Magritte, le pamphlet stigmatise la production répétitive des images les plus célèbres dans laquelle le peintre se complaît. Mariën dénonce le fossé qui sépare le discours articulé autour du principe de « Mystère » — Mariën reprend en tête de son texte un paragraphe de *La Ressemblance* que Magritte a rédigé en 1959 — et l'orchestration commerciale des images :

De mystère en mystère, ma peinture est en train de ressembler à une marchandise livrée à la plus sordide spéculation. On achète maintenant ma peinture comme on achète du terrain, un manteau ou des bijoux.

J'ai décidé de mettre fin à cette exploitation indigne du mystère en le mettant à la portée de toutes les bourses.

[...]

J'attire l'attention sur le fait que je ne suis pas une usine et que mes jours sont comptés. L'amateur est invité à passer commande immédiatement. Qu'on se le dise : il n'y aura pas de mystère pour tout le monde[61].

Mariën a lancé son grand chambardement et cassé les prix. Le tract rencontre un franc succès. À commencer par l'inévitable Breton qui félicitera Magritte pour ce texte dont il le croit l'auteur. Le peintre apprécie peu. Soupçonnant la patte de Mariën, il lui adresse un court message chargé de sarcasme :

Mon cher Mariën,
Je profite d'un moment « creux » pour me demander si votre grave humour et votre français douteux conviennent pour que d'autres que vous vous suivent comme vous-même ?
Sans mystère remarquable, malgré la baisse annoncée, ma signature en hausse[62].

Tout en niant des faits qui conduisent la police à enquêter à cause du faux billet reproduit sur le tract, Mariën rend publique une critique qui a conduit Magritte à rompre avec certains de ses anciens camarades. L'auteur du tract s'attaque moins au désir de réussite du peintre qu'à la production en série de l'œuvre déclinée en variantes de tout type et de tout format. L'argument se diffuse au gré de la correspondance que suscite *Grande Baisse*. André Blavier, l'animateur de la revue *Temps mêlés*, le signale à Magritte. Il met l'accent sur le problème que soulèvent ces trop nombreuses copies. Immédiate, la réaction du peintre rend compte de son agacement :

Ce que vous n'exprimez ni ne pensez est en effet significa-tif : « mon habitude de variantes d'un même thème sous un même titre ». Il faut être « frappé » (afin de ne pas faire les réserves d'usage) par les quelque cinquante ou à peu près « variantes » que j'ai peintes. Grâce à cette réserve, le concept de « thème » est là pour également réduire les choses à une mesure moins frappante[63].

Magritte minimise la part que représentent les copies dans l'ensemble de sa production. À ses yeux, chaque variante induit un approfondisse-ment de l'idée initiale lorsqu'il ne s'agit pas d'une réelle réorganisation du propos. Les copies inté-grales sont pour lui secondaires et, pour tout dire, négligeables. En réponse Blavier reprend l'argu-ment de Mariën pour lui reprocher de « fournir des copies de ses tableaux les plus populaires, lui qui avait toujours détesté la peinture en tant que métier manuel affirmant même avec le temps que s'il devenait riche, il ne peindrait plus que les rares tableaux qui lui tenaient à cœur[64] ».

## LE MULTIPLE POUR OBJECTIF

La majeure partie des œuvres peintes par Magritte est destinée à ses clients belges, alors que Iolas poursuit la promotion du peintre par le biais d'expositions organisées en Europe et en Améri-que. La volonté de diffuser l'œuvre de Magritte qui anime Hodes rejoint les préoccupations du peintre. Plusieurs variantes sont ainsi intégrées à des expositions afin que le thème que celles-ci illustrent soit visible pour le plus grand nombre. Magritte exécute en 1964 une toile baptisée *L'Air et la Chanson* qui constitue une variation de *La Trahison des images*. L'œuvre a été réalisée afin que le motif soit visible dans l'exposition que Iolas organise à Paris. Magritte justifie sa démarche de manière explicite : « Il est souhaitable », écrit-il le 24 octobre, « qu'une telle chose se trouve dans le plus de "ménages" possible[65]. »

Cette exigence de diffusion de l'image poétique au-delà des limites matérielles de l'œuvre rejoint les préoccupations de l'époque. La contestation des valeurs traditionnelles, la volonté de refonte d'un art populaire qui échapperait à la spéculation, le plaisir du travail d'imprimerie centré, par essence, sur le multiple donnent à la recherche de Magritte son actualité et un écho auprès de jeunes artistes. En octobre 1964, il reçoit du Milanais Ivanhoe Trivulzio une lettre écrite chez Pierre Alechinsky dans laquelle il lui propose de participer à une entreprise de « démocratisation » de l'art : réaliser un tableau, l'éditer sous forme d'affiches tirées à plusieurs milliers d'exemplaires et détruire l'original devant huissier[66]. Il adhère immédiatement au projet qui ne dépassera pas le stade de l'intention.

En 1965, alors qu'il triomphe aux États-Unis grâce à la rétrospective organisée par le Museum of Modern Art qui le consacre historiquement, Magritte peint peu. Il est régulièrement malade, se dit fatigué, dort beaucoup. En décembre, l'écrivain et poète américain Patrick Waldberg publie une monographie qui paraît simultanément en version française, anglaise et néerlandaise. Fervent défenseur du surréalisme, Waldberg a rencontré Breton à New York en 1941. C'est par son entremise que celui-ci collaborera avec la radio La Voix de l'Amérique qui diffuse à destination de l'Europe occupée. Mobilisé après l'attaque de Pearl Harbour, Waldberg fera la campagne de France où il s'installera une fois la guerre achevée. Il y retrouvera Breton et participera aux activités du groupe surréaliste en publiant, notamment, des monographies consacrées à Max Ernst ou à Bellmer, ainsi que des essais d'ensemble sur le surréalisme[67]. En 1964, une exposition qu'il a organisée suscitera l'ire de son mentor et de ses séides dont José Pierre qui, dans la pure tradition surréaliste, lui signifie sa condamnation dans un tract baptisé : *Cramponnez-vous à la table*.

Fort d'une proximité avec Magritte qu'a dû renforcer cette brouille avec Breton, l'ouvrage de Waldberg constitue la première somme critique consacrée à l'œuvre et à la pensée de Magritte qui ne soit pas due à un de ses complices. L'auteur a longuement interrogé le peintre et lu l'ensemble de ses textes disponibles pour livrer une lecture originale dans laquelle les uns et les autres interviendront, confiant au passage des témoignages de première main.

Quoique malade, Magritte tiendra à répondre à l'invitation que lui a adressée Amiel Najar, l'ambassadeur d'Israël en Belgique. En avril 1966, toujours accompagnés de Jackie, Magritte et Georgette séjourneront dix jours à Jérusalem.

## UN RÊVE KAMAGRAPHIQUE

Magritte s'intéresse à un procédé nouveau qui contribuerait à la diffusion de l'œuvre : la kamagraphie. Comme Ernst et Waroquier, il est approché par Louise de Vilmorin au nom du marchand Raymond Nidrécourt. Il s'agit de prendre part à une expérience fondée sur l'invention du chimiste Henri Cocard, par ailleurs ami du marchand. Simple, le procédé s'adresse en fait à des œuvres à peindre et non à des tableaux déjà achevés. Il requiert d'être intégré au processus de création dès son point de départ. L'hebdomadaire *Paris Match* en dévoilera la technique baptisée Kamagraphie :

Une toile « préparée » dont le dos est une plaque en plastique revêtue de plots conducteurs est mise à la disposition de l'artiste. Celui-ci la peint, sans aucune restriction de technique : à l'huile, à la colle, au pinceau, au couteau, par glacis, en pleine pâte, etc., bref, comme il en a l'habitude. Quand le tableau est sec, il est soumis à quarante-deux opérations qui vont l'homogénéiser avec une couche de résine spéciale, filmogène et translucide, puis il va rester pendant vingt-quatre heures à la température de 180°. Il ne reste alors absolument rien de l'original qui est détruit, mais la machine enfante deux cent cinquante toiles strictement identiques entre elles, strictement identiques à l'original[68].

Magritte réalisera selon ce procédé une variante du *Musée du roi* dont les multiples seront reproduits dans *Paris Match*. La technique l'enthousiasme d'autant qu'elle ne perturbe pas son mode d'expression. Sacrifiée, l'œuvre — vendue à Raymond Nidrécourt que Magritte présente à Torczyner comme « l'exploitant de cette industrie vouée à l'amour du graphisme (Kama — dieu hindou de l'amour)[69] » — favorisera une diffusion ample du principe dont elle ne constitue, finalement, qu'une incarnation. Impropre, le procédé sera abandonné au moment où l'œuvre de Magritte, la reconnaissance venant, fera l'objet de reproductions de plus en plus nombreuses, de plus en plus variées. Exploité par la publicité — ce qu'il rechigne à accepter —, son imaginaire va connaître, après son décès, une diffusion de masse : de l'affiche à la carte postale, du livre à l'objet commercial. Autant d'aspects qu'il avait explorés à différents moments de sa recherche et qui réalisent cette ambition de démultiplier à l'infini l'idée poétique.

## BONZE POSTHUME

Le 10 janvier 1967, Iolas inaugure à Paris une exposition d'œuvres récentes qu'il annonce à Magritte comme itinérante, mais qui n'ira pas au-delà de sa première étape. À l'invitation de son marchand, Magritte conçoit aussi des projets de sculptures. Il extrait de ses tableaux des motifs qu'il dessine, dégagé de tout contexte. En juin, les huit sujets choisis sont moulés en cire par la fonderie Bibiesse de Vérone. Dans sa correspondance, Magritte apparaît épuisé, replié sur une existence domestique strictement réglée. Lors de son voyage en Italie avec Georgette et les Scutenaire, Magritte — qui y retrouve Iolas — apporte les ultimes modifications aux moulages. De retour, il tombe malade et consulte un médecin qui aurait diagnostiqué une jaunisse : véritable bourde médicale ou volonté de ne pas effrayer un patient de toute façon condamné ? À la fin du mois de juillet, l'état de santé de Magritte se dégrade. Hospitalisé, on lui découvre un cancer du pancréas à un stade avancé. L'homme semble indifférent à la mort qui approche. Lui qui ne s'intéresse ni au passé ni au présent vit désormais dans un instant de plus en plus étroit. À lire les lettres qu'il échange avec Renhilde Hammacher, la conservatrice du Boijmans Van Beuningen Museum de Rotterdam qui prépare une exposition qui s'ouvrira en août, Magritte croit être remis sur pied pour pouvoir visiter l'exposition avant qu'elle ne parte pour le Moderna Museet de Stockholm.

Il n'en sera rien. Le 15 août, en début d'après-midi, René Magritte décède à son domicile. Trois jours plus tard, son enterrement au cimetière de Schaerbeek sera l'occasion d'une ultime réunion de ses comparses désormais privés de leur point de convergence : étrange colloque de comploteurs orphelins d'un imaginaire qui, une dernière fois, se donne à voir dans un jeu de photographies, miburlesques mi-tragiques, prises par Georges Thiry. Certaines rappellent même la scène tournée, huit ans plus tôt, dans ce même cimetière de Schaerbeek par Luc de Heusch. Magritte, l'air absent, y déambulait dans cet habit bourgeois dont il a fait son costume de scène pour tenir, au quotidien, son rôle de peintre.

Rue des Mimosas, le peintre a laissé sur le chevalet une toile inachevée. Au fusain, il a tracé un dessin. Un homme sans tête, dans ce costume daté propre au commis de *L'Homme des foules*, se tient immobile assis à une table. On l'imagine dans un univers sans péril ni mystère. Le plan lisse de la table, les motifs géométriques du papier peint qui rythment le mur définissent un environnement pur et rationnel. Son visage, absent, s'esquisse à partir du losange comme si la figure géométrique avait conservé le souvenir d'un nez. Ce nez si cher à Magritte. Nez sexe, nez mou, nez long, nez de toutes les mutations. Le visage s'est effacé comme s'il fallait répondre, avec quarante ans de décalage, à l'injonction que Nougé lança à l'intention de Breton : « J'aimerais assez, que ceux d'entre nous dont le nom commence à marquer un peu, *l'effacent*[70]. » Magritte a-t-il recouvré cette liberté dont Nougé pensait qu'on pouvait encore en espérer beaucoup ? De l'homme, de sa vie, il ne reste qu'une trace avec laquelle Georgette vivra, vingt ans durant, dans une pesante solitude. Reste l'œuvre qui, à l'instar du livre sur la table, attend qu'on revienne vers elle. Livre refermé d'un geste si sec que la main qui le manipulait s'est détachée. Main coupée étrangère à ce bonheur que Magritte associait dans son œuvre à la bague qui lie les amants ou au crayon qui délivre les mots. Elle repose à jamais sur ce socle. Quel livre ? Quel texte ? Celui de *La Page blanche* peut-être. Dernier tableau achevé par lequel René Magritte a pris congé de René Magritte.

# ANNEXES

1898. *21 novembre* : naissance de René Magritte à Lessines, près de Charleroi.

1910. Premières leçons de peinture.

1912. Suicide par noyade de la mère de Magritte. Un an plus tard, la famille s'installe à Charleroi.

1913. Rencontre Georgette Berger qu'il épousera en 1922.

1916-1920. Inscription à l'Académie des beaux-arts de Bruxelles où il rencontre Victor Servranckx qui deviendra une des figures majeures de la première abstraction en Belgique.

1918. *Pot-au-feu Derbaix* est la plus ancienne affiche conservée.

1919-1920. Partage un atelier avec Pierre-Louis Flouquet. Développe ses premières recherches dans le registre de l'abstraction.

1920-1921. Rencontre ELT Mesens qui donne des leçons de piano à son frère Paul. Service militaire.

1921. Graphiste à la fabrique de papiers peints d'Haren, propriété de la société Peters-Lacroix.

1923. Abandonne son emploi chez Peters-Lacroix et gagne sa vie en dessinant des affiches et des publicités.

1924. Magritte et Mesens s'engagent dans l'activité dadaïste en liaison avec Francis Picabia. Ils lancent la revue *Période* qui sera suivie par *Œsophage*. Magritte rencontre Paul Nougé qui devient son ami intime et qui oriente son œuvre vers le surréalisme. À la fin de l'année, réalise ses premières œuvres surréalistes témoignant de l'influence conjointe de Giorgio De Chirico et de Max Ernst.

1926. Trois textes collectifs annoncent la constitution d'un groupe surréaliste belge ayant pour noyau Magritte, Mesens, Nougé, Goemans et le compositeur André Souris.

1927. *Mars* : la revue *Sélection* publie le premier article consacré au peintre : « René Magritte : peintre de la pensée abstraite », écrit par P.-G. Van Hecke accompagné de 16 reproductions. Première exposition personnelle à la galerie Le Centaure.
*Septembre* : Magritte s'installe à Paris et réalise ses premiers tableaux-mots.

1928. L'exposition personnelle présentée à la galerie L'Époque témoigne d'une période de création fébrile.

1929. *Été* : Magritte séjourne à Cadaquès et se rapproche de Dalí. Participe au numéro 12 de *La Révolution surréaliste*.
*Décembre* : rupture avec André Breton.

1930. Fermeture de la galerie Goemans. Magritte cesse alors de peindre pour chercher du travail comme graphiste.
*Juillet* : retour à Bruxelles et création du Studio Dongo au travers duquel Magritte réalise des travaux publicitaires. Sa production picturale restera faible jusqu'en 1934.

1933. Année cruciale durant laquelle Magritte revoit sa conception de la peinture comme une forme d'interrogation du langage dans sa fonction de représentation.
*27 mai-7 juin* : exposition au Palais des beaux-arts de Bruxelles d'une cinquantaine de toiles, jamais montrées, datant des années 1926-1929. Deux ready-made, moulages de plâtre peint, sont exposés pour la première fois et témoignent de recherches sur l'objet.

1935. Répondant à l'intérêt que suscite sa nouvelle esthétique, Magritte augmente sa production et participe à de nombreuses expositions collectives. Mesens prend en main la commercialisation de son œuvre.

1936. Première exposition personnelle aux États-Unis à la Julien Levy Gallery de New York.
*Novembre* : première exposition personnelle à La Haye dans la galerie Huize Esher Surrey.
Produit de plus en plus de gouaches.

1937. *Février-mars* : séjourne chez Edward James à Londres pour exécuter une commande de trois tableaux. Durant ce séjour, donne une conférence à la London Gallery.

1938. Seconde exposition personnelle à la Julien Levy Gallery de New York.
*Novembre* : Magritte donne sa conférence *La Ligne de vie* au Musée royal des beaux-arts d'Anvers.

1940. Lors de l'invasion de la Belgique, Magritte part pour la France et arrive à Carcassonne. Il retournera à Bruxelles en août.

1942. Robert Cocriamont tourne le premier film sur Magritte *Rencontre de René Magritte* à partir d'un scénario de Nougé. Ce court-métrage sera intégré à *Images de Flandres*, film muet de 20 minutes tourné en 16 mm noir et blanc qui présente quatre artistes belges : Gustave de Smet, Edgard Tytgat, Paul Delvaux et René Magritte.

1943. *Avril* : en réaction à l'Occupation, Magritte entame une période « impressionniste ».

Parution de la première monographie consacrée à Magritte, due à Marcel Mariën, et suivie par celle de Nougé : *René Magritte ou les images défendues*.

1945. Réalise une série de dessins à la plume dans un style « impressionniste » pour illustrer *Les Chants de Maldoror* de Lautréamont. L'ouvrage paraîtra en 1948. S'inscrit au parti communiste.

1946. *Février* : entre en contact avec la Hugo Gallery de New York en vue d'une exposition. Le directeur Alexandre Iolas deviendra son agent jusqu'à la fin de sa vie.

1947. Première exposition à la Hugo Gallery de New York. Les gouaches constituent un élément important de la commercialisation de l'œuvre. Magritte se livre à des variations sur le thème de *Shéhérazade* sur le mode « impressionniste ».

1948. Magritte abandonne le style « impressionniste ».

*Mai* : première exposition personnelle à Paris à la galerie du 47 rue du Faubourg-Saint-Honoré. Les œuvres présentées constituent la période « vache ». Scutenaire rédige la préface *Les Pieds dans le plat* dans une langue argotique et virulente. Aucune œuvre ne sera vendue. L'exposition fera l'objet de vives critiques. Magritte revient rapidement à son style antérieur.

1952. Première rétrospective depuis la fin de la guerre au casino de Knokke-le-Zoute organisée par Mesens. Magritte fonde *La Carte d'après nature*, revue qui paraîtra à intervalles irréguliers jusqu'en avril 1956, la plupart du temps sous forme de carte postale.

1954. La Sidney Janis Gallery de New York présente l'exposition *Words and Images* avec vingt et un « tableaux-mots » réalisés par Magritte entre 1927 et 1930. Échec commercial mais grand intérêt de la critique et de la scène artistique new-yorkaise.

*Mai* : première rétrospective majeure de l'œuvre de Magritte au Palais des beaux-arts de Bruxelles.

1955. Présentation de dix peintures et de dix gouaches à la galerie des Cahiers d'art de Christian Zervos.

1956. Rencontre Barnet Hodes, avocat de Chicago et collectionneur passionné du surréalisme qui lui commandera plus de cinquante gouaches et papiers collés.

*Octobre* : acquisition d'une caméra. Commence à réaliser des courts-métrages dans lesquels tournent ses proches.

1959. Luc de Heusch réalise son film en 35 mm *Magritte ou la leçon des choses*.

1960. Entre décembre 1960 et mars 1961, rétrospective itinérante aux États-Unis : au Dallas Museum for Contemporary Art puis au Museum of Fine Arts de Houston.

1961. Production assez réduite avec reprise de la pratique des papiers collés.

*Mai-juin* : parution du premier numéro de *Rhétorique*, revue éditée par Bosmans en collaboration avec Magritte. Magritte contribuera à la plupart des treize parutions.

1962. *Juin* : s'ouvre une grande rétrospective au casino communal de Knokke-le-Zoute. Marcel Mariën compose pour l'inauguration un tract intitulé *Grande Baisse*, présenté comme l'œuvre de Magritte, qui stigmatise la production répétitive des images les plus célèbres du peintre.

1964. La majeure partie des œuvres peintes est destinée aux clients belges, mais Iolas poursuit la promotion de Magritte par le biais d'expositions en Europe et en Amérique.

1965. *Décembre* : importante rétrospective au Museum of Modern Art de New York. Magritte s'y rend avant de gagner Houston. Parution de la monographie de Patrick Waldberg : *René Magritte*.

1966. Voyage en Israël.

1967. Magritte élabore des projets de sculptures.

*15 août* : décès de Magritte, alors que se tient au Boijmans Van Beuningen une rétrospective de son œuvre.

# RÉFÉRENCES BIBLIOGRAPHIQUES

## CATALOGUE RAISONNÉ

Pour une bibliographie exhaustive des écrits consacrés à Magritte, le lecteur se reportera au volume V du catalogue raisonné :

D. SYLVESTER (Dir.), *René Magritte. Catalogue raisonné*, Houston-Anvers, The Menil Foundation-Fonds Mercator, 5 volumes, 1992-1997.

I. D. SYLVESTER et S. WHITFIELD, *Oil Paintings 1916-1930*.

II. D. SYLVESTER et S. WHITFIELD, *Oil Paintings and Objects 1931-1948*.

III. S. WHITFIELD et M. RAEBURN, *Oil Paintings, Objects and Bronzes 1949-1967*.

IV. S. WHITFIELD et M. RAEBURN, *Gouaches, Temperas, Watercolours and Papiers Collés 1918-1967*.

V. D. SYLVESTER, S. WHITFIELD, M. RAEBURN et L. CAWTHRA, *Supplement, Exhibitions Lists ; Bibliography ; Cumulative Index*.

S. WHITFIELD, *Newly Discovered Works ? Catalogue raisonné VI*, Houston-Bruxelles, The Menil Foundation-Fonds Mercator, 2012.


## OUVRAGES DE RENÉ MAGRITTE

R. MAGRITTE, *Écrits complets*, édition annotée par A. Blavier, Paris, Flammarion, 1979.

## OUVRAGES CONSACRÉS
## À MAGRITTE ET À SON ŒUVRE

P. WALBERG, *René Magritte*, Bruxelles, De Rache, 1965.

S. GABLIK, *René Magritte*, Londres, Thames & Hudson, 1970.

Ph. ROBERTS-JONES, *Magritte poète visible*, Bruxelles, Laconti, 1972.

L. SCUTENAIRE, *Avec Magritte*, Bruxelles, Lebeer-Hossman, 1977.

H. TORCZYNER, *L'Ami Magritte. Correspondance et souvenirs*, Anvers, Fonds Mercator, 1992.

M. MARIËN, *Apologies de Magritte*, Bruxelles, Didier Devillez, 1994.

P. NOUGÉ, *René Magritte (in extenso)*, Bruxelles, Didier Devillez, 1997.

D. SYLVESTER, *Magritte*, Anvers, Fonds Mercator, 1992, 2009.

M. DRAGUET, *Magritte sa vie, son musée*, Paris, Hazan, 2009 (avec une chronologie de V. Devillez et une bibliographie d'I. Godderis).

## CATALOGUES

Parmi les très nombreux catalogues, on citera parmi les plus récents, dans l'ordre chronologique :

*Magritte*, Londres, South Bank, 1992.

*René Magritte*, Montréal, musée des Beaux-Arts, 1996.

*René Magritte. Die Kunst der Konversation*, Düsseldorf, Kunstsammlung Nordrhein-Westfalen, 1997.

*René Magritte. Exposition du Centenaire*, Bruxelles, Musées royaux des beaux-arts de Belgique, 1998.

*René Magritte*, Paris, Galerie nationale du Jeu de Paume, 2003.

*Magritte et la photographie*, Bruxelles, Palais des beaux-arts, 2005.

*Magritte and Contemporary Art : The Treachery of Images*, Los Angeles, Los Angeles County Museum of Art, 2006.

*Magritte tout en papier*, Paris, Musée Maillol, 2006.

*Magritte. The Mystery of the Ordinary, 1926-1938*. New York MOMA ; Houston, The Menil Foundation ; Chicago-Art Institute, 2013-2014.

# NOTES

## MISE EN PLACE

1. L'essentiel de l'information disponible sur les jeunes années de Magritte a été recueillie par Jacques Roisin (*Ceci n'est pas une biographie de Magritte. La première vie de l'homme au chapeau melon*, Bruxelles, Alice Éditions, 1998).

2. L. Scutenaire, *René Magritte*, Bruxelles, Librairie Sélection, 1947. Texte réédité, Bruxelles, Lebeer-Hossmann, 1977, p. 22.

3. M. Draguet, *Magritte sa vie, son musée*, Paris, Hazan, 2009 (avec des compléments de V. Devillez et I. Godderis). Cette chronologie se fondait, elle-même, sur ce socle que compose le *Catalogue raisonné* publié entre 1992 et 1997 par David Sylvester et Sara Whitfield. Voir D. Sylvester (Dir.), *René Magritte. Catalogue raisonné*, Houston-Anvers, The Menil Foundation-Fonds Mercator, 5 volumes, 1992-1997 et S. Whitfield, *Newly Discovered Works. Catalogue raisonné VI*, Houston-Bruxelles, The Menil Foundation-Fonds Mercator, 2012.


## PREMIERS PAS

1. J. Roisin, *op. cit.*, p. 31.

2. J. Walravens, « Ontmoeting met René Magritte », in *De Vlaamse Gids* [novembre 1962] repris in R. Magritte, *Écrits complets*, édition annotée par A. Blavier, Paris, Flammarion, 1979, p. 534.

3. J. Neyens, « Interview de René Magritte diffusée à la radio belge le 19 janvier 1965 » reprise in *Écrits complets, op. cit.*, p. 605.

4. J. Walravens, in *Écrits complets, op. cit.*, p. 534.

5. L. Scutenaire, *op. cit.*, p. 157.

6. J. Roisin, *op. cit.*, p. 36.

7. Cité in J. Roisin, *op. cit.*, p. 43.

8. J. Roisin, *op. cit.*, p. 45.

9. Victor Frisque, cité in *ibid.*, p. 46.

10. L. Scutenaire, *op. cit.*, p. 157.

11. J. Roisin, *op. cit.*, p. 50.

12. L. Scutenaire, cité in J. Roisin, *op. cit.*, p. 50.

13. R. Magritte, « Je pense à... », in *La Carte d'après nature*, 1, octobre 1952. Repris in *Écrits complets, op. cit.*, p. 326.

14. R. Magritte, « Notes sur Fantômas », in *Distances*, 2, mars 1928. Repris in *Écrits complets, op. cit.*, p. 49.

15. *Charleroi 1911-2011*, DVD, Charleroi, « Les Amis des musées de la Ville de Charleroi », 2012.

16. R. Magritte, *La Ligne de vie* [1938], in *Magritte exposition du Centenaire*, Bruxelles, Musées royaux des Beaux-Arts de Belgique, 1998-1999, p. 44.

17. J. Roisin, *op. cit.*, p. 88.

18. L. Scutenaire, *René Magritte*, Bruxelles, Librairie Sélection, 1947, p. 70.

19. D. Sylvester, *Magritte*, Anvers, Fonds Mercator, 1992, 2009, p. 18.

20. J. Roisin, *op. cit.*, p. 67.

21. G. Magritte, citée in R. Passeron, *René Magritte*, Paris, Filipacchi, p. 10.

22. R. Magritte, *Écrits complets, op. cit.*, p. 366.

23. « Je déteste mon passé et celui des autres », déclare Magritte, en 1946 (R. Magritte, « Le Savoir vivre » [1946], in *Écrits complets, op. cit.*, p. 229).

24. R. Magritte, cité in J. Stévo, « Le Surréalisme et la peinture en Belgique », in *L'Art belge « numéro René Magritte »*, janvier 1968, p. 61.

25. G. Magritte, citée in R. Passeron, *op. cit.*, p. 10.

26. J. Roisin, *op. cit.*, p. 75.

27. *Ibid.*

28. *Ibid.*, p. 76.

29. A.-E. Degrange, « Surréalisme pas mort ! », in *La Nouvelle Gazette de Bruxelles*, 9 janvier 1946, p. 2.

30. *Jeune Fille mangeant un oiseau (Le Plaisir)*, 1927, h/t, 74 × 97, Düsseldorf, Kunstsammlung Nordrhein-Westfalen.

31. *Le Plaisir*, 1946, gouache sur papier, 36 × 49,5, Bruxelles, collection privée. Voir M. Draguet, *Magritte tout en papier*, Paris, Hazan, 2005, p. 139.

32. L. Scutenaire, *op. cit.*, p. 156.

33. P. Walberg, *René Magritte*, Bruxelles, André De Rache, 1965, p. 51.

34. J. Roisin, *op. cit.*, p. 121.

35. L. Scutenaire, *op. cit.*, p. 159.

36. J. Roisin, *op. cit.*, p. 105.

37. L. Scutenaire, *op. cit.*, p. 108.

38. R. Magritte, *La Ligne de vie*, *op. cit.*, p. 44.

39. *Ibid.*, p. 45.

40. L. Scutenaire, *op. cit.*, p. 115.

41. R. Magritte, cité in R. Passeron, *op. cit.*, p. 12.

42. A. Blavier, in *Écrits*, *op. cit.*, p. 137-138.

43. L. Scutenaire, *op. cit.*, p. 148.

## DE L'ACADÉMIE AUX AVANT-GARDES

1. R. Magritte [Sur Paul Delvaux] [1946], in *Écrits*, *op. cit.*, p. 168-169.

2. P. Waldberg, *René Magritte*, Bruxelles, André De Rache, 1965, p. 71.

3. Ch. Alexandre, cité in D. Sylvester, *Catalogue raisonné*, *op. cit.*, I, p. 13.

4. S. Goyens de Heusch, *Pierre-Louis Flouquet*, Bruxelles, Fondation pour l'art belge-Mécénart, 1993, p. 15-16.

5. Ch. Alexandre, cité in D. Sylvester, *Catalogue raisonné*, *op. cit.*, I, p. 14.

6. *Ibid.*

7. Pour une variante du récit ainsi qu'une mise en contexte plus détaillée, voir J. Roisin, *op. cit.*, p. 166.

8. R. Magritte, *Esquisse autobiographique*, *op. cit.*, p. 367.

9. J. Roisin, *op. cit*, p. 167.

10. Ch. Alexandre, cité in J. Roisin, *op. cit.*, p. 164.

11. *Ibid.*

12. À ce sujet, voir H. Roland, *La « colonie » littéraire allemande en Belgique, 1914-1918*, Bruxelles, Labor (Archives du futur) 2003, p. 192-200.

13. [Anonyme], « Á la venvole », in *Au volant*, septembre 1919, 4, p. 62.

14. P. Bourgeois, « Eekhoud et Cattier », in *Le Geste*, 2, p. 30.

15. P. Bourgeois, *Lettre à Pierre-Louis Flouquet* [1920], Bruxelles, Archives et musée de la Littérature AML.ML 7508/17/129.

16. R. Magritte, *Lettre à Pierre-Louis Flouquet, 29 mars 1920*, Los Angeles, Getty Institute.

17. Ch. Alexandre, cité in J. Roisin, *op. cit.*, p. 170-171.

18. « Manifeste », in *Demain littéraire et social*, janvier 1919, 1, p. 1.

19. A. Declercq, in *ibid.*, p. 27.

20. « Manifeste », in *ibid.*, p. 2.

21. *Ibid.*

22. V. Bourgeois, « Vers la plénitude par la dictature de la conscien- ces », in *Au volant* 1, avril 1919, p. 2.

23. R. Magritte, *Lettre à Pierre Bourgeois*, 13 juillet 1920, Los Angeles, Getty Research Institute.

24. P. Bourgeois, *Vers la plénitude par la dictature de la conscience, op. cit.*, p. 2.

25. R. Magritte, *La Ligne de vie, op. cit.*, p. 45.

26. *Ibid.*

27. *Ibid.*

28. R. Magritte, *Lettre à Pierre Bourgeois*, sans date [*circa* 1920], Los Angeles, Getty Research Institute, 870435/1.

29. [Anonyme], « Action & Critique », in *Le Geste*, janvier 1920, 2, p. 1.

30. P. Stiévenart, in *Le Geste*, n° 2, janvier 1920, p. 8.

31. P. Bourgeois, *Lettre à René Magritte*, sans date [*circa* 1920], Los Angeles, Getty Research Institute.

32. R. Magritte, carte postale autographe adressée à Pierre-Louis Flouquet le 22 septembre 1920, collection privée (vente librairie Les Éléphants, 23 mars 2013).

33. R. Magritte, *Lettre à Pierre-Louis Flouquet*, sans date [*circa* 1924], Los Angeles, Getty Research Institute.

34. R. Magritte, *Lettre adressée à Pierre-Louis Flouquet*, mars 1920, collection privée (vente librairie Les Éléphants, 23 mars 2013).

35. R. Magritte, *Lettre à Pierre Bourgeois*, sans date [*circa* 1920], Los Angeles, Getty Research Institute.

36. ELT Mesens, « Autour de René Magritte », manuscrit inédit, Houston, The Menil Foundation (Archives Sylvester).

37. *Id.*, cité in D. Sylvester, *Catalogue raisonné, op. cit.*, I, p. 21.

38. R. Magritte, *La Ligne de vie*, *op. cit.*, p. 45.

39. A. Gleizes, *Du Cubisme et des moyens de le comprendre*, Paris, La Cible-Povolozky, 1920.

40. Christopher Green, *Cubism and its Enemies: Modern Movements and Reaction in French Art, 1916-1928*, Londres, New Haven, Yale University Press, 1987.

41. « L'Affaire dada », in *Action*, 3, avril, 1920, p. 26-32. Repris in R. Motherwell (Éd.), *Dada Painters and Poets*, New York, 1951, p. 298-302.

42. L. Scutenaire, cité in J. Roisin, *op. cit.*, p. 177.

43. J. Roisin, *op. cit.*, p. 182.

44. S. Gablik, *Magritte*, Londres, Thomas & Hudson (Word of Art), 1970, 1985, p. 20.

45. R. Magritte, *[Lettre à Pierre-Louis Flouquet]*, 13 juillet 1920, Los Angeles, Getty Research Institute.

46. R. Magritte, *Lettre à André Bosmans*, 11 novembre 1958, reprise in R. Magritte, *Lettres à André Bosmans 1958-1967*, Bruxelles, Seghers-Isy Brachot, 1990, p. 19-20.

47. R. Magritte, *Lettre à Pierre-Louis Flouquet* [1921], Los Angeles, Getty Research Institute.

48. *Ibid.*

49. P.-L. Flouquet, *Lettre à René Magritte*, 21 mai 1921, Houston, The Menil Foundation (Archives Sylvester).

50. R. Magritte, *Lettre à Pierre-Louis Flouquet* [1921], Los Angeles, Getty Research Institute.

51. R. Magritte, *Lettre à Pierre-Louis Flouquet* [sans date], Paris, Musée national d'art moderne (Acc. n° 719).

52. R. Magritte, *Lettre à Pierre-Louis Flouquet*, novembre 1921, Houston, The Menil Foundation (Archives Sylvester).

53. R. Magritte, *Esquisse autobiographique*, *op. cit.*, p. 367.

54. R. Magritte, *Lettre à Pierre-Louis Flouquet* [1922], Los Angeles, Getty Research Institute.

55. R. Magritte, *Esquisse autobiographique*, *op. cit.*, p. 367.

56. L'histoire de ce texte est relatée in D. Sylvester (Éd.), *Catalogue raisonné*, *op. cit.*, I, p. 35-36.

57. *Ibid.*, p. 16.

58. R. Magritte, *L'Art pur, Défense de l'esthétique* [1922], in *Écrits complets*, *op. cit.*, p. 13.

59. R. Magritte, *L'Art pur*, *op. cit.*, p. 13.

60. R. Magritte, *Lettre à Pierre-Louis Flouquet* [1921], Los Angeles, Getty Research Institute.

61. R. Wangermée, *André Souris et le complexe d'Œdipe. Entre surréalisme et musique sérielle*, Liège, Mardaga, 1995, p. 54.

62. P. Collaer, « Musique belge nouvelle » in *Sélection*, 8, mai 1925, p. 158.

63. G. Berger, *Lettre à René Magritte*, 23 mars 1922, collection privée.

64. *Ibid*.

65. Cité in J. Roisin, *op. cit.*, p. 191.

66. P. Bourgeois, « Les salons de la jeune peinture. Galerie Giroux », in *7 Arts*, n° 13, 25 janvier 1923, p. 2.

67. R. Magritte, *Lettre à ELT Mesens* [*circa* 1923], Houston, The Menil Foundation (Archives Sylvester).

## L'AUTRE FACE DU MONDE

1. R. Magritte, *La Ligne de vie, op. cit.*, p. 104.

2. Voir les lettres adressées en février 1924, Houston, The Menil Foundation (Archives Sylvester).

3. R. Magritte, *Lettre à Georgette Magritte* [février 1924], Houston, The Menil Foundation (Archives Sylvester).

4. *Ibid*.

5. On trouvera un catalogue exhaustif de ces réalisations in T. Schwilden, *Magritte livre l'image, Affiches, publicités et illustrations de 1918 à 1956. Essai de catalogue*, Bruxelles, Galerie Bortier, 1998.

6. À propos de ces partitions, voir T. Schwilden, *Magritte et la musique. Les partitions musicales illustrées par René Magritte de 1924 à 1938*, Bruxelles, Galerie Bortier, 1995, et P. Raspé, *Autour de Magritte / Rond Magritte. Illustrateurs de partitions musicales en Belgique / Ontwerpers van muziekpartituren in België 1910-1960*, Anvers, Pandora, 2005.

7. Voir D. Sylvester (Éd), *Catalogue raisonné, op. cit.*, I, p. 44-45.

8. Voir le texte de Gorter en réponse à Lénine, http://www.marxists.org/français/gorter/xworks/1920/00/gorter-19200000-1.html.

9. A. Souris, « Paul Nougé et ses complices », cité in R. Wangermée, *op. cit.*, p. 70.

10. A. Breton, « Plutôt la vie », in *Clair de terre* [1923], repris in *Œuvres complètes*, Paris, Gallimard (Bibliothèque de la Pléiade), 1988, I, p. 176-177.

11. À propos des deux livraisons liées à l'actualité musicale, voir R. Wangermée, *op. cit.*, p. 71-87.

12. *Correspondance*, p. 130.

13. H. Closson, *Lettre à André Souris*, 3 juillet 1925, Bruxelles, Archives et musée de la Littérature, ML5550/51.

14. Voir A. Breton et Ph. Soupault, *Les Champs magnétiques* [1920], repris in *Œuvres complètes, op. cit.*, I, p. 53-105.

15. O. Smolders, *Paul Nougé, Écriture et caractère ; à l'école de la ruse*, Bruxelles, Labor (Archives du futur), 1995, p. 99.

16. C. Goemans, P. Nougé, « À l'occasion d'un manifeste », in M. Mariën, *L'Activité surréaliste en Belgique*, Bruxelles, Lebeer-Hossmann (Le Fil rouge), 1979, p. 92.

17. R. Magritte, « Jusqu'où l'évolution peut mener », in *Œsophage*, 1, mars 1925, in *Écrits complets, op. cit.*, p. 31.

18. À propos de ce spectacle, voir R. Wangermée, *op. cit.*, p. 89 et suiv.

19. À ce sujet, voir M. Sanouillet, *Dada à Paris*, Paris, Flammarion, 1993.

20. R. Wangermée, *op. cit.*, p. 103.

21. P. Nougé, *Lettre à Paul Hooreman* citée in R. Wangermée, *op. cit.*, p. 107.

22. R. Magritte, *La Ligne de vie, op. cit.*, p. 44.

23. M. Ernst, « Notes biographiques » [1919], cité in *Dada*, Paris, Musée national d'art moderne-Centre Georges Pompidou, 2005, p. 416.

24. À propos de Van Hecke, voir *L'Animateur d'art Paul-Gustave Van Hecke et l'avant-garde*, Bruxelles, Musées royaux des Beaux-Arts de Belgique (cahiers), 2012.

25. À ce sujet, voir J. Milo, *Vie et survie du Centaure*, Bruxelles, Éditions nationales d'Art, 1980.

26. J. Milo, *op. cit.*, p. 41-47.

27. ELT Mesens, cité in D. Sylvester (Éd.), *Catalogue raisonné, op. cit.*, I, p. 58.

28. *La Maison S. Samuel & Cie vous présente quelques modèles pour la saison 1926-1927*, Bruxelles, Maison S. Samuel & Cie, 1926.

29. M. Mariën, *L'Activité surréaliste en Belgique, op. cit.*, p. 149.

30. P. Hooreman, « La peinture et le surréalisme », in *Bulletin de la vie artistique*, 1er août 1926, p. 229-239.

31. Goemans, *Lettre à Van Hecke* [19 septembre 1926], cité in R. Wangermée, *op. cit.*, p. 113.

32. Voir M. Mariën (Éd.), *Lettres surréalistes* (1924-1940), Bruxelles, Les Lèvres nues (Le Fait accompli), 1973, n° 382 et 47.

33. R. Magritte, « Vous » [1927], in *Écrits complets*, *op. cit.*, p. 37.

34. *Ibid.*

35. R. Magritte, « L'Art de peindre » [1960], in *ibid.*, p. 510.

36. *Ibid.*

37. P.-G. Van Hecke, « René Magritte : peintre de la pensée abstraite », in *Sélection*, VI, mars 1927, p. 450.

38. P.-L. Flouquet, in *7 Arts*, 1er mai 1927, s.p.

39. *Catalogue Samuel* [1927], Bruxelles, Didier Devillez Éditeur, 1997.

40. P. Nougé, *Lettre à René Magritte* [novembre 1927], in P. Nougé, *René Magritte (in extenso)*, Bruxelles, Didier Devillez Éditeur, 1997, p. 139.

41. *Ibid.*, p. 144.

42. *Ibid.*, p. 147.

43. C. Juranville, *La Conjugaison enseignée par la pratique*, Paris, Larousse, 1898.

44. *Ibid.*

45. R. Magritte, *Lettre à Paul Nougé* [sans date], M. Mariën (Éd.), in *Lettres surréalistes*, *op. cit.*, n° 105 et 108.

46. *Drapeau rouge*, Ch. Counhaye, « Magritte au Centaure », in *Le Drapeau rouge*, 27 avril 1927, s.p.

47. P. Nougé, in *Lettres surréalistes*, *op. cit.*, n° 61.

48. *Ibid.*, n° 75.

49. *Ibid.*

50. *Ibid.*, n° 76. Voir M. Nadeau, *Histoire du surréalisme. II. Documents surréalistes*, Paris, Le Seuil, 1948, p. 99.

51. P. Nougé, *La Grande Question* [1928], in *Histoire de ne pas rire*, Lausanne, L'Âge d'Homme (Lettres différentes), 1980, p. 64-65.

52. P. Nougé, in *Lettres surréalistes*, *op. cit.*, n° 191.

53. I. Hamoir, citée in O. Smolders, *Paul Nougé. Écriture et caractère ; à l'école de la ruse*, *op. cit.*, p. 146.

54. P. Nougé, « René Magritte », in *Histoire de ne pas rire*, *op. cit.*, p. 264.

55. P. Nougé, repris in M. Mariën, *L'Activité surréaliste*, *op. cit.*, p. 175.

56. C. Goemans, *Lettre à Paul Nougé*, 9 février 1929, in *Lettres surréalistes, op. cit.*, n° 167.

57. R. Magritte, *Lettre à Marcel Lecomte* [sans date] [1929], Houston, The Menil Foundation (Archives Sylvester).

58. C. Goemans, *Lettre (non envoyée) à Paul Nougé*, 11 janvier 1929, in *Lettres surréalistes, op. cit.*, n° 164.

59. *Le Sens propre* figure aussi comme titre pour des « tableaux-mots » de Magritte peints à cette époque (cr 307, 309, 310, 311).

60. C. Goemans, « La statue vivante », in *Œuvre 1922-1957*, Bruxelles, André De Rache, 1970, p. 11.

61. C. Goemans, *Lettre à Paul Éluard*, 16 mars 1929, in *ibid.*, p. 248.

62. *Id.*, « René Magritte » [15 mars 1956], in *ibid.*, p. 230-231.

63. R. Magritte, *Lettre à Paul Nougé* [*circa* avril-mai 1928], in *Lettres surréalistes, op. cit.*, n° 146.

64. C. Goemans, *Lettre à Paul Nougé*, 23 juillet 1928, in *Lettres surréalistes, op. cit.*, n° 149.

65. Voir *Lettres surréalistes, op. cit.*, n° 154-156.

66. A. Breton, *Lettre à Camille Goemans*, 10 avril 1929, in *Lettres surréalistes, op. cit.*, n° 171.

67. C. Goemans, *Lettre à André Breton* [avril 1929], in *Lettres surréalistes, op. cit.*, n° 172.

68. C. Goemans, « René Magritte », in *Œuvre 1922-1957, op. cit.*, p. 231.

69. *45ᵉ Vente de Livres, Estampes, Dessins. Archives P.-G. Van Hecke et Bibliothèque Émile Langui*, Anvers, Bernaerts, 18 juin 2008, n° 111.

70. R. Magritte, *Les Couleurs de la nuit*, Bruxelles, Les Lèvres nues, 1978.

71. R. Magritte, *Écrits, op. cit*, p. 53-55.

72. C. Goemans, *Lettre à Paul Nougé* [1927], in *Lettres surréalistes, op. cit.*, n° 95.

73. C. Goemans, *Lettre à Paul Nougé*, 2 janvier 1928, in *Lettres surréalistes, op. cit.*, n° 121.

74. C. Goemans, *Lettre à Pierre Janlet*, 17 septembre 1929, cité in D. Sylvester (Éd.), *René Magritte. Catalogue raisonné, op. cit.*, I, p. 93.

75. Voir les deux versions, l'une en intérieur, l'autre en plein air, des *Amants*, 1928, huile sur toile, 54 × 73, cr 250, 251. Le dessin qui a servi à la couverture de *Variétés* (*Les Amants*, 1928, encre sur papier, 491 × 592) est conservé au University Art Museum de Berkeley.

76. R. Magritte, in *Écrits, op. cit.*, p. 56.

77. Voir R. Wangermée, *op. cit.*, p. 153-157.

78. P. Nougé, *La Conférence de Charleroi* [1929], Bruxelles, Le Miroir infidèle, 1946, repris in *La musique est dangereuse ; Écrits autour de la musique*, Bruxelles, Didier Devillez Éditeur, 2001.

79. *Ibid.*, p. 187-188.

80. A. Souris, cité in M. Mariën, *L'Activité surréaliste, op. cit.*, p. 185.

81. Cité in R. Wangermée, *op. cit.*, p 155.

82. J. Milo, *op. cit.*, p. 91.

83. *La Loi de la pesanteur*, 1928, huile sur toile, 55 × 38, cr 200 ; *La Légende des guitares*, 1928, huile sur toile, 73 × 92, cr 209 ; *Querelle des universaux*, 1928, huile sur toile, 54 × 73, cr 219 et *Le Parfum de l'abîme*, 1928, huile sur toile, 27 × 41, cr 280.

84. S. Dalí, *The Secret Life of Salvador Dalí*, New York, Dial Press, 1942, p. 208.

85. A. M. Dalí, *Dalí vu par sa sœur*, Paris, Arthaud, 1960, p. 176.

86. R. Magritte, « Les Mots et les Images » [1929], in *Écrits, op. cit.*, p. 61.

87. *Ibid.*, p. 60.

88. P. Nougé, *Lettre à René Magritte, op. cit.* [novembre 1927], p. 145.

89. L'anecdote est rapportée par Luis Buñuel (*Mon dernier soupir*, Paris, Ramsay, (Ramsay poche cinéma), 1982, 2006, p. 136). Voir J. Vovelle, « Un surréaliste belge à Paris : Magritte (1927-1930) », in *Revue de l'Art*, n° 12, 1971, p. 56-57.

90. R. Magritte, *Lettre à Paul Nougé* [mi-février 1930], Houston, The Menil Foundation (Archives Sylvester).

91. P. Nougé, *Lettre à Camille Goemans* [fin février 1930], citée in D. Sylvester (Éd), *Catalogue raisonné, op. cit.*, I, p. 114.

92. Magritte décrit cette œuvre dans la lettre qu'il adresse à Nougé à la mi-février (voir *supra*, note 90).

L'ART DU PROBLÈME

1. S. Heydeman, « Ma vie avec Camille Goemans », in *Espaces*, n° 1, 1973, p. 17.

2. R. Magritte, *Lettre à Paul Nougé* [mai 1930], in *Lettres surréalistes, op. cit.*, p. 187.

3. ELT Mesens, *Lettre à René Magritte*, 5 juin 1930, Houston, The Menil Foundation (Archives Sylvester).

4. R. Magritte, *Lettre à ELT Mesens*, 10 juin 1930, Houston, The Menil Foundation (Archives Sylvester).

5. L. Scutenaire, *Avec Magritte* [1947], Bruxelles, Lebeer-Hossmann, 1977, p. 37.

6. *Ibid.*, p. 37.

7. R. Magritte, *Lettre à Paul Nougé* [1931], Houston, The Menil Foundation (Archives Sylvester).

8. Ceci peut surprendre puisque, depuis décembre 1930, Mesens dispose de sa propre galerie sise rue de la Pépinière à Bruxelles. En fait, rien ne porte à croire que Mesens ait mis des œuvres en vente à la salle Giso. L'exposition relève davantage du *happening* festif que d'une quelconque stratégie commerciale.

9. D. Sylvester (Éd.), *Catalogue raisonné, op. cit.*, II, p. 7.

10. P. Nougé, *Les Grands Voyages* [1931], repris in *Histoire de ne pas rire, op. cit.*, p. 271.

11. *Ibid.*

12. À ce sujet, voir R. Wangermée, *op. cit*, p. 120-125.

13. ELT Mesens, *Lettre à René Magritte*, 13 septembre 1938, Houston, The Menil Foundation (Archives Sylvester).

14. G. Duroza, *Histoire du mouvement surréaliste*, Paris, Hazan, 1997, p. 235.

15. A. Breton, *Misère de la poésie* [1931], repris in *Œuvres complètes*, Paris, Gallimard (Bibliothèque de la Pléiade), 1992, p. 14.

16. Voir *Le Fait accompli*, n° 2, mai 1968.

17. M. Rapin et M. Dors, *Magritte au cinéma*, Chaville, La Tendance populaire surréaliste, 1961.

18. R. Magritte, *L'Idée fixe* [1936 ou 1938-1939], in *Écrits, op. cit.*, p. 66-67.

19. G. Marlier, « Les Arts. Les Humanistes au Salon de l'art contemporain », in *La Revue réactionnaire*, n° 2, 15 mai 1933, p. 108.

20. *Id.*, « Art. Grandeur et misère de l'expressionnisme flamand », in *La Révolution réactionnaire*, n° 4, 15 septembre 1933, p. 214.

21. *Id.*, « La Peinture dans le monde d'aujourd'hui », Anvers, Ça Ira, 1936, p. 41.

22. C. Spaak, « Introduction » in *Magritte, Delvaux, Gnoli dans la collection Claude Spaak*, Bourges, Maison de la culture, 17 juin-8 octobre 1972.

23. Cette perspective apparaît au centre de la thèse de Georges Roque (*Ceci n'est pas un Magritte. Essai sur Magritte et la publicité*, Paris, Flammarion, 1978).

24. R. Magritte, « Conférence de Londres » [1937], in *Écrits complets*, *op. cit.*, p. 97.

25. *Ibid.* p. 98.

26. A. Souris, *Lettre à Paul Nougé*, 25 avril 1932, in *Lettres surréalistes*, *op. cit.*, n° 198.

27. *Ibid.*

28. R. Magritte, *Lettre à André Souris* [1932], in *ibid.*, n° 199.

29. R. Magritte, *La Ligne de vie* [1938], in *Écrits complets, op. cit.*, p. 110.

30. *Ibid.*, p. 111.

31. M. Mariën, « Note préalable », in R. Magritte, *Croquer les idées*, Bruxelles, Les Lèvres nues, 1978.

32. R. Magritte, *Lettre à André Breton*, 20 mai 1937, Houston, The Menil Foundation (Archives Sylvester).

33. R. Magritte, [Sans titre] [1952], in *Écrits complets, op. cit.*, p. 326.

34. Max Ernst, *Œuvres de 1919 à 1936*, Paris, Les Cahiers d'Art, 1937, p. 42

35. D. Waldman, *Collage, Assemblage and the Found Object*, New York, Harry N. Abrams, 1992.

36. P. Nougé, *L'Avenir des statues* [1933], repris in *Histoire de ne pas rire, op. cit.*, p. 242-243.

37. R. Magritte, *Lettre à André Breton*, 22 juin 1934, Houston, The Menil Foundation (Archives Sylvester).

38. R. Magritte, *La Ligne de vie, op. cit.*, p. 48.

39. R. Magritte, *Lettre à André Breton*, 20 mai 1937, Houston, The Menil Foundation (Archives Sylvester).

40. A. Breton, *Lettre à René Magritte*, 1er juillet 1934, Houston, The Menil Foundation (Archives Sylvester).

41. *Écrits, op. cit.*, p. 76-78.

42. P. Éluard in *Violette Nozières*, Bruxelles, éditions Nicolas Flamel, 1933.

43. R. Magritte, in *ibid.*

44. R. Magritte, « Le fil d'Ariane » [1934], in *Écrits complets, op. cit.*, p. 82.

45. « Lettre à un dominicain esthète », in *Le Rouge et le Noir*, 14 mars 1934, repris in *ibid.*, p. 80.

46. R. Magritte, *Le Fil d'Ariane, op. cit.*, p. 82.

47. D. Sylvester, *Catalogue raisonné, op. cit.*, I, p. 204.

48. R. Magritte, *La Ligne de vie, op. cit.*, p. 47-48.

49. P. Nougé, « René Magritte ou la Révélation objective » [1936], in *René Magritte (in extenso), op. cit.*, p. 38.

50. R. Magritte, texte manuscrit à propos des titres, Bruxelles, Musées royaux des beaux-arts de Belgique-AACB.

51. R. Magritte, « Dans la nuit de René Magritte il y a le ciel qui flotte sur nous tous » [1958], in *Écrits complets, op. cit.*, p. 465.

52. P. Nougé, *René Magritte ou la Révélation objective, op. cit.*, p. 36-37.

53. R. Magritte, « Réponse à l'Enquête sur l'Amour » [1929], in *Écrits complets, op. cit.*, p. 57.

54. P. Nougé, *René Magritte ou la Révélation objective, op. cit.*, p. 35.

55. P. Éluard, *Lettre à René Magritte* [automne 1937], Houston, The Menil Foundation (Archives Sylvester).

56. I. Hamoir, citée in O. Smolders, *op. cit.*, p. 140.

57. F. Dumont, *Lettre à André Souris, 20 juin 1935*, citée in G. Ollinger-Zinque, *Marcel Lefrancq*, Charleroi, Palais des beaux-arts, 1982, s.p.

58. R. Magritte, *Lettre à Paul Éluard*, décembre 1935, in *Moie*, 1980, p. 76, citée in D. Sylvester (Éd.), *Catalogue raisonné, op. cit.*, II, p. 32.

59. Selon les informations transmises par l'artiste Wilchar — qui aurait chaque fois servi d'intermédiaire — à David Sylvester. *Ibid.*, II, p. 42.

60. « Notre enquête sur la crise de la peinture », in *Les Beaux-Arts*, 17 mai 1935, repris in *Écrits, op. cit.*, p. 85.

61. R. Magritte, « Georges Braque » [1936] et « Expositions Georges Rogy, W. Bartoszewicz, Alfred Wickenburg au Palais des beaux-arts » [1936], 15 décembre 1936, repris in *ibid.*, p. 92-93 et p. 94-95.

62. R. Magritte, *Lettre à André Souris* [1934], Bruxelles, Musées royaux des beaux-arts de Belgique, AACB 37784.

63. Le tract est reproduit in M. Mariën, *L'Activité surréaliste en Belgique, op. cit.*, p. 304.

64. *Ibid.*

65. L. Scutenaire, *Mon ami Mesens*, Bruxelles, [chez l'auteur], 1972, p. 42.

66. R. Wangermée, *op. cit.*, p. 186.

67. A. Breton, *Objets surréalistes, op. cit.*, p. 1199.

68. A. Breton, *Lettres à René Magritte*, 10 mars 1936, Houston, The Menil Foundation (Archives Sylvester).

69. M. Mariën, *Le Radeau de la mémoire : souvenirs déterminés*, Paris, Le Pré aux Clercs, 1983, p. 52.

70. Cité in D. Sylvester (Dir.), *Catalogue raisonné, op. cit.*, II, 36.8.

71. M. Ernst, *Œuvres de 1919 à 1936, op. cit.*, p. 42.

72. Voir L. Scutenaire, *op. cit.*, p. 44.

73. E. James, *Lettre à René Magritte*, 28 janvier 1937, West Dean, Edward James Archives.

74. E. James, *Lettre à René Magritte*, 18 avril 1937, West Dean, Edward James Archives.

75. R. Magritte, *Lettre à Edward James*, 26 juillet 1938, West Dean, Edward James Archives.

76. E. James, *Lettre à René Magritte*, 5 août 1938, West Dean, Edward James Archives.

77. R. Magritte, *Lettre à ELT Mesens*, [mars] 1938, Houston, The Menil Foundation (Archives Sylvester).

78. ELT Mesens, *Lettre à René Magritte*, 13 septembre 1938, Houston, The Menil Foundation (Archives Sylvester).

79. R. Magritte, *Lettre à ELT Mesens*, 17 novembre 1938, Houston, The Menil Foundation (Archives Sylvester).

80. ELT Mesens, *Lettre à René Magritte*, 18 décembre 1938, Houston, The Menil Foundation (Archives Sylvester).

81. *Ibid*.

82. R. Magritte, *Lettre à Louis Scutenaire*, 18 février 1936, Bruxelles, Bibliothèque royale de Belgique-Archives et musée de la Littérature.

83. M. Mariën, *op. cit.*, p. 29 note 278.

84. *Ibid.*, p. 29-30.

85. D. Trashjan, « Magritte's Last Laugh : A Surrealist's Reception in America » in *Magritte and Contemporary Art : The Treachery of Images*, Los Angeles, Los Angeles, County Museum of Art, 2006, p. 45.

86. Voir *Écrits, op. cit.*, p. 103-130 et 142-148.

87. On retrouvera un développement des différents projets ainsi que des variantes du texte dans l'article de David Sylvester et Sarah Whitfield (« La conférence perdue de Magritte », in *Magritte, exposition du centenaire, op. cit.*, p. 41-43 pour la présentation, p. 44-48 pour le texte) qui définit la nature des trois versions conservées.

**88.** R. Magritte, *Lettre à ELT Mesens*, citée in D. Sylvester et S. Whitfield, *op. cit.*, p. 41.

**89.** R. Magritte, *La Ligne de vie*, *op. cit.*, p. 44.

**90.** *Ibid.*

**91.** *Ibid.*, p. 45.

**92.** *Ibid.*, p. 46.

**93.** *Ibid.*, p. 47-48.

**94.** *Ibid.*, p. 48.

## FÉERIE POUR UN AILLEURS

**1.** R. Magritte, *Lettre à Marcel Mariën* [avril 1939], in *La Destination. Lettres à Marcel Mariën*, Bruxelles, Les Lèvres nues, 1977, n° 16.

**2.** P. Nougé, « 1939 », repris in *René Magritte (in extenso)*, *op. cit.*, p. 59.

**3.** *Ibid.*

**4.** *Ibid.*, p. 65.

**5.** *Ibid.*, p. 59.

**6.** R. Magritte, *Lettre à Marcel Mariën*, 11 janvier 1940, in *La Destination*, *op. cit.*, n° 30.

**7.** M. Mariën, in *Le Fait accompli*, novembre 1974, n° 127-129.

**8.** P. Nougé, *Lettre à René Magritte* [janvier] 1940, reprise in *Lettres surréalistes*, *op. cit.*, n° 214.

**9.** *Ibid.*

**10.** R. Magritte, *Lettre à Marcel Mariën*, 21 août 1940, in *La Destination*, *op. cit.*, n° 33.

**11.** M. Mariën, *L'Activité surréaliste en Belgique*, *op. cit.*, p. 324.

**12.** Voir la notice d'Étienne-Alain Hubert in A. Breton, *Fata Morgana* [1940], in *Œuvres complètes*, *op. cit.*, II, p. 1788-1789.

**13.** R. Magritte, *Lettre à Paul Éluard*, 4 décembre 1941, Houston, The Menil Foundation (Archives Sylvester).

**14.** E. James, *Lettres à René Magritte*, 23 mai 1941, Houston, The Menil Foundation (Archives Sylvester).

**15.** M. Mariën, *Le Radeau de la mémoire*, *op. cit.*, p. 101-104.

**16.** G. Marlier, « À propos de faux tableaux », in *Le Soir*, 22 novembre 1943, p. 1.

**17.** M. Mariën, *Le Radeau de la mémoire*, *op. cit.*, p. 101.

**18.** R. Magritte, *Lettre à Marcel Mariën*, [mai] 1946, reprise in *La Destination*, *op. cit.*, n° 46.

19. *Id.*, *Lettre à Pol Bury*, 24 février 1945, citée in D. Sylvester (Éd.), *Catalogue raisonné*, *op. cit.*, II, p. 91.

20. R. Magritte, *Lettre à Paul Éluard*, 4 décembre 1941, Houston, The Menil Foundation (Archives Sylvester).

21. *Ibid.*

22. M. Mariën, in R. Magritte, *Manifestes et autres écrits*, Bruxelles, Les Lèvres nues, 1972, p. 14.

23. R. Magritte, « Le surréalisme en plein soleil » [novembre 1946], in *Écrits complets*, *op. cit.*, p. 219.

24. M. Eemans, « René Magritte », in *Le Pays réel*, 16 janvier 1944, p. 2.

25. R. Magritte, « Lettre à Marcel Mariën, février 1944 », in *La Destination*, *op. cit*, p. 73.

26. Lautréamont, *Œuvres complètes*, avec une préface d'André Breton, Paris, GLM, 1938.

27. P. Éluard, *Les Nécessités de la vie et les conséquences des rêves précédé d'Exemples*, Paris, Au sans pareil, 1921.

28. R. Magritte, *Lettre à Léo Mallet* [1945], Houston, The Menil Foundation (Archives Sylvester).

29. R. Magritte, *Écrits*, *op. cit.* Voir aussi les propos de Magritte in P. Walberg, *op. cit.*, p. 208-210.

30. Voir M. Sawin, *Surrealism in Exile and The Beginning of the New York School*, Cambridge-Londres, the MIT Press, 1995 et, particulièrement : D. Tashjian, *A Boatload of Madmen. Surrealism and The American Avant-Garde 1920-1950*, Londres, Thames & Hudson, 2001.

31. R. Magritte, *Lettres à ELT Mesens*, 24 juin 1946, Houston, The Menil Foundation (Archives Sylvester).

32. A. Iolas, *Lettre à René Magritte*, 5 mai 1947, Houston, The Menil Foundation (Archives Sylvester).

33. R. Magritte, *Lettre à Nougé*, citée in *Écrits complets*, *op. cit.*, p. 162.

34. *Dix tableaux de Magritte précédés de descriptions*, Bruxelles, Le Miroir infidèle, 1946, s.p.

35. R. Magritte, *Lettre à P. Nougé*, 17 juin 1946, Houston, The Menil Foundation (Archives Sylvester).

36. R. Magritte, *Lettre à André Breton*, 24 juin 1946, Houston, The Menil Foundation (Archives Sylvester).

37. *Ibid.*

38. R. Magritte, *Lettre à André Breton*, 11 août 1946, Houston, The Menil Foundation (Archives Sylvester).

39. A. Breton, *Lettre à René Magritte*, 14 août 1946, Houston, The Menil Foundation (Archives Sylvester).

40. R. Magritte, *Lettre à André Breton*, 11 août 1946, Houston, The Menil Foundation (Archives Sylvester).

41. R. Magritte et P. Nougé, *Lettre à André Breton*, citée dans une lettre à Marcel Mariën datée du 8 octobre 1946 reprise in *La Destination, op. cit.*, n° 205.

42. R. Magritte, *Lettre à ELT Mesens*, 24 juin 1946, Houston, The Menil Foundation (Archives Sylvester).

43. ELT Mesens, *Lettre à René Magritte*, 24 juin 1946, Houston, The Menil Foundation (Archives Sylvester).

44. P. Nougé, *Élémentaires* [1946], repris in *Histoire de ne pas rire, op. cit.*, p 282. Magritte rédigera une série de brefs commentaires sur les titres des œuvres exposées qui restera inédite.

45. R. Magritte « Le surréalisme en plein soleil » [novembre 1946], in *Écrits complets, op. cit.*, p. 217.

46. *Ibid.*, p. 218.

47. *Id.*, « Mise au point » [circa 1949], in *Écrits complets, op. cit.*, p. 235.

48. *Id.*, Lettre à Salkin, 2 janvier 1947, Houston, The Menil Foundation (Archives Sylvester).

49. R. Magritte, *Lettre à Marcel Mariën*, 14 janvier 1947, reprise in *La Destination, op. cit.*, n° 218.

50. Ces dix poèmes paraîtront en volume en 1973. J. Wergifosse, « La Partie du plaisir », Bruxelles, Le Fait accompli (n° 99), 1973.

51. Voir *Cobra, 1948-1951*, Bruxelles, Musées royaux des Beaux-Arts de Belgique, 2008.

52. M. Mariën, *Les Corrections naturelles*, Bruxelles, librairie Sélection, 1947.

53. *Chaplin : Last of the Clowns*, New York, The Vanguard Press, 1948.

54. A. Iolas, *Lettre à René Magritte*, 5 mai 1947, citée in D. Sylvester (Éd.), *Catalogue raisonné, op. cit.*, II, 47.2.

55. R. Magritte, *Lettre à Andrieu*, 7 juillet 1947, Paris, Musée national d'art moderne.

56. A. Breton, « Devant le rideau » [1947], in *La clef des champs, Œuvres complètes*, III, *op. cit.*, p. 747.

57. Voir R. Magritte, *Lettre à Pierre Andrieu*, 29 août 1947 et *Lettre à Léo Mallet*, 31 janvier 1948, Houston, The Menil Foundation (Archives Sylvester).

58. R. Magritte, *Lettre à Léo Mallet*, reproduite in *Les Cahiers du silence*, Paris, La Marge-Kesselring, 1974, p. 123.

59. L. Scutenaire, *Avec Magritte, op. cit.*, p. 111.

60. *Ibid.*, p. 109 et 111.

61. R. Magritte, *Lettre à Louis Scutenaire*, 11 mars 1948, Houston, The Menil Foundation (Archives Sylvester).

62. *Ibid.*, p. 113.

63. *Ibid.*

64. L. Scutenaire, *Avec Magritte, op. cit.*, p. 111-112.

65. *Ibid.*

66. M. Mariën, cité in D. Sylvester et S. Whitfield, « "Rira bien qui rira le dernier" », in *Magritte — Période vache. « Les Pieds dans le plat » avec Louis Scutenaire*, Marseille, musée Cantini, 1992, p. 22.

67. R. Magritte, *Lettre à Louis Scutenaire*, 17 mai 1948, Houston, The Menil Foundation (Archives Sylvester).

68. D. Chevalier, in *Arts*, 14 mai 1948.

69. Au dire de Magritte (*Lettre à Louis Scutenaire*, 7 juin 1948, Houston, The Menil Foundation (Archives Sylvester), le proverbe convoqué par Éluard « doit être pris en bonne part ». Ce que l'impact de la série sur la création contemporaine depuis le début des années 1980 semble conforter.

70. J. Roisin, *op. cit.*

71. R. Magritte, *Lettre à Louis Scutenaire*, 7 juin 1948, Houston, The Menil Foundation (Archives Sylvester).

## UNE FABRIQUE POÉTIQUE

1. R. Magritte, *Lettre à Alexandre Iolas*, 12 novembre 1948, Houston, The Menil Foundation (Archives Sylvester).

2. *Id.*, *Lettre à Alexandre Iolas*, 27 novembre 1948, Houston, The Menil Foundation (Archives Sylvester).

3. *Id.*, *Lettre à Alexandre Iolas*, 2 mars 1950, Houston, The Menil Foundation (Archives Sylvester).

4. *Ibid.*

5. *Ibid.*

6. R. Magritte, *Lettre à Alexandre Iolas*, 2 mars 1950, Houston, The Menil Foundation (Archives Sylvester).

7. *Id.*, *Lettre à Alexandre Iolas*, 21 janvier 1952, Houston, The Menil Foundation (Archives Sylvester).

8. *La Philosophie de Martin Heidegger*, Louvain, Éditions de l'Institut supérieur de philosophie, 1942.

9. R. Magritte, « Je pense à... » [1952], in *Écrits complets, op. cit.,* p. 326.

10. R. Magritte, *Lettre à Marcel Mariën*, 24 juin 1952, reprise in *La Destination, op. cit.,* p. 285.

11. R. Magritte, « Je pense à... » [1952], in *Écrits complets, op. cit.,* p. 326.

12. R. Magritte, *Lettre à Marcel Mariën*, 28 septembre 1952, reprise in *La Destination, op. cit.,* n° 260.

13. R. Magritte, *Lettre à Marcel Mariën*, 9 octobre [1952], in *ibid*.

14. R. Magritte, *Lettre à Ernst Jünger*, 15 septembre 1955, citée in *Écrits complets, op. cit.,* p. 237.

15. R. Magritte, *Lettre à Gaston Puel* [juin 1954], Houston, The Menil Foundation (Archives Sylvester).

16. R. Magritte, *Lettre à Alexandre Iolas*, 23 octobre 1953, Houston, The Menil Foundation (Archives Sylvester).

17. R. Magritte, *Lettre à Jan Albert Goris*, 6 novembre 1953, Houston, The Menil Foundation (Archives Sylvester) — Archives Magritte (copie).

18. Voir D. Tashjian, Magritte's Last Laugh : A Surrealist's Reception in America, *op. cit*, p. 51-54.

19. R. Rosenblum, « Magritte's Surrealist Grammar », in *Art Digest*, XXVIII, n° 28, 15 mars 1954, p. 16-32.

20. R. Magritte, « Le Sens du monde » [1954], in *Écrits complets, op. cit.,* p. 363-364.

21. R. Magritte, « Esquisse autobiographique » [1954], in *ibid.,* p. 366-368.

22. R. Magritte, « La Pensée et les Images » [1954], in *ibid.,* p. 374.

23. *Ibid.*

24. *Ibid.,* p. 375.

25. *Ibid.,* p. 376.

26. A. Iolas, *Lettre à René Magritte*, 1er mai 1954, Houston, The Menil Foundation (Archives Sylvester).

27. D. Vallier, « La XXVIIe Biennale de Venise », in *Les Cahiers d'Art*, 1954, p. 109-115.

28. A. Blavier, « Le groupe surréaliste » in *Phantômas*, XVIII, n° 100-111 (*La Belgique sauvage*), p. 235-236.

29. R. Magritte, *Lettre à Maurice Rapin*, 18 février 1958, Bruxelles, Musées royaux des Beaux-Arts de Belgique (AACB).

30. *Ibid.*

31. R. Magritte, *Lettre à ELT Mesens*, 13 janvier 1955, Houston, The Menil Foundation (Archives Sylvester).

32. L. Scutenaire, *Avec Magritte, op. cit.*, p. 120-133.

33. R. Magritte, *Lettre à Noël Arnaud*, 9 février 1955, Houston, The Menil Foundation (Archives Sylvester).

34. R. Magritte, « Un art poétique » [1955], in *Écrits complets, op. cit.*, p. 401.

35. *Ibid.*

36. R. Magritte, *Lettre à Gaston Puel*, février 1955, Houston, The Menil Foundation (Archives Sylvester).

37. M. Mariën, *Le Radeau de la mémoire, op. cit.*, p. 189.

38. R. Magritte, *Lettre à ELT Mesens*, 26 novembre 1955, Houston, The Menil Foundation (Archives Sylvester).

39. R. Magritte, *Lettre à Maurice Rapin*, 23 janvier 1956, Houston, The Menil Foundation (Archives Sylvester).

40. Magritte, *Lettre à Maurice Rapin*, 31 janvier 1956, Houston, The Menil Foundation (Archives Sylvester).

41. R. Magritte, *Lettre à Barnet Hodes*, 29 janvier 1959, Houston, The Menil Foundation (Archives Sylvester).

42. *Ibid.*

43. H. Torczyner, *Magritte. Ideas and Images*, New York, Abrams, 1977, p. 10.

44. R. Magritte, *Lettre à Harry Torczyner*, 18 octobre 1960, in H. Torczyner, *L'Ami Magritte*, Anvers, Fonds Mercator, 1992, p. 165.

45. Voir W. Halstead, in *Art forum*, septembre 1966, p. 59.

46. B. Hodes, *Lettre à René Magritte*, 28 novembre 1966, Houston, The Menil Foundation (Archives Sylvester).

47. J. Taylor (Éd.), *Magritte*, Chicago, William Copley Foundation, 1958.

48. R. Magritte, *Lettre à Paul Colinet* [1956], Houston, The Menil Foundation (Archives Sylvester).

49. L. Scutenaire, in *René Magritte, La fidélité des images, le cinématographe et la photographie*, Bruxelles, Musées royaux des Beaux-Arts de Belgique, 1976, p. 70.

50. Interview d'Issa Cocriamont-Demianov, Bruxelles, 12 mai 1995, Bruxelles, Archives Magritte-Ten O'Clock.

51. L. Scutenaire, in *René Magritte, La fidélité des images, op. cit.*, p. 69.

52. R. Magritte, « Discours de réception à l'Académie Picard » [1959], in *Écrits, op. cit.*, p. 441.

53. R. Magritte, « La Ressemblance » [1959], in *Écrits*, *op. cit.*, p. 493-496.

54. R. Magritte, *Lettres à André Bosmans 1958-1967*, Bruxelles, Seghers-Isy Brachot, 1990.

55. M. Duchamp, in *Magritte*, New York, Hugo Gallery, 20 mars-11 avril 1959.

56. R. Magritte, *Lettre à Harry Torczyner*, 8 septembre 1960, in *L'Ami Magritte*, *op. cit.*, p. 160.

57. *Ibid.*

58. H. Torczyner, *Lettre à René Magritte*, 26 juin 1960, in *ibid*, p. 149.

59. R. Magritte, *Lettre à Harry Torczyner*, 21 novembre 1962, in *ibid*, p. 226.

60. R. Magritte, *Lettre à André Bosmans*, 5 août 1963, in *Lettres à André Bosmans 1958-1967*, *op. cit.*, p. 309.

61. [M. Mariën], *Grande Baisse*, 1962, Bruxelles, Musées royaux des Beaux-Arts de Belgique, AACB-1457.

62. R. Magritte, *Lettre à Marcel Mariën*, 14 juillet 1962, in *La Destination*, *op. cit.*, n° 278.

63. R. Magritte, *Lettre à André Blavier* [juillet 1962], citée in *Écrits complets*, *op. cit.*, p. 731.

64. M. Mariën, *Le Radeau de la mémoire*, *op. cit.*, p. 191.

65. R. Magritte, *Lettre à André Bosmans*, 24 octobre 1964, in *Lettres à André Bosmans 1958-1967*, *op. cit.*, p. 392.

66. *Ibid.*, p. 389.

67. *Max Ernst*, Paris, Pauvert, 1958 ; *Hans Bellmer ou l'écorcheur écorché*, Paris, Galerie Cordier, 1963. *Chemins du surréalisme*, Bruxelles, La Connaissance, 1962 ; *Le Surréalisme*, Genève, Skira, 1962.

68. J. Borgé et N. de Rabaudy, « Le rêve de Malraux "Le musée imaginaire" devient réalité », in *Paris Match*, 19 novembre 1966, p. 146.

69. R. Magritte, *Lettre à Harry Torczyner*, 3 octobre 1966, in *L'Ami Magritte*, *op. cit.*, p. 370.

70. P. Nougé, « D'une Lettre à André Breton » [1929], repris in *Histoire de ne pas rire*, *op. cit.*, p. 79.

# REMERCIEMENTS

Je tiens à remercier Jacques De Decker, secrétaire perpétuel de l'Académie royale de Langue et de Littérature de Belgique, qui m'a amicalement poussé à m'engager sur le terrain biographique, et Gérard de Cortanze, qui m'a donné la possibilité de concrétiser ce qui n'était qu'un projet. Merci à Charly Herscovici, Président de la Fondation Magritte, qui a accordé son soutien à ce livre qu'il attendait. Ma gratitude, enfin, à l'équipe de Gallimard pour l'exceptionnel travail réalisé : Amélie Airiau, Claire Bécquet, Anne Mensior.

FOLIO BIOGRAPHIES

*Dernières parutions*

Retrouvez tous les titres de la collection
sur www.folio-lesite.fr

*Composition Nord Compo*
*Impression Maury Imprimeur*
*45330 Malesherbes*
*le 10 novembre 2021*
*Dépôt légal : novembre 2021*
*1ᵉʳ dépôt légal dans la collection : janvier 2014*
*Numéro d'imprimeur : 258707*

ISBN 978-2-07-045017-6 / Imprimé en France.

**403706**